エビデンスを嫌う人たち

科学否定論者は何を考え、どう説得できるのか？

リー・マッキンタイア
西尾義人 訳

国書刊行会

How to Talk
a Science D
ons with Fla
Climate Deniers,
and Others Who Defy
Lee M

目次

第2章　科学否定とはなにか？　081

第3章　どうすれば相手の意見を変えられるのか？　125

モハマド・エゼディーン・アラフ医師へ

エビデンスを嫌う人たち

科学否定論者は何を考え、どう説得できるのか？

凡例

・本書は、*How to Talk to a Science Denier: Conversations with Flat Earthers, Climate Deniers, and Others Who Defy Reason* by Lee McIntyre (MIT Press 2021) の日本語版です。

・日本語版編集にあたり、小見出しを追加し、日本の読者の関心が薄いと思われる内容を一部原注へと移動しました。

・本文中に〔 〕で示されているのは翻訳者による補足です。

はじめに

「フラットアース国際会議２０１８」の受付カウンターに向かい、白衣の若い女性スタッフが笑顔で手渡してくれたストラップを首からさげる。正直に言えば、私はこのとき少し怖気づいていた。誰かに正体がばれてしまうのではないか？　あそこにいる人物は私のことを写真に撮っているのではないか？

だが冷静に考えてみれば、そんなことが起きるわけはなかった。だいたい私は、**科学否定主義（否認主義）**の研究のために自分のオフィスに一五年も閉じこもっていたのだ。それにネルシャツにバッジという今日の服装は、周囲に完全に溶け込んでいるはずだ。このいでたちは、潜入調査をおこなう科学哲学者に必須の「透明マント」である。その効力で、まず少なくとも最初の二四時間は姿を隠し、そのあいだに行動を起こす準備を進めるというのが私の目論見だった……。

そのとき、私の肩にふいに手が置かれた。驚いて振り返ると、黒いTシャツ姿の男性が一人、手を広げて微笑んでいた。Tシャツには「ＮＡＳＡは嘘をついている」とある。

「ようこそ、リー」と男は言った。「いったいどうした風の吹きまわしだい、君みたいな人がフラットアースに興味をもつなんて」

＊　＊　＊

ここ何年ものあいだ、真実は攻撃にさらされ続けてきた。少なくともアメリカではそうだった。もはや国民は、事実に耳を傾けるのをやめてしまったように見える。証拠（エビデンス）よりも感情が優先され、イデオロギーが台頭した。私はかつて一冊の本を書き、そのなかで、現代人は「ポスト真実（トゥルース）」の時代に生きているのではないかと問いかけ、そうした状況が後世にもたらす影響について検討した。[*1] ポスト真実の時代とは、客観的な事実、あるいは現実でさえ、議論の争点になる時代のことだ。そこで私が見つけたのは、今日の**現実の否定**のルーツが、**科学の否定**の問題に直接さかのぼれるということだった。

科学否定の問題は、一九五〇年代に巨大なタバコ産業が広報の専門家を雇い入れて、「喫煙と肺がんには関連がある」と主張する科学者たちを黙らせる方法を模索して以来、この国で深刻の度を増し続けてきた。[*2] タバコ産業が編みだした手法は、誤った情報を広めるキャンペーンを成功させるための青写真となり、喫煙と肺がんだけでなく、進化論、ワクチン、気候変動など、あらゆるトピックに利用されている。私たちが今、同じ大統領就任式の写真〔二〇一七年のトランプ大統領の就任式〕を見て、そこに集まった群衆の数について二つのまったく異なる意見が出てくる社会に暮らしていることは、こうした過去と決して無縁ではない。[*3]

現在のワシントンの政治的混乱は、当分のあいだ収まることはないだろう。一方で、その混乱が科学に与えた副次的な影響は、いまやのっぴきならない事態を引き起こしている。国連のＩＰＣＣ（気候変動に関する政府間パネル）が最近公表した報告書によれば、私たちはすでに危うい分岐点に立たされているという。[*4] 地球温暖化の影響は予想よりもずっと早く現れており、パリ協定が定めた目標に届かない国が早くも続出している。その結果、極冠（極地の氷冠）は二〇三〇年までに、サンゴ礁は二〇四〇年までに消滅する可能性があり、ニューヨークとボストンの海面は、今世紀が終わるまでに最大で五フィート（約一・五メートル）上昇する可能性がある。[*5] 国連のアントニオ・グテーレス事務総長は数年前に、「二〇二〇年までに進路を修正しなければ、気候変動の暴走を回避するチャンスを逸する恐れがある」と警告を発した。[*6] にもかかわらず、これを書いている時点では、ホワイトハウスの気候変動否定論者であり、我が国の最高責任者も兼ねる人物は、気候学者には「政治的意図」があり、もし気候変動が起きているとしても、それはおそらく「人類のせい」ではなく、「元に戻ることだって大いにありうる」という幻想を喧伝し続けている。[*7] 残念ながら、その意見に賛同する人間は何百万人もいる。

そんなふうに考える人たちに向かって、どうすれば言葉を届けられるだろうか？　どうすれば事実に基づいた考えを受け入れてもらえるだろうか？　そんなことは無理だと思えることもときにはあった。実際、そうした試みは「バックファイア効果」をもたらすと言う人もいる。説得は問題を解決するどころか、かえって彼らの誤った信念を強化し、状況を悪化させてしまうというのだ。[*8] このような考え方は、「この記事であなたの考えは変わらない」（アトランティック誌）や「事実はなぜ私たちの意見を変えないのか」（ニューヨーカー誌）など、いくつかの挑発的な見出しの記事を生みだすことにつながった。[*9]

しかし、この視点には問題がある。バックファイア効果と言われてきたものが実は再現できないことが、ここ数年の研究でわかってきたからだ。[*10] なるほど人間というのは頑固で、事実に基づいて自分の信念を変えるという考えに抗（あらが）おうとする。だがそれでも、たいていの場合、信念は変えることができる。さらに言えば、そうした努力を怠るのならば、状況は悪化の一途をたどるほかないのである。

近年、この問題に関して非常に興奮させられる進展があった。二〇一九年六月にネイチャー・ヒューマン・ビヘイビア誌にて発表された論文が、科学否定論者への反論が可能であることを示す初めての経験的証拠（エンピリカルな）〔観察や実験などから得られる証拠〕を提示したのだ。[*11] フィリップ・シュミットとコルネリア・ベッチュという二人のドイツ人研究者がおこなった、この見事なオンライン実験によると、私たちにとっての**最悪の選択肢は科学否定論者に反論をしないこと**なのだという。そのまま放置してしまえば、誤った情報がどんどん広がってしまうというのだ。

シュミットとベッチュの実験では、有効と思われる二つの戦略を検討している。一つは「内容的反論」で、否定論者に対して専門家が科学的事実を提示するもの。適切な方法で用いれば、このアプローチは大いに力を発揮する。もう一つは「技術的反論」と呼ばれるもので、第一の戦略ほどは知られていないが、科学否定論がかならず犯す**五つの推論の誤り**があるという考えに基づいている。そして、ここからが驚きなのだが、この二つの戦略はどちらも同等に有効で、かつそのあいだに相乗効果は存在しない。前者も後者も同じように単独で使用できるというのだ。これはつまり、科学否定論者への応戦は誰にでも可能だということだ。反論のために科学の専門家になる必要はないのである。科学を認めない人の議論に共通する五つの誤り——証拠のチェリーピッキング、陰謀論への傾倒、偽物の専門家への依存、非論理的な推論、科学への現実離れした期待——について学べば、どんなケースにも対応できる万能の手段を手に入れることになるというわけである。[*12]

しかしながら、シュミットとベッチュは重要なことを一つ見逃していた。一般に、科学否定論者への対応には、「接種」、「介入」、「信念の転覆」という三つのレベルがあると考えられている。しかしシュミットらの論文では、最初の二つしか取り上げられていない。[*13] 同号のネイチャー・ヒューマン・ビヘイビア誌には、二人の論文に好意的なサンダー・ファン・デル・リンデンの論評も掲載されている。それによると、シュミットらの方法論は、科学否定論者が用いるインチキな手口を事前に突き止めるのに有効であり、虚偽を「事前に暴き」、それが将来与える影響を制限する可能性があるという。シュミットらはまた、すでに誤情報に触れたあとでも、誤った信念が根を張る前であれば、すぐに介入して、そこで用いられている推論が間違いだと説明するのは有効なことも実証した。要するに、科学否定論者の誤りを事前に、あるいは早期に指摘することは、どちらも強力な手段となりうることが実験によってわかったのである。

だが、二人が検証しなかった問題もある。それは、筋金入りの科学否定論者、とりわけ何年も科学の誤情報にさらされてきた人の信念を覆すのが可能か否かという問題だ。これから科学否定論者になるかもしれない人に対するシュミットとベッチュ（そしてファン・デル・リンデン）の対応は見事なものだった。しかし、彼らの実験に参加したときにすでに科学否定論者になっていた人についてはどうなのか？

残念ながら、二人の実験結果はその答えを示していない。他の複数の事例報告からは、他人を説得して信念を変えさせるには、その人に**直接関与するのがもっとも有効**だと示唆されているが、シュミットとベッチュの実験はオンラインでおこなわれたものだった。だが、他人を心変わりさせようと思えば、やはり信頼を築くことがまず重要なのではないか？ 信念というものは通常、社会的文脈のなかで形成されるのだから、それを変える際に社会的文脈を無視してよいなどと言えるだろうか？ 懐疑論の専門家にして科学史家であるマイケル・シャーマーは、「事実が役に立たないときに他人を説得する方法」という重要な小論で、以下のアドバイスを送っている。

> 私の経験から言わせてもらえば、説得には次のことが重要だ。①感情を交えない、②議論はするが攻撃はしない（人身攻撃（アド・ホミネム）やヒトラー化（アド・ヒトレルム）をやめる）、③相手の話を丁寧に聞き、それとは別の立場についてはっきりと正確に述べる、④敬意を示す、⑤相手がその意見をもつに至った理由を理解したことを伝える、⑥現在の事実認識を変えたとしても、かならずしも世界観まで変わるわけではないことを示す。[*14]

科学否定論者が考えを改めたという話は、たいていの場合、信頼できる人からポジティブな影響を受けたという報告がセットになっている。そうした話の裏側には、彼らと個人的な関係を築き、疑念を真剣に受けとめ、そのうえで客観的証拠を提示した人が存在する。事実だけがあればよいというものではないのだ。

実際、近年発表されたワクチン否定からの脱却に関する二つの資料では、ワクチンに反対していた、あるいは接種をためらっていた人の見解が変わったのは、彼らと膝を交えて話し合い、敬意をもってあらゆる疑問に忍耐強く答えた人がいたおかげだと報告されている。

たとえば、二〇一九年にワシントン州クラーク郡で麻疹が流行したときには、公衆衛生の専門家が各所に派遣されたが、その専門家たちは、「子供たちの親と一対一、あるいは小グループで面談をして、彼らの質問に答えた。面談はときに数時間に及ぶこともあった」という。その結果、「ある女性は」医師がホワイトボードに図を描いて細胞の働きを説明するなどしながら、二時間以上も自分の質問に答えてくれたので、それまでの考えを捨てて、子供にワクチンを接種させる決心をした。医師は思慮深く、また事実に基づいており、その女性は『先生はとても暖かい人だった』と述べている」[*15]。

また、サウスカロライナ州に暮らすある女性は、ワシントン・ポスト紙に自身の経験を書き送り、「ワクチンに反対だった私はいかにして考え方を変えたか」という見出しで投書欄に掲載された。

私がワクチンに反対するようになったのは、そこに含まれる成分とその働きについて誤解していたことが大きかったと思います。私に接種を思いとどまらせようとした人たちは、アルミニウム塩、ポリソルベート80、ホルムアルデヒドなど、ワクチンの成分をたくさん教えてくれたものの、なぜそうした物質が含まれているのかは教えてくれませんでした……。どうして私は意見を変えたのでしょうか？　それは、ワクチン接種を強く支持し、一緒に議論してくれる人たちに出会えたからです。彼らは、私が耳にしていた情報の誤りを一つひとつ訂正し、心配な点についても、信頼できる研究などの有益な情報を挙げて相談にのってくれました。[*16]

同じような事例はワクチン以外の分野でも見つかる。たとえば、根っからの共和党議員ジム・ブライデンスタインが登場する、気候変動に関する逸話もその一つだ。

ブライデンスタインはトランプ大統領によってＮＡＳＡの長官に任命されたが、その新しい地位に就いてわずか数週間後に、地球温暖化に関する持論を撤回した。二〇一三年の下院での演説で「地球の気温上昇はすでに一〇年前に止まっている」と間違った主張したブライデンスタインが、長官になったとたんに「いま現在も気候が変わり続けていることを疑っていないし、それが事実だとわかってもいる。また、その変化にわれわれ人類が深く関与していることも承知している」と述べたのだ。彼は続けて、「二酸化炭素は温室効果ガスだ。過去に例を見ないほど大量の二酸化炭素が大気中に排出された結果、地球の気温は上がり続けている。これは紛れもない事実だ。そして、その責任はわれわれにある」とまで言い切った。

この心変わりはいったいどうしたことだろう。一つには、彼自身が述べているように「たくさん本を読んだ」ことがある。だが、それで変われたのはＮＡＳＡという新しい環境にいたからで、そこで彼は「多くの専門家から話を聞き」、気候変動に関して「科学を疑う理由がない」という結論にすぐに達することができたのだ。[*17]

敬意、信頼、親身な態度、積極的な関与――これらはすべて、当事者の証言に共通して見られる重要な要素である。シュミットとベッチュは、実験で得られた証拠を通じて、科学否定論者に対処するための最良の戦略を提示した。だが、その戦略は誰に向けられ、どんな社会的文脈に位置づけられているのか？　シュミットらの研究成果はたしかに画期的だった。しかしながら、彼らの実験は、科学否定の議論においてもっとも興味をそそる疑問を手つかずのままに残してしまった。すなわち、**「筋金入りの科学否定論者であっても意見を変えさせることができるのか？　できるとすれば、どうやって？」**という疑問である。

私は科学否定の問題を長年にわたり研究し、どうすれば対抗できるのかを突き止めようとしてきた。「内容的反論」と「技術的反論」の手法も、シュミットとベッチュがお墨付きを与えるずっと前から利用してきた。ゆえに私は、この問題で直接対峙する相手が、多くの場合、科学否定論者の取り巻きではなく、どこまでも頑迷な否定論者本人であることを承知している。そうなると当然ながら、誤情報に対する耐性を植えつける「接種」や、誤った考えが根を張ってしまう前の「介入」はおこなえない。科学否定論者の信念は、誤情報まみれのイデオロギーに何年も浸りきるなかで強化され、それが彼らのアイデンティティになっていることも少なくない。はたして、そんな人たちの考えが変わることなど本当にあるのだろうか？

二〇一九年に刊行した前著『科学的態度』〔邦題『「科学的に正しい」とは何か』〕で、私は科学を科学たらしめているいちばんの特徴について考え、その結果生まれた理論を用いて、科学を批判者から擁護するための大まかな戦略について検討した。私の考えでは、科学の最大の特徴は、それが用いる論理や手段ではなく、それがもっている価値観とその実践にある（この二つは社会的文脈と特に関係が深い）。科学者は、同業者の仕事を常に証拠に基づいて評価し、新しい証拠が明らかになれば意見を訂正することで、互いに公正さを失わずにいる。それこそが科学の特徴なのだ。しかし、科学者以外の人たちはそれを理解しているだろうか？　よしんば理解していたとしても、どう実践すればいいのだろうか？

以前、『ポストトゥルース』という本のためのプロモーション・ツアーに出ていたとき（すでに『科学的態度』も校正刷りの段階に入っていた）、各地で集まった聴衆から「どうしたら否定論者に反撃できますか？」という質問をよく受けた。事実を否定する人の考えをどうしたら変えられるのかと聞いているのだ。それに対する私の答えは「関与すること」というものだった。私たちは、科学的な態度や推論の大切さについて一対一で話をすべきだ。科学の営みをすっかり誤解した結果、証拠の重要性を蔑ろにするようになってしまった人を放置しないことがなによりも重要なのである。

そこまでわかっているのなら、**私自身が外に出て、それを実践してみるべきではないか？**

やってみる価値はある。やってみれば、たとえ筋金入りの科学否定論者の意見は翻せなかったとしても、その取り巻きたちの心を動かすことはできるかもしれない。また、私が哲学者として身につけた説得力ある推論技術を共有できれば、「自分こそが科学的だ」、「科学を否定しているのではない、疑わしい点を指摘しているだけだ」という科学否定論者の主張に待ったをかけられるかもしれない。あるいは、証拠を示して説得するのが難しくとも、彼らの推論のおかしさについてなら指摘できるかもしれない。このような考えが頭に浮かんだとき、それならば本を書くべきだと私は思い立った――それが今、あなたが手にしている本書である。

＊　＊　＊

二〇一八年一一月、かくして私はコロラド州デンヴァーに向かい、「フラットアース国際会議2018」へと潜入することになった。クラウン・プラザ・ホテルの宴会場（ボールルーム）では、地球が平らだと心から信じて疑わない約六〇〇人の参加者が歓声を上げ、手を叩いて盛り上がっている。彼らに囲まれながら、地球は丸いのかという疑問など、アリスタルコスやコペルニクスによって大昔に解決されたはずだと私は考えていた。と同時に、この大勢の人間のなかでそう信じているのが自分一人であることに不意に気がつき、奇妙な感覚に襲われた。

科学否定主義をオフィスで長年研究してきた私が満を持してやってきたのは、おそらく地球――おっと、球ではないのだから地平と呼ぶべきだろうか――でもっとも悪評の高い科学否定論者が集う、狼の腹のなかのような場所だった。だが、なぜそんなことをしたのか？　私は、最初に経験するなら、とにかく最悪のものがいいと思っていた。科学を否定する人たちのあいだですら物笑いの種にされている面々に対峙したかったのだ。

そのとき私が考えていたのは、科学否定のもっとも過激なケースを研究すれば、気候変動否定論などの、より主張が穏健で振り幅が小さいケースへの対応のしかたがわかるのではないか、ということだった。また頭のどこかでは、議論で使える戦略は、どの科学否定論であっても同じではないかとも思っていた。フラットアースの信奉者に対して有効な議論の進め方は、気候変動否定派に対しても有効だろうと考えていたのである。

しかしいま考えてみれば、私はこれから自分の身に起こることについて、あまりに無知だったと言わざるをえない……。

第1章

潜入、フラットアース国際会議

にわかには信じられないことが、いま起きている──地球は平らだと主張する**地球平面説**（フラットアース）に再流行のきざしが見られるのだ。私たちの暮らす大地が球体であることが初歩的な科学によって示されたのは今から二〇〇〇年以上も前のことで、高校で物理学を勉強した人なら、誰もがその原理を教わっているはずだ。にもかかわらず、フラットアースの集会はあちこちの都市で開かれ、有名人、たとえばラッパーのB. o. B.[*1]やバスケットボール選手のカイリー・アービング[*2]、ウィルソン・チャンドラーなどの口からも、その主張を聞くことがある。集会のなかには、かなり大がかりなものもある。私が潜入したフラットアース国際会議（Flat Earth International Conference＝ＦＥＩＣ）も、その一つだった。

地球が平面だと信じている人たちの話を聞いてまず最初に頭に浮かぶのは、次の疑問かもしれない──はたして彼らは本気なのだろうか？　もちろん、完全に本気である。だが、こうした特異な考えをもち続けるのは茨（いばら）の道で、地球平面論者（フラットアーサー）はその思想ゆえに絶えず迫害を受けている。仕事を失ったり、教会から追い出されたり、家族から見放されたりといった事例も珍しくない。したがって、フラットアーサーの多くが自分の信念を隠しておこうと思うのも当然で、そのおかげで彼らが実際にどれくらいの数なのかを知るのは不可能に近い。*3 ＦＥＩＣの参加者が、まったくの初対面にもかかわらず、まるで昔からよく知っている友人のように挨拶を交わし、そこに一種の祝祭的なムードが生まれていたのは、こうした背景が関係しているのかもしれない。

黒いＴシャツの集団

ＦＥＩＣの開会式で、印象深い光景を目撃した。ある講演者が「私は恥ずかしくなんかない」とマントラのように唱えると、聴衆が熱烈な拍手でそれを迎え入れたのである。なかには、目に涙をためながらそのフレーズを繰り返している人さえいる。彼らもまた「恥ずかしくなんかない」のだろう。自分の考えを侮辱され、笑われ、はねつけられるのは愉快な体験ではない。フラットアーサーは釣り(トロール)だとか、ネタだろうと誰かが言うのを聞くたびに、私はそのことを思い出す。面白半分でやれることではないのだ。

こんなことを考えるのは、私がお人好しだからなのだろう。しかし、軽い気持ちでフラットアースに関わっているような人には、ＦＥＩＣの開催中についぞ出会わなかったのも事実だ。だからこそ、参加者たちもこの集まりを非常に有意義なものとみなしているのだろう。取材のための報道関係者も数名いたが、私にとってＦＥＩＣは、はぐれ者たちが集まって、ついに血縁の者たちと対面を果たした伝道集会のように見えた。

会場となったホテルの宴会場（ボールルーム）で周囲の様子を眺めながら、あらかじめ知っているのでもなければ、彼らがここに集まった理由は誰にも想像できないだろうなと考えていた。参加者はみな「普通」に見えた。頭にアルミホイルを巻き付けている者など一人もいない。老若男女、あらゆる人種、あらゆる社会階層の人が集まっている。[*4] たしかに黒いTシャツの着用率は高かった（しかもそれがジョークTシャツだったりした）。だがそれ以外に、彼らが非主流派の団体であることを示すものはなかった。前方に置かれた三つの巨大なマルチスクリーンさえ目に入らなければ、メタリカのコンサートの開演を待つ人たちと言われても信じてしまいそうだ。シャツにジーンズというカジュアルな服装の私も、その光景にすっかり溶け込んでいた。

席は会場の前の方を選んだ。隣は同年代とおぼしき夫婦で、カリフォルニア州パラダイスから来たという。パラダイスはそのわずか数か月前に山火事があり、相当な被害がでた土地である。当然私は、大丈夫でしたかと尋ねた。男性が口を開いた。「ああ、家は焼けてしまったよ。だからもう帰れない。それに妻の母親がまだ見つかっていないんだ。高齢だし、認知症もある。迷子になっちやったのかなぁ」

これにはさすがに驚いた。妻らしき女性の方にそれとなく目をやってみたが、特に動じているふうもない。そんな状況なのに、彼らはトラックに荷物を積み込んで、フラットアース会議に参加すべくわざわざデンヴァーまでやってきたのだ。それは大変でしたねと私は言い、山火事の話題を続けた。男性は「政府が燃焼促進剤をまいたのだと思う」と自説を述べ、火事が広がる前に上空にケムトレイル〔化学物質を飛行機から散布した際にできると主張される雲〕を見たと話した。女性の方も同調して、「あの山火事はやっぱりちょっと怪しいと思う。どうやったらあんなふうに燃える場所を限定できるのかしら」と言った。私たちの後ろの席には、六、七歳の男の子と母親がすわっていた。膝の上にはスパイラルノートが置いてあり、表紙には「聖書研究」と書かれていた。そのうち開会式がはじまった。

音楽が鳴りやんで最初に登壇したのは、このイベントの主催者ロビー・デイヴィッドソンだった。スピーチの内容は、かつては**球体主義者**（グローバリスト）だった彼が、平面説を否定しようとするうちに結局フラットアースに宗旨替えをした、というものだった。デイヴィッドソンによると、彼は科学を嫌っているわけではなく、たんに「科学万能主義」に反対しているだけなのだという。

「真実はあなたを自由にするのです！」と彼は言った。この聖書の言葉を聞いて、パラダイスの夫婦は勢いよく立ち上がり「おお、神よ！」と叫んだ。他の聴衆も拍手喝采していたが、私は黙々とメモを取り続けた。そのせいか、夫婦はすわるときに私の方にじっと目をやった。

壇上のデイヴィッドソンはスピーチを続け、おそらく報道関係者を意識してのことだろう、この会議は「フラットアース協会」とはなんの関係もないと明言した。それから、嘲笑をこめて、あの協会は世界が宇宙に浮かぶ「円盤」だと信じているようです、と言った。[*5] 続けて、もしフラットアースを疑っている人がいて、この会議をもの笑いの種にしたいのなら、ここに集まった人たちが実際になにを信じているかを理解してからそうしてほしいと呼びかけた。一部だけをつまみ食いしないで会議すべてを見てほしい、自分の頭で考えてほしい。そう彼は言った。自分たちの宇宙観は科学から何世紀も攻撃を受けてきた。「しかし、その土台は崩れつつあるのです！」。彼の言葉に聴衆は再び沸き立った。

NASAは**悪魔**の**手先**である！

フラットアース国際会議で体験できるのはスピーチや講演だけではない。聴衆の盛り上げ役のラッパーもいたし、「フラットアースマン」が出演するビデオの上映もあった（フラットアースマンはロックスターを目指している男性で、この界隈ではすでに誰もが知る有名人のようだった）。「宇宙は捏造（フェイク）である」と題されたそのビデオは、出来がよく、聴衆にも好評だった。フォトショップで加工したおかしな画像が次々と現れるだけの代物なのだが、彼でさえこんなフェイク画像を作れるのだから、政府だって同じことができるはずだというメッセージを伝えたいようだった。

ビデオでは主にNASAがジョークの餌食にされていた。私はそれまで知らなかったのだが、フラットアーサーはおよそ例外なく、宇宙空間から撮影した地球の画像をフェイクだと思っていて、人類は月に降り立っていないし、NASAの職員はみな（それ以外の何百万という人たちとともに）地球が平らだという神の真実を隠す「陰謀に加担している」と信じていた。地球平面説に目覚めていない人は、そうした隠蔽勢力の一員か、あるいはなんでも信じてしまう従順な羊なのだという。そのことを十分に納得させるために、ビデオは決定的な証拠を突きつけた――NASAの正式名称であるNational Aeronautics and Space Administration の各アルファベットにそれぞれ数字を割り当てると、**その合計が666になる**というのだ。

ビデオ上映が終わったのを見計らって、パラダイスから来た夫婦の男性の方にもう一度話しかけてみた。そして、この問題の背後には誰がいるのか、知っていたら教えてほしいと頼んだ。彼は私を新参者だと思っているようだ。正体はバレていない。[*6]私の不意の問いに、彼は「敵」とだけ返した。よくわからなかったので聞き返すと、今度はこう答えた。「悪魔だよ」。悪魔は権力中枢にいる者を支援している、と彼は言った。世界のすべての指導者もそこに含まれる。すべての国家元首、宇宙飛行士、科学者、教師、飛行機のパイロットといった人たちは、地球が平らなのを隠し通すことで悪魔から報酬をもらっているというのだ。[*7]「聖書までさかのぼる話だ」と彼は続けた。だって、もし地球が丸かったとしたら水は流れ落ちていき、ノアの時代に洪水が起きたはずがないじゃないか、というのが彼の見解だった。[*8]

これと似たような話は、二日間の会議中に大勢から聞かされることになる。その大半は、不適切な物理学の知識をキリスト教原理主義に結びつけてできた話だった。[*9]参加者の大多数は宗教的な世界観を強固にもっているように見えたが、面白いことに、地球が平面だという信念はそこには根ざしていないようだ。そのかわり彼らが主張したのは、自分の信念は**証拠**に基づいているということだった。フラットアースを支持する証拠もグローバリストを否定する証拠も確かにあり、彼らはその証拠を根拠にしているというのだ。

会議では、参加者が自分で考えてみることが奨励されていた。[*10]実際、会議の重要な狙いは、デイヴィッドソンが言っていたとおり、「教育」のための資料を提供する点にあった。よく耳にしたのは、「権威だけを頼りになにかを盲信してはならない」という忠告である。自分がこう言ったからといってすぐに信じないで、自身の勉強の足がかりとして利用してほしいと聴衆に訴えかける講演者も少なからずいた。

　こうして「自分で考えてみた」結果、期せずしてフラットアーサーに転向した人は多いようだ。実際、かつては地球は丸いと信じ切っていたという打ち明け話を私は一度ならず耳にした。そうした人は、フラットアースに反論しようとして果たせず、その結果、平面説の方が正しいにちがいないと考えるに至ったのだという（ちなみに、球体主義者を指す「球体バカ（グローブタード）」という意地悪な言葉があるが、会議では使用を控えるよう言われていた）。ある講演者などは、半信半疑の聴衆に向けて、「気をつけてくださいさい、私たちも昔はあなた方みたいだったんですよ」と警告までしていた。

　フラットアースがいかさまだと証明しようとして――たいていはネットの動画を何本か見たあとにそうした行動にでるのだそうだ――反対に多くの人がそれこそが真実だと思い込む。人をフラットアーサーにする手順があるとすれば、これがそうだと言えるかもしれない。地球が丸いと証明できなければ、平面だと信じるほかないというわけだ。[*11] また、フラットアーサーが持ちだす「研究」は、大半がネットの動画から得た情報に基づいており、それを彼ら自身は少しもやましいと思っていないようだった。テキサス工科大学の心理学者アシュリー・ランドラムによると、フラットアーサーの新規参入者は、ほぼ例外なくユーチューブを経由しているという。[*12]

赤い薬を選んだ人たち

フラットアーサーになる人は概して、権威に対して根深い不信感をもつ一方で、自分自身の感覚を通じて得た経験に対しては全幅の信頼を寄せている。その彼らが信念の正しさを語る際に持ちだす基準は**証明**だ。彼らの認識によると、相手の信念に疑わしい点があることは、それだけで、その信念が誤りだと結論する理由になりうる。

一方で、彼ら自身の信念についてはどうか？　フラットアーサーのように疑い深い人の集まりが、みずからの信念の根拠についてなんら吟味しないのは不思議なことだ。実際、地球が平らであることの証明を求められたときの彼らの常套句は、球体主義者が地球は丸いことをまず証明せよ、というものだ。こうして責任の所在を変え、問題をゼロか百かで考えることで、相手が地球は丸いと証明できなければ地球は平らにちがいない、と結論するのである。

不思議なことはまだある。フラットアーサーは、自分たちの信念体系は証拠と実験に立脚したものだと自負している。だが彼らの多くは、地球平面説に転向した理由を「啓示」に求めている。ある日突然、目が開かれ、自分を欺く世界規模の陰謀が進行していると気づいたというのだ。陰謀によってどれほど多くのことが隠されているか疑問を抱いたとき、その「ウサギの穴」の底で出会ったのがフラットアースなのである。

こうして「自分の目を信じよ」が彼らのスローガンとなり、「水は常に水平を求める」、「宇宙はフェイクだ」、「9・11や月面着陸について嘘をつける政府なら、地球が球体だという嘘だってつける」との主張につながっていった。フラットアーサーはみな、自身の転向を一種の神秘体験として捉えている。あるとき彼らは「赤い薬」を飲む（そう、ご想像どおり彼らは映画『マトリックス』の大ファンだ）。そして、ある真実に気づく。その真実とは、間違った教育と洗脳のせいで大勢の人間が死ぬまで知るはずのないこと、すなわち、「地球は平面だ」ということである。

フラットアーサーには、それ以外にもたくさんの「真実」がある。まず彼らは、南極は実は大陸ではなく、世界の縁に沿ってそびえる氷の壁だと信じている。その壁のおかげで海の水も流れ落ちないというわけだ。そしてまた、世界は透明なドームで覆われていて、その外側のごく近いところで太陽、月、惑星、恒星が瞬(またた)いていると考えている。こうした世界観からは当然ながら、宇宙旅行などというものはすべてフェイクだという結論が導かれる(いったいどうやって透明のドームを通り抜けられるのか?)。加えて、地球の自転や公転も嘘ということになるだろう(動いているものに乗っているときは、そのことをかならず体感するはずではないか?)。

このような主張については、すぐにいくつもの疑問が思い浮かぶ。たとえば、こうした世界観のもとでは重力、星座、時間帯(タイムゾーン)、日食や月食をどう考えればいいのか? 平らな地球とは言うが、その下になにがあるのかを知っているのか?

フラットアーサーはこの種の質問をされるのが大好きで、人によって多少異なる場合もあるが、それぞれに答えが用意されている。次のようなQ&Aを準備するのも会議の役割だ。*13

Q 誰がその秘密を守っているのか?

A 政府、NASA、飛行機のパイロットなどである。

Q 誰がそそのかしているのか?

A 敵(悪魔)。神の真実を隠蔽する者に莫大な報酬を与えている。

Q　なぜあなたたち以外は真実に気づかないのか？

A　騙されているから。

Q　フラットアースを信じるとよいことがあるのか？

A　正しいから信じている！　聖書の記述とも一致している。

Q　地球が丸いことの科学的な証明についてはどう思うか？

A　間違いだらけ。それについては会議で説明しよう。

「球体派退治屋（グローブバスターズ）」、「科学的手法を用いたフラットアース」、「フラットアース・アクティビズム」、「NASAと宇宙に関する嘘」、「聖書はフラットアースをいかに記述しているか？　一四プラスαの事例から」、「家族や友人とフラットアースについて語ろう」などと題されたセミナーに、二日にわたって参加した私の感想は、ある意味これは精神病院で二日間を過ごすようなものだな、というものだった。

彼らの議論は不条理かつ煩雑で、容易に把握できるものではない。本人の感覚に直接基づいた主張まで受け入れるのなら、その傾向はさらに強まるだろう。会議に集まったフラットアーサーが、ついに自分と同類の者たちと一緒に過ごすことで社会的強化が生まれているのは明白だった。信念の形成と維持に社会的な側面が関与していることは、心理学ではだいぶ以前から知られている。FEICは、そうした部族的な結束力を強める実験の場だったのである。

フラットアース界のスーパースター

次の講演の登壇者は、フラットアース界のスーパースター、ロブ・スキバだった。「科学的な」話を聞きたければ、これがお薦めなのだという。なんとも待ち遠しい企画である。

スキバは冒頭で、自分には学歴がないと告白した。とはいえ、彼は科学者のように白衣をまとっていたので、そのおかげで（彼自身が望んでいたように）信頼のおける人物に見えた。スキバの講演は、地球が平らな「証拠」、といっても、その大半は地球が丸いことを否定する「証拠」だったのだが、それを一〇点列挙したスライドショーというかたちで進められた。

フーコーの振り子？　あれはフェイクだ。もし本当だったら、なぜ振り子を揺らす外部の動力が必要なのか（物理学には摩擦という概念があるのだが、と私は思った）。宇宙で撮った写真？　そんなのはすべてNASAが描いたイラストだ（なるほど、昔はまだフォトショップはなかったもんな）。

スキバの話からは他にも、彼が独自の重力理論をもっていること（私には説明したくてもできない代物だった）、平面地球は神が設置した柱によって支えられていること（その柱がなんの上に立っているかまでは教えてくれなかった）、また、「回転しているボール」に水がとどまるはずがないと考えていることがわかった。ビーチボールを回転させ、それにコップの水をかけてみれば、なにが起こるか一目瞭然じゃないかというのだ。やれやれ！　その一方で、スキバは年老いた女性が九トンもの重さの巨石を片手で押しているビデオを紹介し、これは本当のことだと断言した。彼によれば、こうしたことが可能であるからには、「敵」はすでに反重力の秘密をつかんでいるにちがいないという。だとすれば、月面着陸の映像くらい倉庫で簡単に撮影できるではないか。

私の頭はくらくらしていた。なにせ、すべてが意味不明なのだ。だがそのとき、スキバは話題を切り替えて、私がうっすらながら覚えている物理学用語を持ちだした。「コリオリ力」である。スキバは、銃を西や東に向けて撃つときは方向調整が必要になるのに、南北に撃つときはその必要がないのはなぜかと問いかけた。それには、科学者が主張するような地球の「横方向への」動きが関与しているのか？　もし関与していないのならば、それは地球が動いているとの考えの否定につながらないか？

スキバの話は要領を得ず、しかも私が知っているコリオリ力とはまったく別物だったが、残念ながら私もコリオリ力の仕組みの細部までは覚えていなかったので、彼が滔々（とうとう）と語る自説のどこが現実と食いちがっているかを逐一確認することはできなかった。それでも、彼が慣性系を理解していないことはよくわかった。どうやらスキバは、一定の速度で走っている列車のなかでボールを真上に放り投げたら、そのボールは投げた人の後ろに落下すると考えているようなのだ。銃の話を持ちだしたのも、このことを言いたかったのだろうか？

この難問に頭を悩ませ、もっと物理学の知識があればと悔やんでいると、スキバはコリオリ力の話を終え、次に私がしっかりと覚えているトピックに話題を移した。大学の天文学の授業で聞いたことのある話だった。スクリーンには、シカゴの街の遠景（スカイライン）が見える一枚の写真が映し出されている。[*14]六〇マイル〔約一〇〇キロメートル〕離れたミシガン湖上から撮影した写真なのだという。私はがぜん興味を引かれた。なぜなら、地球の湾曲によって、水平線に向かう船はマストではなく船体(ハル)から見えなくなる、「ハルダウン」という現象を授業で習ったのを思い出したからだ。

大学一年生ははるか昔ながら、私はスキバの言った情報をもとに計算をしてみた。直感は当たっていた——六〇マイル離れた場所から撮影した場合、シカゴの街が見えることはなく、シアーズ・タワー〔シカゴの高層ビル〕のてっぺんすら水平線の下に隠れることになる。実のところ、そうなるためには、六〇マイルどころか四五マイルもあれば十分だった。だがその写真には、ちょっと揺らいだようなシカゴの街の全景が映し出されていた。この写真は本物と証明されているのだろうか? 懐疑的な人がこれほど集まっているのに、フェイクかもしれないという声は上がらないのか? ついさっきまで、NASAが撮った写真はおよそ例外なくフェイクだと言っていたではないか。なぜこの写真に同じ態度を向けないのか?

生涯を捧げた仕事

講演が終わったところで、グッズ売り場にいたスキバに声をかけた。*15 販売ブースでは、フラットアースのTシャツや帽子、地図やアクセサリーが売られていた。私はフラットアース音楽のCDを一枚(意外にもけっこう気に入った)とステッカー、そして妻のためにネックレスを購入した。先ほどの講演を聞いていた者ですが、いくつか質問してもよろしいでしょうか、と私は話しかけた。スキバは私のことを自分のファンと思ったようだ。

実はスキバが見せたシカゴの写真はフェイクではない。補足説明が必要とはいえ、本物の写真である。ところが、スキバはその科学的な説明をしなかった。つまり、それが「上位蜃気楼」と呼ばれる現象だということを講演で言わなかったのである。この現象は、冷たい空気層のすぐ上に温かい空気層があるときに生じるもので、その層は通過する光線をレンズのように曲げ、実際にはあるはずのない場所に像を浮かび上がらせる。[*16]

こういった現象はなんら珍しいものではない。たとえば、熱されたアスファルトの道路を車で走っているときに、近づくと消える「逃げ水」を路面に見つけた人も多いと思うが、あれもまた蜃気楼である。逃げ水は、道路表面がそのすぐ上の大気より温かいときに起こる「下位蜃気楼」で、実像（空など）がある場所より下に虚像が見える。一方、上位蜃気楼では、実像（街など）がある場所より上に虚像が見える。こうした現象は錯覚ではあっても「フェイク」ではない。写真に収められる像だ。条件さえそろえば、本来は水平線の下で瞬いているはずの街の光さえビデオに撮ることもできる、とても面白い現象なのだ。

その上位蜃気楼についてスキバに問いただすと、彼は私の質問を一蹴した。

「それについては講演で解説したよ」と彼は言った。「作り話だね」

「いや、解説はしてませんよ。ただその説を信じないと言っただけで」と私。

「ああ、信じてないね」

シカゴの写真についてなおも話を続けると、スキバは自分は権威に頼っているのではないと説明した。彼自身がミシガン湖まで足を運んで、シカゴから四六マイル離れたところで同じ現象を確認したのだという。実際にこの目で見たんだよ、と彼は言った。
その頃になると、スキバのまわりにはファンが集まり、あちこちから声がかかるようになってい
た。フラットアース界の「科学者」はどこか落ち着かない様子だった。彼はもう、私がフラットア
ーサーではないことに気づいていた。だが、ファンが見ている手前、すごすごと立ち去るわけにも
いかないようだった。
スキバには悪いが、私にはまだ聞きたいことがある。
「じゃあ、なんで一〇〇マイル離れてみなかったのですか?」と私。
「え?」
「一〇〇マイルですよ。それだけ遠ざかれば、シカゴの街だけじゃなくて、蜃気楼も見えなくなっ
たはずです。それでもまだ見えるとわかったなら、そこで初めて証明できたことになるのでは?」
スキバは頭を横に振った。「そんな遠くまで行けとは船長に言えなかったんだよ」
今度は私が一蹴する番だった。「ええ? あなたはこの仕事に生涯を捧げてきたのでしょう。そ
れなのに行かなかった? 決定的な証拠が手の届くところにあったのに、たった五五マイルを惜し
むなんて……」
会話はそれでおしまいだった。スキバは顔をそむけ、別のファンと話しはじめたからだ。
いま振り返れば、私は彼を責めるべきではなかったのだろう。私は熱くなりすぎていた。必要以
上に突っかかっていた。自分の意見を否定されたときに冷静さを保つのが難しいことを、どうやら
私自身が証明してしまったようだ。

フラットアーサーと科学的態度

ここまで熱くなることはなかったものの、それからの二日間で、フラットアーサーが言う「証拠」について何人もの相手と議論を交わすことになった。私たちの知っている南極大陸は存在せず、世界は巨大なドームで覆われ、地球は自転も公転もしないというフラットアーサーの主張を考えれば、彼らの仮説の誤りを検証する機会はいくらでもあったはずだと思われるかもしれない。だが、フーコーの振り子や日食の影、国際宇宙ステーション、水には引力が働くといった、誰もが学校の授業で学んだような話題について二日にわたって力説したにもかかわらず、彼らの自信がちょっとでも揺らいだ様子はついぞ見られなかった。

こうしたイベントに身を置くと、決定的な実験結果や科学的発見を突きつけて、ぐうの音も出ないようにやりこめてやりたい誘惑にかられるものだ。私だって、フラットアーサーを論破したくてたまらなかった。だが、彼らに自分の間違いを認めさせようとしても、きっとそれは不可能だっただろう。少なくとも、いま述べたような実験結果や発見を使ったやり方では無理なはずだ。地球が球体であることを示す証拠は、月が丸いのであれば地球も丸いだろうと論じたピタゴラスの時代から存在していた。北から南に向けて歩けば見える星も変わるはずだと言ったアリストテレスしかり、離れた場所に立てた二本の杭の影から地球の円周を計算したエラトステネスしかりだ。[*17] 地球球体説の証拠は二〇〇〇年以上の歴史を誇り、フラットアーサーもその存在は知っているが、いまだに納得するそぶりすら見せない。彼らはそのために、ありとあらゆる言い訳をひねりだしてきた。[*18] 二〇〇〇年におよぶ物理学の成果をもってしても納得しない人たちを、私一人でどうやって説得できようか？

　私は考え方をリセットする必要があった。

　私は物理学者ではなく、したがって、フラットアースを支持あるいは否定する科学的証拠について議論するためにＦＥＩＣに参加したわけではなかった。私の専門は哲学であり、彼らがいかなる論理で考えているかについて話し合いに来たのだ。

　フラットアーサーの態度で不満なのは、たとえ議論や実験結果に欠点を見つけて指摘したとしても、彼らは相手の顔を一瞥（いちべつ）して、「そうだね、じゃあこれはどうだろう？」と、すぐに次の話題に移ってしまうことだ。彼らには何百もの「論点」があり、モグラ叩きのように一つ残らずつぶしていかないかぎり、負けを認めようとはしない。フラットアーサーには「決定的な実験結果」というものは存在しない。たとえば、彼らが「Ｘという理由によって、フラットアースは真実だとわかった」と主張した際に、そのＸが間違っていることをうまく示せたとしよう。するとなにが起こるだろうか？　彼らはそれ以上深追いせず、ただ話題を変えるのである。

　これは科学者のふるまいとは正反対のものだ。私は前著『科学的態度』のなかで、科学と非科学を分ける第一のポイントは、**自分の仮説が証拠と食いちがうとき、科学者ならば自説を率先して修正する覚悟をもっている**ところにあると述べた。[*19] この態度は、科学者個人の献身ばかりでなく、科学界全体の基準——互いに仕事を検証し合うことで実現する非常に厳格な審査基準——を通じて確固たるものになっていく。フラットアーサーの態度とは似ても似つかない。

公平を期すために述べておけば、フラットアーサーのなかにも、反論に真正面から向かい合い、正しい証拠が示されたなら自説を変えるのにやぶさかではないと公言する人はいる。今回のＦＥＩＣでは、嬉しいことに〝マッド〟・マイク・ヒューズにお目にかかることができた。ヒューズは、地球の湾曲を確認するためにロケットを自作し、みずからそれに乗り込んだことで有名な人物だ。

とはいえ、彼はそれほど高くまでは行けなかった。最初の挑戦で到達できたのは高度一八七五フィート〔約五七〇メートル〕で、これはドバイの超高層ビル、ブルジュ・ハリファの二七一七フィート〔約八三〇メートル〕より低い。ヒューズは、ロケットよりもエレベーターに乗るべきだったのかもしれない。なお、六〇度以上の広い視野が得られない場合は、四万フィート〔約一二キロメートル〕の高さまで上昇しないと、地球の湾曲は確認できない。それ未満でいくら観察したとしても、地球が丸いかどうかはわからない。たとえヒューズが高度三万フィート〔約九キロメートル〕まで上昇できたとしても、民間の飛行機から見えるのと同じ景色で我慢しなくてはならなかっただろう。[*20]

ヒューズは、会場に展示された自分のロケットの脇に立っていた。私はそこで言葉を交わし、実験を重んじる彼の精神に感服した。物事の理解に関しては歪（いびつ）なところもあったが、挑戦を恐れない勇敢な態度は見上げたものだった。この会議からおよそ一年後の二〇一九年一二月、ヒューズは次の打ち上げの計画を発表した。今度は、なんと高度約三三万フィート〔一〇〇キロメートル〕のカーマンライン〔宇宙空間と大気圏を隔てる仮想のライン〕を目指すのだという。その高さからなら地球の丸みは手にとるようにわかるだろう。私はそれを聞いて興奮を隠せなかった。その前の二〇一八年の打ち上げ直前、ヒューズは次のように語っていた。
「そこで私は平らな円盤を見つけることになると思っている……台本はないよ。万が一丸い地球が見えたら、降りてきてこう言うつもりだ。『なあみんな、私が間違っていた。あれは球だった、いいね？』とね」[*21]
だが残念ながら、その機会が訪れることはついになかった。二〇二〇年二月二二日、ヒューズを乗せたロケットは地上を離れた直後コントロールを失って墜落し、彼は亡くなってしまったのである。
世間がヒューズに対してなにを言おうと、私は彼を批判する気にはなれない。彼は冒険心を胸に抱いていた。自分の信念を検証するという態度を貫き通し、もしその検証に合格しないのなら、考えを改めると明言していた。これは科学的態度の根幹をなすものだ。はたして他のフラットアーサーはどうだろうか？

ビハインド・ザ・カーブ

『ビハインド・ザ・カーブ』という愉快なドキュメンタリー映画がある。フラットアーサーのとあるグループ（メンバーの多くはＦＥＩＣの関係者と思われる）が自信ありげに自説を述べ、ときにその正誤を検証する姿を追ったものだ。最初のうちは、フラットアースの考えを賛美する映画なのかと思うかもしれない。だが、本当に面白くなるのは登場人物が出そろってからだ。

ある場面で、エンジニアのフラットアーサーが登場する。彼は二万ドルでレーザー式のジャイロスコープを購入し、自分たちの世界観の大前提である「地球は動いていない」という仮説を証明しようとする。ところが、いざジャイロスコープを使ってみると、一時間で一五度の回転が生じていることがわかってしまった。彼の反応は次のようなものだった。

「うわ、ちょっと問題だな。これは絶対に認められない。この装置が地球の動きを本当に記録しているわけじゃないと、なんとか証明しなくちゃならない」

だが、それはできない相談だった。それから画面は、彼が（まさに私が参加したデンヴァーの会議で）別の男性にこう語る姿を映しだす。「台なしにしたくないんだよ。このいまいましいジャイロに二万ドルもつぎ込んだんだ。見つけたことをこの場で出すのはまずい、まずいんだ。いま言ったことは秘密にしといてくれよ」[*22]。本物の科学者がこんなことを言うところを想像できるだろうか？[*23]

これだけでも十分まずいが、映画の終わりではさらに惨憺（さんたん）たる実験の様子が紹介される。三本のポールをできるだけ互いに離れた場所に設置して、遠くから光線を照射したときに、光線が三本とも同じ高さに当たるかどうかを確かめるという実験だ。もし三本とも同じ高さに当たるのなら、それは大地が水平だからであり、地球が丸いという説は否定される、というのが彼らの目論見だった。この考え方は、一九世紀に実施された有名な「ベッドフォードのレベル実験」をなぞったもので、実験の内容自体はいたってまともなものだ（ちなみに、ベッドフォードの実験では、進化論で有名なアルフレッド・ラッセル・ウォレスが地球が湾曲していることを「証明」して、賭け金を手にすることになった）[*24]。

では、フラットアーサーによる実験の結果はどうだったのか？　映画の終わり近くで、実験者たちは途方に暮れている。彼らが「正しい」と思っていた位置に光線が当たらないことが判明したからだ。そこで彼らはなにをしたか？ なんと、ポールを引っぱり上げて、光線が当たる位置を調整しはじめたのである。ここでエンドロールが流れる。

この実験の失敗を受けて、フラットアーサーはなにか変わっただろうか？ 少なくとも表面的にはなにも変わっていないようだ。定例の会議はその翌年も予定どおり、なんの支障もなく開催されたからだ（FEIC2019）。先にも述べたように、フラットアーサーには、自分の信念を変えるように迫ってくる「決定的な実験結果」は存在しない。自分たちは証拠を大切にしていると胸をはり、科学者よりも科学的だと自負しているが、そのくせ実際には科学的推論の基本すらも理解していないのだ。彼らの無知は科学的事実にとどまらない。科学者の考え方についても無理解がまかりとおっている。

科学における「正しさ」とはなにか？

では、フラットアーサー自身はどう考えているのか？ 彼らの推論の基本、その弱点はどのようなものなのか？

まず言えるのは、フラットアーサーの証明へのこだわりは、科学の営みに対する完全な誤解に基づいていることだ。なんらかのかたちで実証された仮説であっても、将来、新しい証拠が出てきて否定される可能性は決してなくならない。科学論文のグラフにエラーバー〔データのばらつき幅を示す図形〕を付け加える習慣があるのはそのためだ。**科学の推論には常に不確実性がつきまとう**のである。とはいえ、これは科学の理論に説得力がないという意味ではない。また、データがすべてそろうまではどんな珍説であっても科学的仮説と同じ価値があるということでもない。そもそも科学においては、すべてのデータがそろうことなどありえない。そしてもちろん、完全なデータを用意するのが不可能であっても、十分に確証のある科学理論や仮説であれば信じるに値する。科学において、必要な基準として証明を要求するのが馬鹿げているのだ。[*25]

一方で、科学者が好んで用いる手段が**反証**である。たとえば、Xが真だと主張する仮説があり、その後Xが真ではないとわかれば、その仮説は間違っていることになる。[*26]『ビハインド・ザ・カーブ』の例を借りれば、フラットアーサーは地球は回転しないと予測していたが、ジャイロスコープによって実際は回転していることが示された。このとき仮説は「反証」されている。もちろん科学者であっても、装置が誤作動していないか、実験で見つけた現象に他の見過ごしていた要因が関与していないかなど、過去にさかのぼって確認することは認められている。だが、それも程度問題であって、どこまでも言い訳を続けるのは滑稽と言うほかない。フラットアーサーは証明の力を特別視していたはずだ。それを考えれば、自説を反証した実験にあれほど無神経な態度をとるのは大変な驚きである。

フラットアーサーが用いる推論のもう一つの弱点は、証拠が仮説の正しさを担保するという考え方を誤解している点だ。ある信念が正しいと「保証される」ということは、その信念が証拠に基づいて正当化されているということである。したがって、より多くの証拠があれば、信頼性も当然高まる。もちろん、証拠だけでは、それが完全に正しいという証明までには至らない。だがそれは、どれほど証拠を重ねたとしても、信念が完全に証明される日が来るまでそれを信頼してはならないという意味だろうか？　むろんそうではない。もしそうなら、私たちの手元には、数学と演繹的論理における真しか正しいと信じられるものがなくなってしまう――物理学もフラットアースも、不要なものとして窓から投げ捨てられてしまうのだ。

にもかかわらず、フラットアーサーと話していると、相手が証明できないのだから自分の仮説の信憑性は高まったと捉え、目を輝かせながら「へー、そうですか！」と声を上げる場面に出くわすことがままある。これは科学の営みではない。自分の仮説が証明されていないと言明したからといって、相手の仮説が正しいことにはならない。それが通るなら、地球が三角形でも台形でもドーナツ型でも、他のどんな仮説だって正しくなる可能性が生じてしまう。[27]また当然ながら、思いつきの否認や根拠のない疑いに応じて、自分の仮説が完全に否定されないようにするために撤回や訂正をすることは、その仮説の信憑性を損なうことにしかならない。

科学者はこのような考え方はしない。自分が支持している仮説を守るために、すでに受け入れた証拠の解釈についてゴールポストを動かし続けることはできない。それなのに、フラットアーサーは証拠に対して**二重の規範**（ダブルスタンダード）を適用している。自分の信じたいことは精査もせずにおよそなんでも受け入れる反面、信じたくないことには証明を要求するのだ。[28]しかし、なぜそんなことをするのだろう？

陰謀論と確証バイアス

フラットアーサーの考え方が陰謀論者の用いる論法にどれほど大きな影響を受けているかは、いくら強調しても足りないくらいだ。実のところ、フラットアースこそが最大の陰謀論だと断言する人もいるほどだ。[29] FEICでは、自分の信じている他の陰謀論について話す参加者に何度も出くわした。ざっと思い出すだけでも、ケムトレイル、政府による天気の操作、フッ素添加水を用いたマインドコントロール、サンディフックやパークランドの銃撃事件はデマ、9・11は自作自演など、いくらでも例を挙げられる。[30]

ある講演者は実際にこう言っていた。「ここに集まった人なら、誰でも陰謀論を二〇は挙げられるでしょう」。また、自分は陰謀論にはまりやすく、フラットアースを研究するようになったのもそれが原因だと思うと告白する参加者もいた。驚かされるのは、そのことを恥じている様子が一向に見られなかったことだ。

参加者の一人は、「フラットアーサーは、一般人より陰謀論に『敏感』なんですよ」と説明してくれた。だからといって、すべての国家元首が世界は平らであることを実は知っており、それを隠していると考えるのは、いくらなんでも荒唐無稽すぎはしないだろうか？ ドナルド・トランプやボリス・ジョンソンがそんな秘密を守り通せると本気で考えているのだろうか？ 驚くべきことに、どうやらそうらしい。陰謀論を信じることが自分の思考の基礎になっていると正直に教えてくれたフラットアーサーは、一人や二人ではない[31]（なお、フラットアーサーの勧誘方法に関する講演では、「相手が陰謀論を信じないタイプだとわかったら、すぐにその場から立ち去ること」と説明されていた)。

科学否定の論法において陰謀論が果たしている具体的な役割については、第2章で詳しく論じる。ここでは、**陰謀論に基づく推論は科学にとってタブーである**、あるいはそうあるべきだ、とだけ述べておくことにしよう。

なぜタブーなのか? それは、陰謀論の論理展開に従ってしまうと、自分の理論に対する肯定と否定の両方が自説の正しさを保証するものとして機能してしまうからだ。自説が証拠によって裏づけられるのは大歓迎。だが反対に否定されるのなら、それは真実を隠蔽する邪悪な人間のせいにちがいない。しかも、自説を支持する証拠がまったく見つからないのは、邪悪な人間がもつ力の強大さの証(あかし)にほかならず、これもまた自分たちが正しいことを示している、と陰謀論者は考えるわけだ。

フラットアーサーの考え方に同じように大きな影響を与えているのが「確証バイアス」だ。また、それに関連する概念で、自分があらかじめもっている信念に適合するように展開される推論を**動機づけられた推論**と呼ぶが、フラットアースはその究極のかたちと言えるだろう。彼らは、数多くの証拠から自説を支持するものだけを選び出したり(チェリーピッキング)、自分に有利になるように都合よく解釈したりするが、一方で、自説に反する証拠に対しては、極端な思い込みを理由に拒絶する。証拠のチェリーピッキングは、あらゆる科学否定の推論に共通して見られる五つの類型の一つだが、この問題についても第2章で詳しく扱うつもりだ。ここでは、私がFEICで出会ったフラットアーサーはほぼ例外なく、自分の意見の箔づけになりそうなものはなんでも積極的に追いかけ、そうでないものは無視や拒否といった態度を決めこんだという事実を指摘するにとどめよう。

『ビハインド・ザ・カーブ』で見せた、実験結果すら改ざんしようとする彼らの反応を思い出してほしい。決定的な実験を設計して、その結果に従って生きることは、彼らには受け入れがたい。フラットアーサーの態度は、科学と呼べるような代物ではない。彼らはまぎれもなく「信者」なのであり、フラットアースの伝道者なのである。

当然のことながら、私はずっと以前からフラットアーサー（および、あらゆる科学否定論者）が用いる推論に疑いの目を向けていたが、彼らがなぜそういう推論を好むのか、その理由がわからなかった。だが、フラットアーサーに、事実認識だけでなく推論のしかたそのものが間違えていると理解してもらいたいのなら、彼らがその特殊な信念をもつに至った理由について改めて考えてみる必要がある。

ここでもまた私は自分の力不足を痛感した。私は物理学者でもないが、心理学者でもないのだ。ただ、ここまでの対話から、フラットアーサーの主張にはパターンがあり、そこに着目すれば彼らの動機や思考回路を知る手がかりが見つかるのではないかとも思っていた。

創造主との対話

FEICでは、フラットアース界の人気者や講演者ばかりでなく、一般の参加者ともいろいろな話をした。まだ空席が多いうちに早めに会場に出向くと、みな気やすく会話に応じてくれた。多くの人と話したが、なかでも印象に残っているのがヨーロッパ出身のとある高齢女性だ。彼女はドキュメンタリー映画を撮っているそうだが、それを聞いたときは少しがっかりした。フラットアースの支持者ではなく、私と同じく会議の様子をさぐりに来ただけだと思ったからだ。私は警戒を解いた。

「じゃあ、あなたはフラットアースを信じていないのですね？」と私は聞いた。

「ええ、信じてないですよ」と彼女。だが、ほっとしたのもつかのま、彼女はこう続けた。「私はただ、それが正しいことを**知っている**の」

やれやれ、私はとんだ見当ちがいをしていたようだ。高齢女性は、これまでの自分の人生について愛想よく語りはじめた。その話によれば、彼女はかつて科学者であり、物理学や化学、心理学を学んでいたそうだ。あるとき人生の危機が訪れ（どんな危機かは言わなかったが、話しぶりからすると健康問題のように思われた）、その後、夫から切りだされて離婚に至った。彼女は気分がふさぎ、精神的にも混乱して、なにもかもが信じられなくなってしまった。すべてが疑問に感じられた。

自分の人生に意味はあるのか？　この先なにかを信用できる日は来るのだろうか？　そんな暗黒の時代に見たのがフラットアースの動画だった。彼女は最初、その誤りを証明しようとしたが、結局そうはならず、反対に取り込まれてしまった。彼女は、徹底管理された教育のせいとはいえ、それまで球体主義（グローバリズム）を一度も疑わなかった自分を恥じた。

私は「なにかがきっかけで、また心変わりすることは考えられませんか？」と聞いてみた。彼女の世界観は一度大きく変わっている。だとすれば、元に戻ることだってありえると思ったのだ。彼女は、そんなことは起きるはずがないと答えた。だが、なぜそう断言できるのだろう？　その理由を知りたくて少しさぐりを入れてみると、宗教的な信仰となにか関係があるような気配が感じられた。私は勇気を出して、もう一つ質問をしてみることにした。

「あなたも他の人たちみたく、神が平面の世界を創造したとお考えで?」

「いいえ、そんなことは考えてませんよ」

それを聞いて、宗教に基づかないフラットアーサーに会ったのはきっと初めてだと私は思った。

「とすると、フラットアースを信じているのは宗教とは無関係?」と私。

「いいえ。それもちがうわね」と彼女は答えた。「だって、私が創造主なんだから」

高齢女性の口調はやわらかで、とても感じがよかった。そうでなければ、私は彼女が冗談を言っていると思ったかもしれない。だが、私はすぐに気がついた。これは大真面目なのだ。彼女は微笑みを浮かべながら話を続けた。もし神が自分と切り離された存在であれば、自分は被害者になってしまうはずだ。しかし、そんなはずはない。なぜなら自分はもう被害者ではないのだから。だったら、自分が神だと考えるしかないじゃないの。彼女によると、宇宙を創ったのも、平らな世界を創ったのも彼女自身なのだという。キリスト教やイエスの話をする他のフラットアーサーのことは認めていない。だって、神とはこの私なのだから!

話はそれから彼女の現在の生活に移った。彼女は今、アメリカで再び家庭を築き、映画を作っているのだという。そして今度は私のことを尋ねてきたので、私自身は懐疑派で、フラットアースは信じていない、と正直に告白した。彼女の反応は、そういう人がいてもかまわないといった寛容なものだった。私はまた、この会議に参加したのは他の人がなにを信じているのかを見てみたかったからだとも伝えた。この意見を彼女はとても気に入ったようだったが、それでも一言付け加えるのを忘れなかった。「気をつけなさい。私は人々の教化について研究してきたけど、球体主義者はみんな洗脳されてるはずだから」

彼女は、私のそれまでの質問を侮辱と捉えていなかったし、機嫌を損ねた様子もなかった。反対に私のような人間を不憫に思っているようだった。そのあとにはじまった講演では、私たちはすぐそばの席にすわったのだが、彼女はずっと私の方を見守り、講演者が説得力のある話をすると、にっこり笑ってみせるのだった。

正しさの彼岸

忘れないうちに彼女の話を整理しておこうとしたが、なかなか考えがまとまらなかった。あの女性は頭がおかしいと決めつけて、片づけてしまうのは簡単だったろう。ところが、彼女が語った内容には、私が他の参加者から聞いた話と重なる部分があった。それがどうにも引っかかったのだ。フラットアーサーは全員妄想に冒(おか)されていると言いたいわけではない。だが、彼らの話には共通の要素が確かにあり、それについてよく考えてみる必要があった。

あの女性は人生のトラウマを語った。思い返してみれば、その日に話を聞いた他の参加者のなかにも、同じように人生で経験したトラウマ的な出来事を語っていた人がいた。そして、その出来事が起きた時期は、彼らがフラットアースを信じるようになった時期と一致していた。多くの人はそれが9・11だったと言い、また個人的な悲劇がきっかけだったと教えてくれた人もいた。いずれにせよ、まずなんらかの悲惨な出来事があり、それが原因で彼らはあの高齢女性と同じ状態に追いやられることになった――なにもかもが信じられなくなり、世界のありとあらゆるものについて疑問を感じるようになったのだ。自分が神であるという結論に達した彼女のケースは、間違いなく例外的なものだ。しかし私は、フラットアーサーがこうした極端な陰謀論に引き寄せられたのは、みずからの重大な心の傷から立ち直ろうとしていた時期と重なっているとの考えを、どうしても捨て去ることができなかった。

私はすでに、フラットアーサーの多くが社会から疎外され、つまはじきにされているように見えることを指摘した。その理由を彼らの特殊な信念に求めるのは簡単だ。先に見たとおり、フラットアーサーが「地球は平面だ」という主張ゆえに迫害され、家族、友人、共同体、職場などにおいて大きな代償を払っているケースは実際によくあるからだ。だが、こうは考えられないだろうか――**もし彼らが最初から疎外されていたとしたら？** それが原因でフラットアースに近づくこともあるのではないか？

繰り返すが、私は心理学者ではない。だが、なにかが腑に落ちた。もしあなたが、自分の人生がうまくいかず、社会になじめない、チャンスがない、望むようなキャリアや私生活は決して送れないと感じていたとする。すべての理由ではないにせよ、こうなったのは他人が自分を否定し、嘘をつき、傷つけてきたからだと考えたとすれば、こうした現状すべてを巨大な陰謀論で説明することに魅力を感じないだろうか？ たったそれだけのことで、あなたは、つまはじきの人間からエリートの一員に生まれ変われる。何十億もの人々が見逃してきた真実を知る、人類の救済者となれるのだ。同じ真実を知る同志がごく一握りしかいないという事実も、あなたが立ち向かう陰謀がいかに巨大かを示しているにすぎない。これぞ『マトリックス』の世界だ。

私は席にすわったまま、フラットアースとは**経験的証拠に基づいて受け入れたり拒否したりする信念ではなく、むしろアイデンティティと呼ぶべきもの**だろうと結論づけた。[32] それは人生に目的を与え、迫害という共通項で結びついた即席のコミュニティを作り上げた。そしておそらく、そのコミュニティを通じて荒唐無稽な考え——権力の座にある腐敗したエリートが自分に対して陰謀を企てている——を信じることで、これまでの人生で経験したトラウマや困難を説明できたのだ。

私のこうした憶測の価値がどれほどのものかは、慎重かつ科学的に見積もる必要があるだろうが、その仕事は他の研究者にまかせたい。[33] だがこの考えは、私の作業仮説となり、それによって私はあのとき、あの席で、自分のアプローチを変える決断を下すことができた。私の考えが正しければ、フラットアースは実は「証拠」とは一切関係がない。彼らにとっての証拠とは、自分の社会的アイデンティティを正当化する便利な手段にすぎない。だからこそ彼らは、自分の信念に異議を唱えられると、それを自分個人に向けられた批判と受けとってしまうのだ。

フラットアーサーの信念とは、たまたま得てしまった知識ではない。彼らが彼らでいるために必要なものなのである。だとすれば、彼らの考えを変えるには、まずアイデンティティを変えてくれと頼むほかないだろうが、そんな願いを聞き入れてくれる人がいるとは思えない。個人攻撃をしていると思わせることなしに、みずからの信念体系が間違っていると気づいてもらうには、どうしたらいいのか？

その答えは、彼らの「証明」ゲームにのることなく、彼らを一人の人間として誠実に扱うことではないだろうか。私は、地球が丸い証拠を示さなくていいし、彼らに証拠を示すよう求めなくてもいい。そのかわりに、彼らと（彼ら自身に関する）会話を交わせばいいのだ。そうすることで警戒心も解け、彼ら自身に私の仕事を代行してもらえるのではないか——私はそう考えた。一方で、もしこのアプローチを採用するのなら、彼らがフラットアースを信じるに至った経緯に照準を合わせる必要があることもわかっていた。信念が重要なテーマなのは変わらないが、いまや目標は、そう信じるようになった理由を彼らに話してもらうことだ。

このアプローチなら、ある質問をすることも可能になる。フラットアーサーたちがかつて一度も聞いたことがなく、科学者ならば答えに窮するはずもない質問だ。その問いはフラットアーサーの信念を直接変えるものではない。だがいったん投げかければ、認知的不協和が彼らを襲う。私は、彼らが質問に答えられずに次第に居心地が悪くなっていく様子を、ただ黙って眺めていればいい。[*34]

カール・ポパーは、一九五九年刊行の『科学的発見の論理』で、科学は「反証」に基づく方法を採用すべきだと主張した。つまり科学者は、自説の正しさではなく、誤りを立証するよう努めるべきだというのだ。[*35] 私は『科学的態度』のなかで、このポパーの主張から重要な洞察を発展させ、科学者としてふるまいたいのなら、新しく得た証拠に基づいて自分の意見を変えるようにすべきだと論じた。それを踏まえたうえで考案したのが次の質問である。

「もし存在するとして、それがどんな証拠であれば、自分が間違っていると納得できますか？」

私がこの質問を気に入っているのは、哲学的によくできているのと同時に、個人的な領域をも掬い取る可能性をもっているためだ。この質問が尋ねているのは信念だけではない。相手の存在も射程に入れている。ここまでのところ、私は会議の参加者全員に敬意をもって接してきたし、今後もそうするつもりだ。だが、作戦については少し変える必要がある。彼らが持ちだす証拠に異議申し立てをするのではなく、その証拠に基づいて彼らがどうやって信念を形成したのかについて対話を重ねるのだ。

フラットアーサーはいかに**勧誘**をおこなうか？

次に参加した講演は、「フラットアース・アクティビズム」というタイトルだった。フラットアース界の大物[*36]が、「人々を目覚めさせる」ために街頭で新しいメンバーを勧誘する方法を語る、といった内容である。登壇したのは、すらっとした若い男性で、見た目からは、情熱と繊細さを併せもつ人物という印象を受けた。穏やかに、辛抱強く話すその語り口からは、頭のよさが伝わってくる。彼自身フラットアースを心から信じ、会場に来ていた多くの参加者も彼のことを信じているようだった。彼は生まれながらのリーダーだった。その特質は、フラットアーサーがもっとも手を焼く仕事、つまり球体主義者を（ときに面と向かって）説得し転向させる仕事をするうえで、有利に働くものと思われた。

彼の話に私はすぐに魅了された。彼が語った内容は、奇妙にも、私がやろうと思っていたこととぴったり重なっていた。そもそも私がこの講演に足を運んだのは、フラットアーサーが人々をどうやって宗旨替えさせ、新しいメンバーを増やしているのかを知りたかったからだ。なにか実践的な技術が学べるのではないかと思ったのだ。

実際、彼はまず街頭での勧誘の様子を収めた動画を見せ、自分が使っているテクニックをいくつか紹介した。なかでも大切なのは、相手と話をするときは常に穏やかでいること、感情をコントロールすること、地球が丸いと信じている人を頭が悪いとか精神が病んでいるなどと決めつけないこと、敬意を示すこと、フラットアースを信じていると正直に伝えると同時に、その考えを受け入れる「準備がまだできていない」人がいるのを忘れないことだという。自分がなにをしているかわかっていない人も世の中にはあふれているし、常に勝負に勝てるわけでもない、とも言った。そしてこう締めくくった。

「なかには現実を頭から否定している人だっていますからね」。そう、彼は本当にこう言ったのだ。

話を聞きながら、自然と笑みがこぼれてきた。彼が紹介したフラットアースへの勧誘テクニックは、逆にフラットアースから抜けさせるための台本として使えそうだ。彼の話に出てくる「フラットアーサー」を「球体主義者」に入れ替えさえすれば、それはもう、私がこれまで読んできた、ワクチンや気候変動を認めなかった人がいかに考えを改めたかの逸話とほとんど同じだったのである。

テクニックの紹介が終わると、話題はフラットアースにまつわるお定まりの主張へと移っていった。いわく、水はみずから水平になることを求める、NASAの職員は守秘義務契約書にサインしなければならない、NASAの写真はすべて水中で撮影されたフェイクである、といった具合だ。

なるほどなるほど。だが、話が「紫の薬派（パープル・ピラーズ）」におよぶと、彼の目に怒りの炎が燃え上がるのがわかった。紫の薬派〔『マトリックス』の赤と青の薬が由来〕とは、大半の陰謀論は信じていながら、フラットアーサーのことだけは頭がおかしいと思っている集団のことだ。自分たちが異端だというのか――そうした考えが彼を憤慨させたのだと思う。

彼は、フラットアーサーの思考における陰謀論の役割をよく理解していた。そして、もし誰かが9・11が自作自演であるとか、パークランド銃撃事件がインチキだと信じているのであれば、その人はきっと地球が平らであることもわかってくれるにちがいないと考えているようだった。その一方で、彼は心の健康のためには、生活のすべてに陰謀が潜んでいて自分たちを妨害しているとは考えない方がいい、とアドバイスを送った。それから話題は彼自身の生活と目下彼が対峙している健康問題へと移ったが、それについてここに書く必要はあるまい。

とっておきの質問

講演が終わると、私は生まれ変わったような気持ちになっていた。わざわざこの会議に参加したのも、この講演を聞くためだったとさえ思えた。その日の夜には、ロブ・スキバと懐疑派とされる人物との「討論会」が予定されていたが、そんなものはもうどうでもいい。私はすぐにでも自分のための「討論会」を開きたかった。いま講演を終えたばかりの、あの男性と話す必要があった。

片づけが終わって男性が出てくるのを私は廊下で辛抱強く待った。そして、彼が一人で会場から出てきたところで声をかけ、フラットアースのこと以外は話題に出さないという条件でかまわないので夕食に付き合ってくれないかと誘ってみた。夕食代もよろこんで私が払おう。もちろん、提案が断られる可能性も大いにあったが、いま目にしたばかりのすばらしい講演で学んだやり方をここで活用すれば、きっと受け入れてくれるだろうという期待もあった。

私は自分がフラットアースに懐疑的なことを正直に伝えた。自分は哲学者で科学否定の研究をしており、現在それをテーマに本を書いているが、ぜひあなたと話がしたいとも言った。すると嬉しいことに、彼は私の提案を受け入れてくれた。ただし、条件が一つあるという——私が彼の説得を試みるあいだに、彼の方でも私の勧誘を試みるというのだ。

食事はホテル内のレストランでとることにした。私たち二人は、小さなテーブルに向かい合ってすわった。メモをとってもいいかと聞くと、もちろんと返事が返ってきた。なんなら録音してもらってもかまわないですよとまで言ってくれたが、会話の妨げになるような気がして、それはやめにした。私は、この対話を誰かのためのパフォーマンスにするつもりはなかった。ただ正直に腹を割って話がしたかったのである。彼もそれに賛同してくれたようだった。食事を注文し終わると、私たちはさっそく話しはじめた。

まず尋ねたのは彼の身の上についてだったが、その返答はシリアスなものだった。彼は命に関わる健康問題を抱えていた。住居はトレイラーハウスだったが、あるとき、いつも駐めていた場所から追い出されてしまい、やむなく母親が住んでいる家の車庫の前に駐めることにした。だが、その場所も地主の抗議によって使えなくなり、結局はトレイラーハウスを売り払うことになった。これはつらい出来事だった。というのも、そのトレイラーハウスは、フラットアーサーたちの善意の募金で購入したものだったからだ。いま現在、彼がどこに住んでいるのかは言わなかった。私もあえて聞かなかった。

次は私が質問される番だった。私のような人間がなぜフラットアースを選び、わざわざ会議に参加したのかに彼は興味をもっているようだった。男性は警戒しながらも、愛想よく率直に、一つ質問がしたいと言った。

「部外者としてフラットアースについて少し学んでみて、どう思いました？　私たちは時代を先取りしていると思いますか？」

思ったことをそのまま返してしまえば、たちまち場が険悪になると判断した私は、こう答えた。

「その答えはまた最後にでも……。まずはあなたの考えを学びたいと思っていますので」

結局、最後までこの質問に戻ることはなかったが、それでよかったのだろう。なぜなら、私の答えは、「いや、あなた方は時代から五〇〇年は遅れていると思いますよ」というものだったのだから。

こうして会話の肩ならしが終わり、ここからがいよいよ本番だ。私は、こんなチャンスは二度とやってこないことを理解していた。頭がよく、誠実で、非常に優れた討論技術をもつフラットアーサーが目の前にいる。しかも私は、彼に好感すら抱いているのだ。私は、ここまで培（つちか）ってきた友好的な雰囲気を壊したくはなかったが、そうした空気がいつまでも残っているとも思えなかったので、もっとも重要な質問をはじめにしてしまうことにした。私は尋ねた。

「あなたたちの考え方は創造主の存在を信じることと矛盾しませんが、それでも信仰に基づいたものではなさそうだということはわかっています。あなたたちは証拠をさがしている。つまり、証拠こそが信念にとって重要ということですよね。じゃあ、もしフラットアースが間違っているとしたら、具体的にどんな証拠があればそれを示せると思いますか？」

それを聞いて彼は苦悶の表情を浮かべた。そんな質問をされたのはきっと初めてなのだろう。眉間にはしわが寄っていた。心のうちでは用心深くその質問について考えをめぐらせているにちがいない。

「ええまあ、そうですね……。まずは私自身が実験に参加する必要があるでしょうね。そうでなければ信用できませんから」

私は肯定の意味で頷いた。彼は続けて、誰かが出資してくれて、高度三三万フィート〔宇宙空間と大気圏の境目〕まで行けるロケットが手に入れば、きっと自分の目で確認できるだろうと言った。それに対し私は、高度八万フィートまで上昇した爆撃機から地球の湾曲が確認できたという話をした。だが彼の反応は、それは窓自体が歪んでいてそう見えたにすぎない、という否定的なものだった。

私たちは、宇宙との境目まで行って窓の外を眺めるというアイデアについて、しばし思いをめぐらせた。自分はフラットアーサーに好かれているので、ロケット旅行から帰ってきて「地球が平らだなんてもう信じていない」などと宣言したら、彼らはひどくショックを受けるだろう、と彼は言った。それでフラットアースを去ってしまう人もずいぶんいるにちがいない。だが言うまでもなく、彼が宇宙に行くなんてことは、どう考えても現実的ではなかった。

私はそこで、スキバの講演で聞いた実験を思い出し、それをやってみるのはどうかと提案した。ミシガン湖まで行き、蜃気楼が見られる場所のさらに先に進んでから、振り返ってシカゴの街をさがしてみるのだ。湖岸から一〇〇マイルも離れれば十分だろう。そこからシカゴの街が見えればフラットアースが正しく、見えなければ間違いだ。これは有無を言わせない実験になるだろう。ところが、彼は同意しなかった。この実験には、天候や空気中の水蒸気など不確定要素が多すぎるというのだ。彼が望む「完璧な条件」がそろうまでいくらでも待ちますよと言ってみたが、「いや……不確定要素が多すぎる」と彼の返事は変わらなかった。

しばらく無言の時間が続いた。私は話題を変え、南極大陸の上空を通る飛行機に一緒に乗ってみないかと提案してみた。その日だけでも、南極は大陸ではないという講演者の話を一度ならず耳にしていた。それを隠蔽しようという陰謀の存在は、南極大陸を直接通過する空路がないという事実によって説明できるというのだ。もちろん、フラットアーサーである彼も、「でも、南極の上を通るフライトは存在しないんですよ」と答えた。私は「え、本当ですか?」と言いながら、お尻のポケットに手をやって、あらかじめ用意しておいたサンティアゴ（チリ）からオークランド（ニュージーランド）への直行便の旅程表を取り出した。フラットアースの主張が正しいなら存在しないはずのフライトだ。[*37]

「これに乗ったことはありますか?」と彼が聞いた。

「ないですが、でもここに書いてありますよ」[*38]と私。

彼は自分で体験してみないことには信じられないと言った。だが、もし自分の計器を持ち込めて、機内で好きな実験ができるのなら、そのときは地球が丸いと信じるのもやぶさかではない、とも付け加えた。

私たちには基準が必要だ

すばらしい！　私は感動していた。もっとも難しいと思っていた質問に答えてくれる人がこの会議にいたのだ。たしかにマイク・ヒューズも、カーマンラインまで行って地球の丸みを見たなら、自分の考えが間違っていたと認めると言っていた。とはいえ、普通に考えれば、それが実現するチャンスはまずないように思えた。しかも彼の場合は、自作のロケットでそれをやり遂げようというのだ。だが、いま私の目の前にいるのは、自作ではないすでに実在する飛行機に一緒に乗ってくれるフラットアーサーだった。それは実現可能な計画なのだ。

その飛行機に乗るには一人あたり八〇〇ドルが必要だった。彼はお金がないという。では、私がカンパを募って、旅費を調達するのはどうだろう。フェイスブックやゴーファンドミーを使って、哲学や科学の仲間に呼びかけるのだ。存在しないと言われたフライトにフラットアーサーを乗せ、南極大陸の上空を飛んだときになにが起きるかを知るためなら、五〇ドルくらいは出してくれるだろう。私は彼に、自宅があるボストンに戻る頃には資金を調達できるはずだと伝えた。

夕食の相手はかなり落ち着かない顔つきになっていた。私はそれを見て、少し心配になった。ぬきさしならない状況だ。もしこの計画を本当に実行するのなら、すべてが終わったあとに、「あの飛行機の窓は歪んでいましたね」などと言われないよう、しかるべき取り決めをしておく必要があるだろう。それに、彼が機内でやってみたいという実験とはどのようなものなのか？　他人のお金を一六〇〇ドルも使いながら、最後の最後で彼が手を引いてしまう事態は避けたい。私たちにはなにかしらの基準が必要だった。

そこで私はやんわりと聞いてみることにした――もしこの計画を本当に実行するのであれば、なにをもってフラットアースが正しい、あるいは間違っていると結論するか、その基準について前もって合意しておいた方がいいのではないか？　私が提案した基準は、給油のために飛行機が途中でどこかに立ち寄るか否かというものだった。これはよい指標になるように思えた。もし私が正しくて、南極は大陸であり、飛行機で上空を通過するのがせいぜい一〇〇〇マイル程度ならば、給油のためにどこかに着陸することなく目的地に着けるはずだ。反対に彼が正しくて、南極は約二万四〇〇〇マイルにわたって連なる巨大な山脈だというのなら、一つの燃料タンクだけでは到底間に合わないだろう。どれほど長距離のフライトであっても、給油なしで飛べるのはせいぜい一万マイル程度だからだ。[*39]　実際、給油のための着陸をしない世界一周便は（西まわりのルートであっても）存在しない。これでどうだろうか？

驚くなかれ、なんとも嬉しいことに、彼はその提案に同意してくれた。私たちは握手までした。これで彼に逃げられることはなくなった。そう確信した私は興奮にうち震えた。だが、そうした不穏な空気を察したのか、しばらくすると彼は首を横に振りはじめた。

「だめだ、やっぱりやめましょう」と彼。あわててその理由を尋ねると、もしかしたら給油所も幻影かもしれないから、という答えが返ってきた。たぶん私たちは、どんなフライトでも飛行機は給油のためにどこかに立ち寄るものと思い込まされているのではないでしょうか。そのせいで、南極上空を飛ぶ飛行機に乗ろうと思う日がやってきたときも、給油のために着陸するはずと考えてしまうのです。でも、もしそれが間違いだったら？　本当はたった一つの燃料タンクで世界一周が可能で、これまでのフライトはすべて私たちの目をくらませるための偽装だったとしたら？

私は彼の言葉が信じられなかった。

「ええと、ちょっと整理しておきたいのですが」と私は言った。「つまりあなたは、ジェット機による移動の歴史はすべて、アメリカ国内でも国外でも、私たちが生まれる前からずっとインチキだったと言いたいんですか？　しかもそのインチキは、私たちみたいな人間がこうして向かい合って、地球が平らかどうかを判定する基準を考えようとする日のためのものだったと？」

「ええ、そのとおりです」と彼は答えた。

初めての意見の一致

その時点で、私たちの夕食は終わったも同然だった。[*40] メイン料理はまだ来ていなかったが、彼の立場はもう完全に崩れていた。だが私はそこから立ち去るのではなく、彼の講演にならって努めて冷静にふるまうことに決めていた。その場を離れてしまったら、それは失礼にあたる。対話を続ける機会も失うことになるだろう。部屋に戻って自分は正しいと一人で思っていても、人の考えを変えることはできない。一方で、「一度殺した人間をもう一度殺すには人生は短すぎる」というトマス・ヘンリー・ハクスリーの忠告の重みも感じていた。こんなときはどうすべきだろうか？[*41]

彼にいくらか動揺が見られたので、リラックスしてもらおうと、慣れ親しんだ得意分野について自由に話してもらうことにした。すると彼は、あなたはスピリチュアルかと私に尋ね、ちがうと答えると、神と悪魔の関係について説明しはじめた。フラットアースの即席講義というわけだ。よし、受けて立とう。私は軽くさぐりを入れてみた。

「でも、もし悪魔がそんな大がかりな事実をうまく隠せるほど有能なら、どうしてあなた方が気づくようなかたちで、これほど多くのヒントが残されているのでしょうね？」

彼によると、真実は往々にして、ありふれた風景のなかに隠されているのだという。世界を操っている人々は物語をも操ることができる。ちょうどパークランド銃乱射事件がそうだったように。

その言葉を聞いた瞬間、私の血圧は跳ね上がった。私たち夫婦には、サンディフックの事件で子供を亡くした姉妹をもつ、とても仲のよい友人がいたからだ。この愚劣なたわごとを看過していいものだろうか？　ただここで私が怒りを表明すれば、夕食は本当に終わってしまう。彼はかまわず続け、今度はパークランド事件の子供たちが「被害者役（クライシス・アクター）」を演じていたという話をはじめた。「犠牲者」の母親の一人が「寄り添いも祈りもいらない。ただ銃を規制してほしい」と言ったのを見て、疑いの気持ちが芽生えたのだという。「これこそが銃規制派のロビイストが彼女に言わせたかったことじゃありませんか？」と彼は言った。

そこからは、陰謀論と立証責任、オッカムの剃刀、なぜ憶測や疑念を証拠として利用する考え方に大きな問題があると私が思っているのかに関する、長い堂々めぐりの議論へと突入していった。彼が述べたような愚かな言葉によって心に傷を負った一家を知っていることはあえて言わなかった。だが、あとになって後悔した。たぶん私は彼を非難すべきだったのだろう。この世界で苦しんでいるのは彼一人ではない。自分が使っている理屈が現実の人たちに実際に影響を与えることを、彼は学ぶ必要があった。

二時間が経過し、料理の皿が片づけられる頃、話題は再び科学否定に戻った。彼は、気候変動否定派や反ワクチン派がフラットアーサーを見下していることが気に食わないと不平を漏らした。そして、科学者は自分たちに「道徳的優位性」があると考えていると言って腹を立て、科学者を称するならフラットアースのことも調査したいと思うはずだと主張した。私は彼に、科学者には自分の持ち場というものがあって、どんな陰謀でもところかまわず調べるわけにはいかないと説明した。「なにも科学を疑っているわけじゃない」と彼は言った。「疑似科学が信用できないだけです」。私はそれに「同感です」と答えた。こうしてついに、私たちの意見は一致を見たのである。

やがてお開きの時間がやってきた。私は約束どおり食事代を払い、彼はウェイトレスのためにフラットアースの小冊子をテーブルに置いた。私たちは握手をして、私たちなりに良好な関係のまま別れた。彼は容赦のない手練れの論客で、私の主張に一歩も譲ろうとはしなかった。その彼が根も葉もない考えをあれほど多く抱いていることに私は衝撃を受け、あれくらい頭のよい人にどうしてそんなことができるのか不思議に思った。

フラットアーサーのことを頭がおかしいとか馬鹿だとか言って一笑に付す人もいるが、それでは現実に起きていることを説明できないと私は思う。たしかに彼らは、基礎的な物理学もよく知らなければ、病的と言っていいようなレベルの意図的な無視や抵抗を頻繁に示すが、それは彼らのものの見方とは別の問題だ。私のどんな主張にも（少なくとも自分が満足いく程度には）反論できるほどのレトリックを身につけた男がいた。もちろん、彼は間違っていた。だが、そのことを彼は知っていたのだろうか？　もし知っていたのなら、それを認めただろうか？　おそらく認めないだろう。だからといって、それはかならずしも彼の頭がおかしいせいではない。彼のような人は他にもいくらでもいるのだから。

夕食の席で聞いた彼の主張は、およそすべての科学否定論と同じ特徴をもっていた。気候変動否定派や反ワクチン派の主張は、フラットアーサーほど極端には見えない。だがそれでも、使っている戦略は同じものだ。フラットアースの主張が極端なことは、その支持者ですら認めている。なかにはそれを誇りに思っている人すらいるほどだ。しかし私は、フラットアースを馬鹿げたものにしているのは、その信念の具体的な内容ではないと考えてきた。彼らを荒唐無稽にしているのは、その推論の方法だ。ただそうした方法に頼っているのは、フラットアースに限ったことではない。

その日の夜、メインステージでおこなわれたロブ・スキバと懐疑派の「討論会」はひどい代物だった。懐疑派とされる男性が会議側に都合がよい人物であることは一目瞭然だった。その男性は冒頭に、自分は四五年にわたり聖書の解釈に取り組んできたカトリックで、聖書をどこまでも権威あるものとして受けとっていると述べた。彼によれば、聖書は物理学を評価する立場にはないはずだが、自分にはよくわからないということだった。討論会がはじまって一〇分ほど経過し、「私たち一人ひとりが神の御言葉の前にひざまずかなければなりません」と彼が言ったのを聞いて、私は席を立った。

会議初日はこうして終わった。[*42]

「家族や友人とフラットアースについて語ろう」

前日も参加していた私からすると、その日予定されていた講演の大部分は復習みたいなものだった。どれをとってもかわり映えしない内容だ。だが、そのなかで一つだけ心から楽しみにしていたものがある。「家族や友人とフラットアースについて語ろう」と題されたセミナーだ。私はまたしても早めに会場に向かった。

セミナーで話をするのは、二人のフラットアース「研究者」である。どちらも男性で、いかにも自信ありげな表情を浮かべながら、それぞれ独自の視点を提供すると請け合った。一方はキリスト教を経由してフラットアースに引き込まれ、もう一方は宗教とは関係なくこの世界に足を踏み入れたという。[*43]後者の講演者は、9・11のときに世界貿易センタービルの近くに住んでおり、自室の窓から一部始終を目撃した。ただそのとき目にしたものは、ニュースで報道された内容とは異なっていた。それが彼がものごとを疑う転機になったようだ。その後まもなく、フラットアースに関する動画をネットで見て反論しようとしたが果たせず、逆に地球が平らだと信じるようになった。彼は、自分の信念は聖書ではなく、証拠に基づいていると断言した（その背後には「証明こそが唯一の評価基準である」という、おなじみのロジックが隠されていた。つまり、地球が丸いことを証明できなければそれは平らであるほかない、証明終わり（QED）、というわけだ）。

もう一人の講演者は、自分の見解は聖書がもとになっていて、フラットアースに惹かれたのも、聖書に対する自分の解釈と一致していたからだと言った。地球の形状に疑いをもつようになってからは、9・11についても疑問に思うようになったという。他の多くの参加者がそうだったように、ここでもフラットアースは別の陰謀論への橋渡し役となったのである。さらに彼は、丸い地球への疑念がＮＡＳＡへの疑念へとつながったとも語った。「私たちは、こう考えるべきだということばかり教えられ、どう考えるかについては教えてもらえなかった」。そして、自分たちは洗脳されていて、水道水に添加されたフッ素が「どう考えるか」を学ぶことをさらに困難にしていると感じているとも述べた。

二人の講演者が『マトリックス』の「赤い薬」のシーンを好意的に語ると、聴衆からは賛同の声が上がった。みんなあの映画が大好きなのだ。彼らは真実を知っていて、「人々の目を覚まさせる」ためにその会場に集まっている――それこそが、そのセミナーが伝えたい内容だった。

二人の講演者はその後、ウォルト・ディズニーとヴェルナー・フォン・ブラウン（ロケット開発者で、その技術がのちのアポロ計画につながった）が共謀して、地球が平らだという真実を隠していたことを示す、馬鹿げた「証拠」をいくつか披露した。そのなかには、ウォルト・ディズニーの署名を目を凝らしてよく見ると、数字の6が三つ隠されている（つまり666となる！）のがわかるという洞察も含まれていた。もちろん、これでなにかが証明できるわけではない。少なくとも私にはそう思えるが、それでも「証拠」は存在し、それゆえ説明が必要だというのが彼らの立場なのだろう。そのあとも、この手の話が延々と続いた。

セミナーが終わりに近づくと、フラットアースを信じてもらうには相手をどう説得すべきかという話題が再び取り上げられた。彼らは、誰もが転向してくれるわけではないことを強調した。たとえば、昨晩の「討論会」に登壇した懐疑派を説得しようとしても無駄だったはずだ。「彼には失うものがたくさんありました」と一方の講演者が言った。「そういう人を変えることは決してできないのです」

同様に、教師や科学者を説得するのも非常に難しい。その種の人たちが一番強力に洗脳されているからだ。また、実践的なアドバイスとして、自分は陰謀論を信じないと言っている人は相手にしない方がいいとも言った。時間の無駄だというのだ。重要なのは、球体主義者が持ちだす自説の根拠を詳しく知ることだ。たとえば、地球がどれくらいの速度で回転しているかを知るのである。二人は、球体主義者の多くは自説の根拠をよくわかっていないと主張した（これはおそらく正しい）。だからこそ、自分が「事実を知っている」領域に相手を引き込むことが役に立つ。特に、もう二度と会うことのない初対面の人と話すときにはそれが言えるだろう。反対に、友人や家族との対話はずっと難しくなる。

フラットアースの勧誘活動の目的は**疑いの種をまくこと**だ、と二人は言った。相手に無理強いしてはいけない。とりわけ相手が家族や友人の場合には気をつけること。初対面の見知らぬ人の場合は、あらかじめ話し合いの時間を決めておくのがいい。当て逃げみたいな行き当たりばったりの対応は禁物だ。基本的なルール、たとえば、「質問は歓迎だが、答えは最後まで聞くこと」といった取り決めをしておこう。原則として、ここでは立証責任は問題にならない。フラットアースの戦略は、自分自身の信念に疑問を抱かせる、あるいは、自分には知らないことがあると認めさせることだ。それに無事成功しさえすれば、あとはなりゆきを見守ればいい。

講演者の一人――宗教とは関係なくフラットアースに入った方の男性――は、「もしこれから説得しようという相手がニュースで伝えられた9・11を信じているなら、前途多難と考えていいでしょう」と言った。大切なのは、その場で説得できなかったとしても、疑いの種をまいておけば、あとで実を結ぶ場合もあると気づくことだ。たとえば、フラットアースの研究を二週間、誰にも内緒で続けてもらうのもいいだろう。二週間経ってもし考えが変わったのなら、そのときに初めて周囲の人に打ち明けてもいいと伝えるのだ。*44

次に紹介されたアドバイスは、私がこれまで会議で聞いたなかでも、とりわけ衝撃的なものだった――フラットアースのコミュニティを通じて知り合った人とは、普通よりもたやすく性的関係を結ぶことができるというのだ。「ここに来ている人たちを見まわしてみてください!」。男性の呼びかけに会場からは大きな拍手が起きた。その様子はまるで、信念の正しさに揺さぶりをかけてくる人々から、自分たちをわざと孤立させようとしているように見えた。

カルトの子供として育つということ

さて、いよいよ質疑応答の時間である。

最初の質問は、教会に通いながらどうやってフラットアースの立場を守っていけばいいか、というものだった。質問者は教区の牧師に目をつけられており、追い出されるのではないかと心配していた。講演者は、教会に集まった他の信徒に狙いを定めなさい、とアドバイスを送った。信徒席に置いてある聖書の横にフラットアースのパンフレットを紛れ込ませておくのもよいアイデアかもしれない。

二つ目の質問。「自分がなにをおいてもまずキリスト教徒であり、フラットアースに専念することが福音を伝えるという考えと矛盾していると感じるとき、どう行動すべきでしょうか？　世界は終末に向かっています。私は外に出て人々を救わなければなりません」。その答え。「信徒たちのなかに入り込んで、フラットアースの考えを広めてください」

三つ目の質問。「フラットアースを広めるために話しかけたグループが、私の言うことに反感をもっているとわかった場合、どうすべきでしょうか？」。その答え。「ルールを共有しましょう。たとえば、相手は一度に一つだけ質問ができ、それについてあなたが答える。質問攻めにあった挙句、苛立った相手に『なに言ってやがる』などと言われて立ち去られるのは避けたいものです」

そのとき講演者の一人が、これまででいちばん苛立った会話について話しはじめた。相手は非常に礼儀正しい男性だったが、会話のあいだずっと「ええそうです、地球は平らですよね。でも、なぜそのかたちが真円になったのですか？」と言い続けたという。講演者がその理由を説明すると、男性はなおもこう言った。「なるほど。でも、なんで真円なのですか？」。私は思わず吹き出しそうになった。なるほど、今後もしハーバード広場でフラットアースの勧誘に遭遇したら、こう答えればいいのか。講演者は「新しいことを学びたくない人もいますからね」と言って頭を振った。

だが、笑う余裕があったのもここまでだった。次の質問を聞いたとき、私は頭に血がのぼって、ほとんど卒倒せんばかりになったからだ。大げさに言っているのではない。前日の夕食の席でも冷静でいられたのだが、このときばかりは自信が揺らぎはじめていた。

質問をしたのは男性で、隣の席には五、六歳の女の子がすわっていた。彼は言った。「娘が学校でいじめられないようにするには、どうしたらいいでしょう？　われわれは大人だから我慢できますが、この子は親の信念のせいで嫌がらせを受けています」

私は胸が痛んだ。それまでも会議で子供を何人か目撃していたが、ことの重大さに気づいてはいなかった。彼ら自身が語ったところによると、会場にいる大人のほとんどはかつて球体主義者だったが、ユーチューブの動画を経由してフラットアーサーに転向したのだという。大人であれば自分の考えで転向したのだから、もう一度自分の考えでフラットアースを去ることもできよう。だが、カルトのなかで育った子供に、そんなチャンスはあるだろうか？　その子供が、来る日も来る日も陰謀論を耳にして、科学など信じるなと言われ続けてきたとしたら？[*45]　あの少女にはチャンスはなかった。

質問への答えを待つあいだ、私の手は震えていた。

会場の聴衆は、その小さな女の子が自分の信念を貫いたとして拍手を送った。すると講演者は邪（よこしま）な笑みを浮かべて、「子供というのは、狙いとして完璧です」と言った。その女の子は以前、授業中にフラットアースの話題を持ちだして先生に注意されたことがあったという。それに対して講演者は、校舎の外に出て、先生のいないグラウンドで友だちに向けてフラットアースの話をしてみてはどうか、とアドバイスをした。「よろこんで知りたがる子供もいますからね」

私は会場を見渡した。状況は一〇〇対一で私に不利だ。ここで声を荒らげて「デタラメを言うな！」と叫んだら、皆どんな顔をするだろう。

私はそれを試すかわりに、立ち上がって会場をあとにした。

笑っている場合ではない

その夜はもうフラットアーサーと夕食に行ったりせず、一人で外に出かけてしまおうと心に決めた。どうせ最終日だったし、各賞の授賞式（アワードバンケット）まで無為に過ごすのも嫌だった。私は会場のホテルを出て、近くのレストランで食事をすることにした。

食事のあいだ、いろんな考えが次から次に頭に浮かんできた。

フラットアーサーは無害な存在で、無視するか笑い飛ばすのが一番と考えている人は、これからなにが起こりうるかについて考えたことがあるだろうか？　私の経験から言えば、フラットアーサーは間違っているだけでなく、危険でもある。彼らは組織化され、かつ献身的だ。そして毎日のように新しいメンバーが加わっている。会議そのものは言うに及ばず、メンバー勧誘のためのセミナーが二つもあったという事実は、彼らに拡大の野心があることを意味している。広告看板（ビルボード）を買うための募金を集め、有名人にすり寄ってもいる。「人々を目覚めさせる」ための街頭活動もおこなっている。こうしたことを考えれば、少なくとも科学と教育の脅威だとは言えるだろう。

それだけではない。フラットアースはまた、ここ数年にわたりアメリカを覆ってきた否定文化にも力を与えている。そうした科学否定の土壌は、何十万という人が自分の子供へのワクチン接種を拒否し、政治家が気候変動の対策をとらず、銃をもったデモ隊がパンデミック下でパレードをおこなうことを可能にするものだ。

このような間接的な意味ばかりでなく、私はフラットアーサー自身もまた危険だと考えている。現時点では、彼らのことを面白がっている人がほとんどだ。だが、彼らが開催する会議に参加してなお、面白がっていられるものだろうか？　思い出してほしい。私たちは進化論否定派のことも笑っていたのだ。「論争を教えよう」というスローガンを掲げて、あなたの地元の教育委員会にフラットアーサーが立候補するのは、これから何年先のことだろうか？　そんなことは起こらない、そんなにひどくなるはずがないと思っている人は、この事実をどう考えるだろう――ブラジルでは一一〇〇万もの人々がフラットアースを信じており、これは全国民の実に七パーセントに相当する。*46

今回、ＦＥＩＣ２０１８に参加してみて、私は二つのことを理解した。一つは、フラットアーサーが使う基本的な論法は、気候変動否定派、進化論否定派、反ワクチン派などが使っているものと同じだという私の考えは正しかったこと。信念の内容だけでなく、そこに至る推論プロセスもまた破綻していたのだ。もう一つは、フラットアーサーと渡り合うための方法である。皮肉なことに、私はそれを彼ら自身から学んだ。具体的には、冷静であること、敬意をもつこと、会話に参加させること、そして信頼関係を築くことだ。フラットアーサーの信念や推論はさておき、相手を翻意させるために彼らが使っている戦略は正しかった――**相手の考えを変えるには、まずアイデンティティを変える必要がある**のだ。

空港での出来事

翌日、地元に飛行機で戻る準備をしながら、これまでの出来事を時間をかけて振り返ってみた。今回の会議では、科学否定論者との対話について学ぶところが確かにあった。だが私は、あの場にいたフラットアーサーの信念を、たった一度でも揺さぶることができただろうか？　いや、私は誰の考えも変えなかった。首からぶら下げた参加証を引きちぎって、駐車場までついてきた人は一人としていなかったのである。しかし、それが私の求めていた基準だろうか？　そこが重要なポイントだったのだろうか？　ＦＥＩＣに参加したのは、参加者の考えを変えるためではなく、彼らの心の動きをよりよく理解するためだった。私にもっと影響力があればよかったのだが、かといって、その場ですぐに信念を変えさせられる魔法の言葉が存在しないのも事実だ。自分のアイデンティティを強化する目的で会議に参加した人が集う場所であれば、なおさらである。

それに私は、疑いの種を少なくともいくつかまいてきたではないか。講演を終えたスキバを引き止めた様子は、かなりの参加者が目撃していたはずだ。講演者と夕食をともにしたときには、彼がそれを聞いていたか定かではないが、地球が平らなことを疑うべき理由を大量に投げかけた。フラットアースのような世界に入り込んでしまった人を連れ戻すのには、おそらく長い時間が必要だ。信頼関係を築くには時間がかかる。一度だけ会って真実を話したら奇跡が起こるなんてことは期待できない。だが、少なくとも私は実際に足を運んでみた。それは間違いなく価値のあることだろう。もしかしたら、将来もっと多くの人が、この問題に気づいて私に続いてくれるかもしれない。

デンヴァー空港の出発ラウンジにすわっていると、大手航空会社のパイロットが近くを通り過ぎるのが見えた。その瞬間、私はマトリックスの世界に放り込まれていた。フラットアーサーが言うように、そのパイロットは真実を知っているのだろうか？　陰謀に加担しているのだろうか？　奇妙な感覚だった。昨日までの四八時間、私は地球が平らだという驚くべき陰謀論を信じる人たちに囲まれて時を過ごした。そして今、私のまわりにいる人たちは、おそらく誰一人としてそんなことは信じていない。だが、それは本当だろうか？　文明社会に再び戻ってきたはずなのに、依然として隔絶されている妙な感覚があった。感染しているような気がした。もしかしたら、別のマトリックスの世界に入り込んでしまったのかもしれない……。

今しがた通り過ぎたパイロットは、柱に背をもたせかけてスマートフォンでメールを打っていた。私は小走りに近づいて「一つ質問をさせてもらってもいいですか？」と尋ねた。パイロットは頷いたが、なにを聞かれるかはもちろんわかっていない。

「今ちょうど、二日間のフラットアース会議に参加してきたところなのですが。いや、どうかご心配なさらないで。私はフラットアーサーじゃありませんから。私は学者で、彼らがどうしてそんな馬鹿げたことを信じるようになったのかを調べに行ったんです。そこで何人かの講演者が、飛行機での移動や地球の丸みについて、私とは違う意見を述べていました。それで、ちょっとお尋ねしたいのですが……」

彼が私の話を完全に信じてくれたかどうかはわからない。たとえ私の言っていることに嘘がないとわかってくれたとしても、一度で理解するのは難しかったはずだ。だが彼は、首を縦に振り「もちろん、いいですよ」と言ってくれた。二人ともフライトまでにまだ時間があった。

彼によると、南極点の上空ではコンパスの挙動がおかしくなるというフラットアーサーの主張は正しい。この件についてはいくつか資料があり、私に送ってくれると言った（後日、実際に送られてきた）。一方、南極大陸の上を飛ぶことにまつわる主張は間違っていると断言した。彼はある一つの事実を教えてくれた。航空規則は飛行機が通るべきルートを定めているが、そのうちの一つに、ボーイング777などの大型ジェット機は緊急時に不時着できる水域に数時間以内に行けるルートしか通れない、というものがあるという。つまり、南米とオーストラリアを結ぶ最短ルートが南極大陸上にあったとしても、少なくとも民間航空機を用いた旅行では、そのルートを選ぶことはないわけだ。*47

地球の湾曲をその目で見たことはありますかと私が聞くと、彼はにっこり微笑んだ。「三万フィートくらいじゃ見られませんね。でも、六万フィートまで上昇する爆撃機からは見えるという話は聞いたことがありますよ。私は見たことはないですがね」

「では、あなたは陰謀に加担してるわけじゃないのですね？」

「してないです」と彼は笑って言った。「たぶんね」

私たちは名刺を交換し、その後何度かメールのやりとりをした。私は妙な質問をしてしまったことを謝り、飛行機に遅れないように足早に立ち去った。とはいえ、彼にとっても楽しい一日になったのではないだろうか。少なくとも雑談のネタは一つ増えたはずだ。

飛行機がボストンに着く頃には、だいぶ気分もよくなっていた。ようやく地元に帰ってこられた。会議に参加した二日間は一か月のようにも感じられた。行く価値はあったと思いつつも、不思議なくらいストレスもたまっていた。途中何度か現実から離脱したように感じる瞬間があり、そんなときは「正しいのは私だろうか、彼らだろうか」と問いかけたくなった。

手荷物を取りに行く前に、私はトイレに立ち寄った。個室に入りドアに鍵をかける。目の前の壁に目をやると、出来すぎのようだが、こんな落書きが残されていた――**地球は平面である**。*48

第2章

科学否定とはなにか？

フラットアーサー、反ワクチン派、知的設計論者（インテリジェント・デザイナー）、気候変動否定論者といった人たちと関わっていると、彼らにはある一つのパターンがあることが次第にわかってくる。つまり、議論で用いる戦略がみな同じなのだ。[*1] 科学を否定する人は、主張の内容は千差万別であっても、その根本には共通した推論の誤りがあるように思える。

こうしたことはすでに研究者によって議論されていて、たとえば、マーク・フーフネイグル、クリス・フーフネイグル、パスカル・ディーセルム、マーティン・マッキー、ジョン・クック、スティーブン・ルワンドウスキーといった名前が挙げられよう。彼らによると、科学否定論者の議論には以下の五つの推論の誤りが共通して見られる。[*2]

本書ではこれらを**科学否定論者の五つの類型**と呼ぶ。

1　証拠のチェリーピッキング

2　陰謀論への傾倒

3　偽物の専門家への依存
4　非論理的な推論
5　科学への現実離れした期待

これらを組み合わせることで、科学否定論者が共通して利用している、ある青写真が手に入る。彼らはその青写真を使って、カウンターナラティブ（従来の説に対抗するための筋書き）を作りだし、科学界ではすでにコンセンサスがとれて久しいトピックに異議申し立てをするのだ。マークとクリスのフーフネイグル兄弟は、科学否定を定義して、「修辞学的策略を弄して、現実にはなにもないところに、あたかも議論やまっとうな論争があるかのように見せかけること」と述べた。[*3]

どうしてわざわざそんなことをするのだろうか？　それは私利私欲やイデオロギーのためかもしれないし、政治的な期待に応えるためかもしれない。ある科学的コンセンサスが自分の信念と対立しているとき、現実とは違う世界を作りだしたい、あるいはその世界に身をゆだねたいと考える理由はたくさんあるはずだ。だが、この問題はのちほど扱うことにして、ここではまず先述の五つの類型をそれぞれ検討し、否定主義が経験的判断にとっていかなる意味で有害になるか、その理解を深めることにしたい。否定主義の背後にはなぜ共通の台本があるのか、それに対して私たちはなにができるのかについては、そのあとでさらに詳しく論じよう。

五つの類型のうち、「偽物の専門家への依存」、「非論理的な推論」、「科学への現実離れした期待」は、文字どおりに理解できるだろう。どこがおかしいかは一目瞭然というわけだ。では、「証拠のチェリーピッキング」についてはどうだろうか？　「陰謀論への傾倒」は？

この二つの推論の誤りは科学的判断の核心に触れるものだ。ここで科学的判断とは、自分が信じたいと思っていることをただ追認したり、証拠がなに一つないのに結論に飛びついたりするのではなく、自説と現実を照らし合わせて検証するという誠実な取り組みのなかに見いだされるべき態度のことである。科学者が求めているのは真実であり、自分の予想に沿わないという理由でなにかを否定することはありえない。あるイデオロギーの信奉者がある理論を頭から信じ込み、その理論に反する証拠はなんでも否定し、支持する証拠にすら関心を払わないのなら、いったいどんな経験が彼らを変えられるというのか。

科学否定論者が採用する欠陥のある推論戦略が、科学の実際の営みに対する誤解に根ざしていることを知っても、おそらく驚く人はそういないだろう。前著『科学的態度』で、私はそうした誤解のいくつかを仔細に検討した。それを本書で繰り返すことはしないが、ここでは一点だけ、**証拠にどう対処するかが科学を科学たらしめる特徴である**ことを指摘しておこう。科学者は証拠を大切に扱い、新しい証拠が得られた場合は、それに従って意見を変えることを厭わない。科学は証明を提示することはできない。そのため、十分に信頼できる証拠があって、厳格な検証をくぐり抜けたときに理論の正しさは保証される、という考えにどうしても頼らざるをえない。*4

科学否定の五つの類型

第1章で見たように、科学否定論者の五つの類型は互いに補完し合う関係にあり、そのうち一つだけを使って、それでおしまいにすることはない。科学否定論者は、陰謀論について話したかと思えば、次の瞬間に話題をそらし、相手が持ちだした専門家や証拠に疑念を呈する。こうやって途切れなく移動していって、疑いの糸ではりめぐらせたクモの巣を完成させるのだ。

このように組み合わせて使用される五つの類型だが、それらを個別に検討していくことに意味がないわけではない。前章で見たフラットアースにこの五つの類型が含まれていることを立証できるだけでなく、これから見ていく科学否定――気候変動、GMO（遺伝子組み換え作物）、新型コロナウイルス感染症の否定――にも、それが組み込まれていることを認識する足がかりとなるはずだからだ。

先に述べたとおり、ここでの目的はすべての科学否定論者が共通のパターンを使用していることを示す点にある。なぜそうなるかについては、のちに見ていくことにしよう。

証拠のチェリーピッキング

とても科学的とは言えない理論なのに、そこに科学的な価値があると信じ込んでいる人がいたとしよう。その人にとって、自説に有利な証拠を選択的にピックアップする戦略は非常に魅力的に見えるはずだ。ごく少数が唱える理論をただ信じていると主張しても、それが科学的と受けとられる可能性はかなり低い。それよりも、実際に証拠があると言った方がずっと受けはいいだろう。自分に都合のよい証拠だけ「つまみ食い」をする、すなわちチェリーピッキングをする場合、どのような証拠を選ぶかが非常に重要になる。つまり、自説を否定されたくなければ、仮説を支持する証拠だけを取り上げて、それ以外の証拠はぞんざいに扱う必要があるわけだ。

私たちは、フラットアーサーがこの作戦を使うのをすでに目撃している。四五マイル離れたミシガン湖上からシカゴの街の遠景が見える場合がある、とＦＥＩＣの講演者が説明した際にである。ところが彼は、実は街が見えない日もあることをあえて黙っていた。それを伝える必要があったにもかかわらずだ。この態度を突き詰めていくと、フラットアーサーはシカゴの街が見えるという事実（世界は平らであるという彼らの理論に合致するもの）にしか興味がないことがわかる。街が見えない場合があるという事実（彼らの理論では説明できないもの）にはまったく興味を示さないのだ。実際すでに見たように、フラットアーサーは、街が見えるときと見えないときの両方を説明する信頼できる科学理論をフェイクとして切り捨てる一方で、街が見えないことを説明できない自分たちの理論を頑なに支持している。

これは証拠のチェリーピッキングの核心にある選択バイアスの完璧な事例であり、**確証バイアス**と呼ばれる、よく見られる認知の誤りに深く根ざしたものである。[*5] 確証バイアスは、自分が信じたいことと一致した事実をさがすよう私たちを動機づけ、そうでない事実はいとも簡単に無視してしまうよう仕向ける。例を挙げれば、気候変動否定論者は「一九九八年から二〇一五年までの一七年間、地球の気温は上昇しなかった」と主張することがあるが、それはエルニーニョの影響で例外的に暑かった一九九八年を基準年に選んだからにすぎない。[*6]

ここで問題になるのは**不誠実さ**である。言い換えれば、自説を検証するためではなく、ただ正しいと主張するためだけに証拠をさがすことだ。これは科学的な態度とはとても言えない。科学者は、自分が真実であってほしいことの裏づけだけをさがすわけではない。自分の仮説が間違っていれば、それをきちんと示せるように実験を設計するものなのだ。[*7] たしかに、ものごとを一気に解決に導く決定的な実験には、なかなかお目にかかれない。だが問題なのは、そうした結果ではなく、自説を厳密に検証せずに、都合よく追認しようとする見下げはてた態度そのものなのである。チェリーピッキングが使われているケースでは、あらゆる方面の証拠を検討したのなら、とっくに否定されてしかるべき怪しげな仮説を支持してしまう可能性が高くなる。

それでも、科学否定論者の大多数は、「科学者は自分の仕事を中断して、私たち素人がチェリーピッキングしたあらゆる証拠を検討すべきだ。そうしないのは彼らが偏っている証拠だ」という主張をやめようとしない。私が参加したフラットアース会議では、科学界のドアを蹴破って、「この一〇〇の問題を見よ。科学では説明できないではないか!」と言う権利が自分にあると考える多くの人に遭遇した。たとえ私が辛抱強くその問題を一つひとつ取り上げて、そのうち九九について科学的説明ができたとしても、典型的なフラットアーサーであれば、きっとこう言うことだろう。「へえ、それでこの最後の一つはどうなんだい?」。要するに、彼らは恥知らずなまでに選り好みをし、しかも反論を一切気にしないのだ。[*8]

陰謀論への傾倒

陰謀論を信じることは、私たちの推論がもたらす帰結のなかでも、特に有害な部類に入るだろう。[*9]

これはなにも陰謀が現実に存在しないという意味ではない。ウォーターゲート事件、喫煙と肺がんの関連を隠すためのタバコ会社の結託、ジョージ・W・ブッシュ大統領時代に実現した国家安全保障局（NSA）による民間インターネットユーザーの秘密の監視プログラムなどは、どれも現実の陰謀の例であり、証拠を通じて発覚し、徹底的な調査のあとに詳細が明らかにされた。[*10]

これに対して陰謀論的な推論が非常に悪質なのは、証拠の有無にかかわらず、その理論が正しいものと主張され、科学者などの批判者による検証や反論をまったく受けつけようとしない点だ。ここからも、証拠を必要とする「現実の陰謀」と、信頼できる証拠が存在しない「陰謀論」をきっちり区別すべきなのがわかるだろう。[*11]

陰謀論は、「**なんらかの邪悪な目的を達成しようとする悪意をもった闇の勢力に関する言説**」とでも定義できるかもしれない。[*12] 加えて、「空論ばかりで証拠に基づいていない。どこまでも憶測であり現実に足場を置いていない」[*13] 傾向があることも指摘しておくべきだろう。したがって、科学的推論の観点から見て陰謀論は危険だと論じるなら、私たちは陰謀論の非経験的な性質、そもそも検証する能力すらないという点に注目すべきだ。陰謀論の問題とは、その誤りがすでに明らかにされていることではない。すでに間違いだと示されたにもかかわらず、何千もの騙されやすい人がかまわず信じ続けてしまうことだ。[*14]

科学否定論者を一皮むいてみれば、そこに陰謀論者が見つかる可能性は高い。そして悲しいことに、陰謀論は一般社会にも広く浸透している。エリック・オリバーとトマス・ウッドによる近年の調査によると、アメリカ人のおよそ五〇パーセントが少なくとも一つの陰謀論を信じているという。[*15]

そこには、バラク・オバマはアメリカ生まれではない、9・11には隠された真実がある、食品医薬品局（FDA）はがんの治療法をひた隠しにしている、二〇〇八年の不況は連邦準備制度理事会（FRB）が仕組んだ茶番だ、などの陰謀論が含まれている（ケネディ大統領暗殺に関する陰謀論はあまりに多くの人が信じているため、この調査からは除外された）[*16]。

それ以外にも、飛行機が残すケムトレイルは政府が秘密裏におこなっているマインドコントロールの一環である、サンディフックやパークランドでの銃乱射事件は偽旗作戦（にせはた）〔自作自演〕だ、政府はUFOに関する真実を秘匿しているなど、人気や奇抜さに違いはあるが、よく知られた陰謀論が存在している。さらには、私たちにはもうおなじみのフラットアースをはじめ、地球温暖化はデマだ、有害なGMOを作っている企業がある、新型コロナは5G携帯電話の基地局が原因であるといった、より「科学的な」陰謀論もある[*17]。

陰謀論の骨格は、「どう考えてもありえないようなことが実は真実で、人々はそれに気づいておらず、それはひとえに、力をもった勢力が組織的なキャンペーンを展開してその真実を隠蔽しているからだ」という、証拠によらずに正当化された信念というかたちをとる。陰謀論が流行するのは、社会が大きく変動する時期だとも言われている。すなわち、陰謀論は現代だけに見られるものではない。

たとえば、紀元六四年に起きたローマの大火にも陰謀論を見つけることができる。ローマ市民は、都市の大半を焼失させた一週間にもおよぶ火事のあいだ、皇帝ネロが都合よくローマを離れていたことを訝（いぶか）しんだ。やがて噂が広がりはじめた。自分の思うとおりに都市を開発するために、ネロ自身が火を放ったのではないかというのだ。それが正しいという証拠はなかったが、ネロは風評に大いに動揺したのか、今度は自分自身で陰謀論を唱えはじめた。火事の責任はキリスト教徒にあると主張しだしたのだ。その結果、あちこちでキリスト教徒が生きたまま焼き殺されることになった。*18

陰謀論が科学的な推論と相容れない理由は、もう察してもらえただろう。科学では、仮説を現実に照らし合わせて、自説に反する証拠をさがすことで検証をおこなう。そのとき、もし自説に沿う証拠しか見つからなければ、その仮説は正しいと考えられる。だが反対に、自説に反する証拠が一つでも見つかれば、その仮説には退席してもらうほかない。

ところが陰謀論者は、否定的な証拠を前にしても意見を変えようとしない。彼らはそのかわりに、肯定的な証拠の欠如や否定的な証拠の存在を説明する方便として、陰謀そのものを利用しがちである（前者であれば「頭のよい連中がそれを隠しているのだ」、後者であれば「工作員が捏造しているのだ」など）。よって、陰謀論を支持する証拠が見つからないことは、部分的に陰謀そのものによって説明できることになり、つまり陰謀論者は、証拠があることもないことも自分に都合よく利用できる。

私の言葉を使えば、陰謀論者はほぼ例外なく**カフェテリア方式の懐疑論者**だ〔カフェテリアでは自分の好みに合わせて自由に食べ物を選択できる〕。陰謀論者は、自分たちは最高レベルの推論基準を採用していると言うが、そこに一貫性は見られない。彼らは、証拠のダブルスタンダードで有名だ。つまり、自分の信じたくないことに関しては不条理な証明基準を要求する一方で、信じたいことに関しては、不十分あるいは存在しない証拠すら受け入れる。このような証拠のチェリーピッキングをともなう選択的推論の弱点は、すでに見たとおりだ。ここに多くの陰謀論的思考の根底に横たわる偏執的な疑心暗鬼が加わると、乗り越えることがほとんど不可能な疑念の壁が立ち現れることになる。

陰謀論者が、ワクチン、ケムトレイル、フッ素などを危険とみなし、それと矛盾する情報はすべて隠蔽工作の証拠だと考えるとき、彼らは疑念という密閉された箱にみずからを閉じ込めている。第三者がどれほど事実を積み上げたところで、彼らをその箱から出すことはできない。

なお、陰謀論者には、懐疑的な態度をとるわりに騙されやすい人が多い。その好例が、地球が平らであると信じている人たちだ。私が参加したＦＥＩＣでは、地球が丸いことを示す科学的証拠はすべてフェイクだと主張する講演者が何人もいた。他にも、「月面着陸はなかった。あれはハリウッドで撮影されたものだ」、「飛行機のパイロットも宇宙飛行士もデマに加担している」、「宇宙から撮影されたという画像はすべてフォトショップで加工されたものだ」という意見も聞いた。彼らは、そうした意見を否定する証拠を示しても考えを変えなかった。それどころか、陰謀論が存在する証拠として、反対にそれを利用したのである。もちろん、地球が平らであることを隠す勢力の背後では「悪魔」が暗躍していると主張するのも忘れなかった――いったいこれ以上の陰謀論があるだろうか？　フラットアーサーの多くも、それは認めることだろう。

これと同じような反応は、気候変動否定論でもよく見られる。トランプ大統領は、気候変動はアメリカの製造業の競争力を低下させるための「中国のデマ」だと長年言い続けてきた。[*19] 一般市民のなかにも、気候科学者がデータの数値をごまかしたり、偏見に満ちた主張をしていると考える人たちがいる。その方が金も注目も手に入るはずだというのだ。もっとひどい筋書きもある。気候変動は、政府の規制強化や世界経済の乗っ取りを正当化するための策略として利用されているという主張だ。しかも、こうした考えを否定する証拠は、それがどんなものであっても、陰謀の一部として処理されてしまう。彼らにとって、それはフェイク、偏った意見、不完全な証拠にすぎず、本当の真実はいまだ隠されたままなのだ。**どれほど大量の証拠を集めたとしても、筋金入りの科学否定論者は説得できない**。なぜなら、彼らはそうした証拠を集める人をそもそも信用していないからだ。[20]

こうした態度をどう説明したらいいだろうか？　科学否定論者のように陰謀論に関わってしまう人と、そうでない人がいるのはなぜなのか？[21]

心理学では、その理由を、たとえば自尊心の肥大、ナルシシズム、低い自己肯定感など、さまざまな原因に求めている。[22]そのなかでも比較的多くの支持を集めているのは、陰謀論とは、動揺をもたらす大事件に直面したときの不安や制御不能感に対処するためのメカニズムであるという説のようだ。人間の脳はランダムな出来事を好まない。なぜなら、ランダムな出来事は学習に利用できず、したがって対策も立てられないからだ。自分が体験した出来事に無力感を覚えるとき、私たちは対峙すべき敵を明確にしてくれる説明に引き寄せられる。これは理性を介したプロセスではない。研究によれば、陰謀論的な思考に一番はまりやすいのは、「直感に従う」傾向がある人なのだという。無知と陰謀論に高い相関があると言われるのはそのためだ。分析能力に基づいて理解する能力が低いと、出来事に対して必要以上に大きな脅威を感じてしまうことがある。[23]

「隠された真実」という考えに引きつけられる人が多いのも事実だろう。自分が他人の知らないことを知る限られた人間の一人と考えることは、自尊心をひどくくすぐるものだからだ。[24]

陰謀論に基づく思考に関しては、ローラント・イムホフがとても面白い実験をおこなっている。

架空の陰謀論を用意し、それを提示して認識するときの条件の違いによって、信用される確率がどれほど変わるかを調べたのである。イムホフが用意した陰謀論は秀逸なものだった。とあるドイツのメーカーが製造する煙感知器からは耳に聞こえない高音が発せられていて、人々に吐き気や憂鬱な気分を引き起こしている。だが、そのメーカーは、問題を把握していながら解決のそぶりすら見せないというのだ。被験者が信じる確率は、その陰謀論が秘密の情報として伝えられた場合にずっと高くなり、誰もが知っている情報として提示された場合には低くなった。[*25]

ここで私は、デンヴァーの会場に集まった六〇〇〇人もの「専門家」のことを思い出さずにはいられない。地球に暮らす七〇億人のなかで、彼らはある意味エリート中のエリートだった。地球が平面だという「真実」を知るごく少数の人間である彼らは、他の人々を目覚めさせる使命を帯びていたのである。

では、陰謀論がもたらす害とはなんだろう？　すべての陰謀論が危険だとは思えない。だが、ある人がある陰謀論を信じるかどうかを示す指標のうちもっとも信頼できるのは、その人が別の陰謀論を信じているかどうかだった点を忘れてはいけない。すべての陰謀論が危険ではないのと同様、すべての陰謀論が人畜無害というわけでもない。たとえば、政府がチメロサール〔ワクチンの保存剤。自閉症の原因になると主張された〕のデータを隠蔽していると考える反ワクチン派がいて、その子供がワクチンを接種せずに、麻疹（はしか）を他の子供にうつしたらどうだろう？　あるいは、気候変動の原因が人間だという主張がただのデマだと信じたために、政府のリーダーが対策の遅れを気にしなくなったとしたらどうか？　大惨事を回避するために必要な時間が刻々と過ぎていくなか、対策の遅れが人間に及ぼす被害は計り知れないものになるかもしれない。

偽物の専門家への依存（本物の専門家への誹謗中傷）

科学否定の特徴の一つとして、ある理論が一〇〇パーセント「証明」されるまでは（そんな理論はかつて存在したことがないわけだが）、あらゆる可能性が容認されうると考える点が挙げられる。こうした考えは、完全なコンセンサスがなければ、自分の好みの専門家の意見を受け入れていいという認識につながる。では、科学否定論者はどのような専門家を選ぶと思うだろうか？

ここまで見てきたとおり、科学否定論者は、自分が支持するイデオロギーと衝突する事柄について、カウンターナラティブを作り上げて、科学的コンセンサスに異議を申し立てる。たとえすべて（または大半）の科学者が、喫煙は肺がんの原因であるとか、気候変動は真実であるといったことに同意していたとしても、ちょっとした疑いの種をまくことは常に可能だ。[*26] それを実現するには、荒唐無稽な理論や理論家を自分ででっちあげるのでもいいし、そうしたものを在野に見つけだすのでもいい。どちらもたいした違いはない。科学否定論者にとって重要なのは、科学者の意見を変えさせることではない。**彼らが望んでいるのは、科学の情報を求めている人の注目を集めること**であって、都合のよいことに、そうした人は普通、専門家と素人の区別がつかない。彼らは、論争の余地がないところに論争があるように見せかける。そのとき科学側の説明が歯切れが悪く感じられたり、結果が物議をかもしているように見えれば、科学否定論者の目的は達せられたことになる。

トム・ニコルズは『専門知は、もういらないのか』のなかで、事実に基づく経験的問題を、党派的なロビー活動や、政治的な意見が食いちがうときによく見られる二極化した争いのように扱うことの問題点を検討している。ニコルズによると、政治的な意見の食いちがいとは、「対立に根ざしていて、ときに敬意をもって議論されることもあるが、多くの場合、審判不在で観客がいつでも氷上になだれこめるアイスホッケーの試合のようなものだ」。[*27] これはまさしく、科学否定論者が科学的な事柄に対して実践していることだ。つまり彼らは、科学の問題をイデオロギーの問題にすり替えようとしている。[*28]

そのすり替えを実現するには、専門家は「偏向している」と示すのがもっとも効果的だ。考えてみてほしい。気候変動は真実だと主張する科学者がリベラルだったり、大学で専門教育を受けていたり、研究助成金を受けていたりするのがわかったとしたら、日頃からそうした属性に反感をもっている人たちはどう思うだろう。その科学者の動機に不信感を抱き、主張を疑う人も出てくるのではないか？

ニコルズが論じた専門家に対する大衆の不信は、科学否定論者や他のイデオローグが自分の陣営の専門家（彼らもまた「偏向している」のではないかと言いたくなるが）を売り込むための絶好の後押しとなる。それを利用して、オープンな科学論争の場で、自分たちと対立する陣営の足を引っぱるのだ。こうして生じるある種のバランスは、科学が「客観的」であってほしいと願う無垢な部外者の目には公平なものに映る。科学否定論者は、こうして堂々と自陣の「専門家」を信頼できるようになるが、当然のことながら、この公平性は偽りのものでしかない。

第1章で見たとおり、私が参加したＦＥＩＣでもこの種のやり口はいたる場所で使われていた。

ロブ・スキバを覚えているだろうか？　彼は壇上で、自分は科学者になる訓練は受けていないと言いつつ、そのくせ科学者のような白衣を身に着けていた。ここから読みとれるのは、権威とはその人がどんな服装をしているかの問題だと彼が考えていることだ。これはやはり、自分たちの「専門家」は持ち上げるが、それ以外の専門家はみくびる行為と言うほかない。

彼らは、なぜこんなことをするのか？　よく聞かれるのは、「あちら側」の専門家はみな偏っているか、そうでなければ、特定の主張を広める「広報」だからという理由だ。連中は金をもらい堕落しきっているので、真実を語らず、それゆえ信じるに値しないというわけである。しかしその一方で、ほとんどの科学否定の背後には根深い被害者意識がある。本心では、「本物」とされる科学者が自分たちの主張を真剣に受けとらず、自分たち側の専門家のデータを検討しないことに不満を感じているのだ。

ここでは、陰謀論は言うまでもなく、チェリーピッキングもその機能を果たしている。繰り返すが、科学否定の五つの類型は互いに補完し合いながら機能する。それゆえ、偽物の専門家への依存と本物の専門家の拒絶は、科学否定のたんなる特徴というだけでなく、陰謀論への傾倒、科学への現実離れした期待など、他の類型がもたらす必然的な結果でもある。

ここには自給自足のサイクルも見られる。たとえば、偽物の専門家は、チェリーピッキングした「証拠」を提供し、それが科学のコンセンサスを疑う武器として利用される。その「証拠」が軽くあしらわれると、ますます疑念が深まり、部族主義的な思考が幅をきかせるようになる。こうして科学的な論争は政治的な論争の様相を呈し、「こちら側対あちら側」の戦いに発展する。そしていったん相手の集団が悪魔化されると、陰謀の存在を示唆する手がかりがますます目につくようになり、本物ではなく偽物の専門家に頼ることがさらに正当化される。

こうしたことはすべて、信頼の欠如を中心に生じており、そのせいで、科学論争を解決するはずの証拠を私情を挟まずに客観的に評価することが不可能になっている。あるいはそこまでいかなくとも、科学のプロセス全体を疑いに満ちたものにしてしまう。科学否定論者が求めているのは、その「疑い」なのである。

非論理的な推論

非論理的になるには無数の方法がある。フーフネイグル兄弟をはじめとした研究者は、科学否定の論法の土台をなす主な誤謬や欠陥として以下のものを挙げている。すなわち、**藁人形論法**（わらにんぎょう）、**目くらまし**（レッド・ヘリング）、誤ったアナロジー、誤った二分法、飛躍した結論である。[*29]

もし科学否定論者から「私は非形式論理学〔自然言語等を扱う論理学〕を学んだことがある」と告白されたら、私はかなりの衝撃を受けることだろう。実際は、彼らはいま挙げた誤謬を理解する訓練をまったく受けていないはずだし、名前すら知らないこともありえる。とはいえ、彼らはその実践には長けている。

たとえば、気候変動を否定する人は「気候変動の要因は二酸化炭素だけではない」とよく言うが、これは典型的な藁人形論法だ。相手の主張を歪めて、攻撃しやすいような弱いかたちに変えているのである。まともな気候学者であれば、気候変動に多くの要因があることを否定する者はまずいない。問題は、人間が排出する二酸化炭素が、現時点における気候変動の最大の要因であり、かつもっとも急速に増加している要因でもあることだ。ところが、気候変動を否定する人はその話には触れたくない。[*30] そこで彼らは藁人形を作り、誰もそんなことは言っていないのに、人間の活動が唯一の原因であるかのように触れまわる。

同様に、フラットアーサーが「ウォルト・ディズニーの署名に三つの6が隠れていることを知ってたかい？」と話しはじめるのは、目くらまし以外のなにものでもない。たしかに6の数字はそこにあり、誰でも見つけることができる（しかも、いったん見つけてしまうと、もうそのようにしか見えなくなる）。だが、それがなんの証明になるというのか？　ウォルト・ディズニーがフラットアースの真実を隠す陰謀に加担している証明だろうか？　もしそれを証明したいのなら、点と点をつなぐ実際の証拠が必要になるだろう。なんといっても、著名人の署名と地球の形状にはなんの関係もないのだから。

科学否定論者は、こうした見かけ倒しの議論に頼ることで、推論の誤りをいくつも犯している。その一連の誤りは、過去二三〇〇年にわたって論理学者や哲学者が特定し、検証し、反論してきたものだ。本書は論理学の講義をする場ではない。[*31] 否定論者による非論理的な推論の事例を延々と列挙するつもりもない。この種の論理的誤謬が、フラットアース、反ワクチン派、反進化論、気候変動否定論者の推論の核心にあることを確認したい向きは、優れた資料がたくさんあるので、巻末の注を参照願いたい。[*32] また、本章でもいくつか例を示している。

科学への現実離れした期待

科学に完璧を求める人は、科学をまったく知らない人である。だが私たちは、科学否定論者が科学に対して実現不可能な基準を求める場面によく遭遇する。たとえば、「ワクチンが一〇〇パーセント安全だと証明できるのか？」「気候変動について結論を下す前に、すべての証拠が出そろうのを待ってはどうか？」、「喫煙と肺がんの因果関係が完全に立証されたことはない」といった具合だ。先に述べたとおり、これはもはや懐疑ではない。イデオロギーに基づいた否定であり、証拠によって築かれた圧倒的なコンセンサスを信じたくない人が持ちだすものである。

帰納的推論の性質上、科学的仮説には常に不確実性がつきまとう。科学では新しい証拠が絶えず現れ、それによって理論を修正したり、捨て去ったりする。ゆえに、もし科学に数学や演繹的論理学と同レベルの証明や確実性を期待したいのなら、それはもう、科学の基本的な態度を捨て去る以外に道はない。科学否定論者の手にかかると、わずかな疑いも誇張され、本当は議論の余地のないテーマでも議論が存在しているかのように装われてしまう。

科学否定論者は、科学の不確実性を日常的に利用する。ここまで見てきたとおり、彼らは証拠に対してダブルスタンダードを適用するため、すこぶる評判が悪い。どれほど証拠を尽くしたとしても、否定論者が真実だと認めたくないことは信じさせることができない。彼らは証拠ではなく「証明」にこだわるからだ。その一方で、彼らは証拠がほとんどないときでも、自分たちの仮説は信頼に足ると考えている。自分がもっている独自の情報源を信用して疑わないのだ。これは科学の合理的根拠に対する明らかな曲解である。

科学では、なにかを正しいとみなすために確実性を証明する必要はない。そのかわり科学には「保証（ワラント）（理由づけ）」という考え方がある。これはつまり、ある理論を支持する十分な証拠があり、かつ、その理論に反証がないか厳格に検証されている場合、将来新たな証拠が出てきて覆される可能性は常にあるにせよ、現時点でそれを真実だと信じる合理的根拠があるとみなせるということだ。[*33]

こうした科学の営みを否定するのは、すべての証拠がそろうまでは経験的世界についてなにも知ることができないと主張するのと実質的に同じである。そしてこの主張に従えば、すべての証拠をそろえるのが不可能な以上、私たちはなに一つ知ることができなくなってしまう。独善的な科学否定論者なら、それでけっこうと言うかもしれない。だが彼らは本当に、自分が否定している信念と一緒に、あらゆる科学的信念を葬り去りたいと思っているのだろうか？

もしそんなことをすれば、自然選択に基づくダーウィンの進化論を信じる根拠はたしかに失われるだろう。と同時に、彼らがかわりに支持しているインテリジェント・デザインを信じる根拠もなくなるし、抗生物質、臓器移植、遺伝子編集技術などもすべて疑わしいものになる。気候変動が人間由来だという根拠も崩れるかわりに、天気予報、潮見表、農業関連の科学もガラクタと化してしまう。

「カフェテリア方式の懐疑論者」の問題点は、その行き着く先が滑稽な矛盾でしかないということだ。たとえば、フラットアーサーはＦＥＩＣの様子をスマートフォンを使ってライブツイートしていたが、その通信ネットワークの一部は人工衛星を経由している。[*34] 彼らはそれをどう正当化するのか？　あるいは、ホメオパシーに心酔していた人が死の床で宗旨替えし、やっぱり化学療法を受けたいと突然言いだしたとしたら、それをどう受け止めるべきだろうか？　こうした人たちは実際には科学を信じている。ただ、それが自分の主張と異なる場合に限って信じようとしない。これほど滑稽なことがあるだろうか？

　科学に理想的な基準を求めることには、もう一つ不合理な点がある。それは、ダーウィンの進化論や気候変動が**完全に「証明」される日が来るまでは、あらゆる理論が同等の価値をもつという考え方**だ。創造論者が進化論を指して、「数あるなかの一つの理論にすぎない」と言っているのを聞いたことがある人は多いだろう。だが、創造論もまた一つの理論にすぎない。ではなぜ、両方の理論を生物学の授業で扱って、そこに「論争があることを教え」ないのか？――科学否定論者はそう考えるかもしれない。

　ここで彼らの誤解は、確実性だけでなく確率の問題にも及んでいる。思い出してほしいのだが、先に見た「保証」の概念は、科学的仮説の信憑性はそれを支持する証拠の強度に比例するという考えに基づいていた。たとえばダーウィンの進化論は、およそ一五〇年の科学的経験に裏打ちされたものであり、生物学のおよそすべての理解はそれを土台にしている。遺伝学、微生物学、分子生物学のバックボーンは、自然選択による進化という概念だ。著名な生物学者テオドシウス・ドブジャンスキーは、一九七三年のエッセイで「どんな生物現象も、進化を考えに入れないかぎり理解することはできない」とまで言っている。*35

　それでもなお、確実性を追い求めることが科学を進歩させると科学否定論者は言いはるかもしれない。因習を打破しようとする者（イコノクラスト）が正しい場合もときにはあるのだし、ガリレオは頭の固い連中に嘲笑されたのではなかったか、[36]というわけだ。

でも、そんなゲームに参加してみたいと本気で思っているのだろうか？

二〇一九年二月、ロイターは、気候変動の原因が人間である証拠が信頼度のゴールドスタンダードである「5シグマ」に達したという記事を発表した。この数字は、気候変動を否定する人が正しい確率がわずか一〇〇万分の一しかないことを示すものだ。たしかに、これは確率であって確実性とは異なる。とはいっても、この確率は、二〇一二年にヒッグス粒子が発見されたときに公表されたものと同レベルの信頼度なのである。[37] それでもまだ証拠を疑い続け、正しい「かもしれない」という理由で科学否定論者の代替案も受け入れるべきだと言い張る人はいるかもしれない。だがそれは、なにかを信じるための合理的な基準とはとても言えない。[38]

恥の感覚がない人に、どうすれば恥を知ってもらえるだろうか？　馬鹿げた信念に対しては、馬鹿げた喩え話がおそらくもっとも有効だろう。一九九四年の映画『ジム・キャリーはミスター・ダマー』の終わり近くに出てくる、傑作な場面を知っているだろうか？　ジム・キャリー演じる登場人物が、必死になって女性にデートを申し込んでいる。あらゆる手を尽くしてみるが、その女性はどうしても首を縦に振らない。そこで彼は最後の手段として、自分のような男が彼女とデートできる確率を教えてほしいと尋ねる。彼女の答えは「一〇〇万分の一」というものだったが、それを聞いたジム・キャリーは大喜びでこう叫ぶ。「つまりチャンスがあるってことだね！」

誰だって、こうはならない方がいいと思うのだが。

科学否定の出発点

ここまでで科学否定論者の根底にある戦略については理解できた。だが、これで謎がすべて解けたわけではない。こうした状況はなぜ生まれたのか？　その起源はどこにあるのか？　もしそれがわかれば、科学否定論者がみな同じ台本で行動しているように見える理由が説明できるだろうか？　要するに、私は次のことが知りたい――いま見た**五つの類型がそれほど悪いものならば、なぜこれほど広がってしまったのか？**

ここで重要になるのは、この問題に対するアプローチをはっきりと二つに分けて考えることだ。つまり、科学否定論者は「どう生みだされるか」という観点と、人々は科学を否定する言説を「なぜ信じるのか」という観点を明確に区別して、それぞれ個別に着目するのである。これまでは後者の観点ばかりが注目され、「科学否定論者はたんに無知なのだ」という、広く受け入れられてはいるが短絡的な考えにつながっていた。だがこの説明は不十分で、人々が科学否定を信じる理由すら拾いきれていない（事実、科学否定論者のなかには非常に高い教育を受けた人もいることが調査で明らかになっている）[39]。また当然ながら、否定論者がどう生みだされたのかも説明できない。彼らが使う台本は、偶然生まれたにしてはあまりに手がこみすぎている。そこになんらかの不正な意図が働いていたと考えてみてもよさそうだ。

科学否定の五つの類型は、組み合わさって、ある一つの戦略を構成する。その戦略とは、自身の主張の正当性を脅かす特定の科学的知見を世間に否定させることに関心があった人たちが意図的に作りだしたものだ。戦略はそれ以降のキャンペーンで模倣され、異なる科学的知見に対して繰り返し利用された。今ではどんなテーマであれ、「科学と戦う」ために使用できる青写真となっている。科学否定は過失ではなく、嘘である。**虚偽の情報が意図的に作りだされたのだ。**[40]

ナオミ・オレスケスとエリック・コンウェイは、その重要な著書『世界を騙しつづける科学者たち』のなかで、一九五〇年代のタバコ会社が、発表目前のある科学研究に差し迫った脅威を感じた話を紹介している。その研究とは、喫煙と肺がんの因果関係をほぼ認めるものだった。[41]そこで大手タバコ会社の役員たちは、どの会社のタバコが「より健康的」かをめぐって争うかわりに、各社で一致団結して広報担当を雇い、対策を練ることにした。

広報担当は「科学と戦え」と助言した。疑惑を作りだせ。科学者は偏向していて、一方的な話しかしないと信じさせるための理由を思いつくかぎり考えよ。そのあとで自分の立場を説明せよ。専門家を雇って自分たちの「科学的」発見を提示せよ。大衆紙に全面広告を出して、科学者の見解に疑問を投げかけよ。喫煙と肺がんにつながりがあるという主張はすべて「証明」される必要があることを、繰り返し述べよ。[42]

どこかで聞き覚えはないだろうか?

オレスケスとコンウェイは、タバコ会社が偽情報を広めるキャンペーンをどのように展開したかを見事な手腕で明らかにした。タバコ会社の重役が一九六九年に残した次の悪名高きメモは、そのキャンペーンの精神を簡潔にまとめたものと言えるだろう。「疑念はわれわれの商品だ。なぜならそれは、一般大衆の心のなかに存在する『一連の事実』と競り合う最善の方法だからだ。それはまた、論争を生みだす手段でもある」。[43]こうしてアメリカの大衆はその後数十年にわたり騙され続け、タバコ会社は「証明」を執拗に求めながら、タバコの販売を中止することなく利益を上げ続けた。残念ながら、このキャンペーンは非常に有効だった。オレスケスらが「タバコ戦略」と呼んだこの反科学の動きは、それ以降も、酸性雨、オゾンホール、気候変動など科学の仕事を否定する運動の青写真として利用されることになった。[44]

なぜ信じてしまうのか?

喫煙と肺がんのケースでは、科学否定の潮流は明らかに企業の利益のために作りだされていた。[45]気候変動の場合もそれと同じだと思われる[46](この問題についてもっと知りたい読者には、オレスケスとコンウェイの本を強く推薦する)。とはいえ、本書の目的は、科学否定の歴史の全貌を明らかにすることではなく、科学否定論者との対話のしかたを学び、彼らの考えを変えられないか検討することだった。もちろん、対話を通じて翻意を促すという考えは、自覚的に嘘を作りだしている人には通用しない。したがってここからは、それ以外の人たち、具体的には、科学否定に親和的な一般人に目を向け、自分が作りだしたわけでも目に見える利益が得られるわけでもないのに、それを信じてしまう理由について検討していくことにしよう。[47]

まず重要なのは、科学否定が生みだされる背景にはさまざまな動機があることだ。真っ先に思い浮かぶのは経済的なものだが、それ以外にも、政治的、イデオロギー的、宗教的な動機が考えられる。否定キャンペーンを主導する側がこうした動機を利用すれば、何百万人もの支持者を集めて、思いどおりの内容を信じさせることも可能だろう。このとき、信じる側では無知と騙されやすさが重要な役割を果たしているが、それだけですべてを説明できるわけではない。科学を否定する動きが第三者の経済的利益のために作りだされたのだとしても、利益とは関係がない一般市民がどうしてそれを本気で信じてしまうのだろうか？

ときには、科学を信じたくない人の個人的な利害が絡んでいるケースもあるだろう。利害は経済的なものとは限らず、それ以外の動機が大きく影響する可能性もある。たとえば、一九五〇年代の喫煙者には、タバコに関する科学的知見には「別の側面」があるというニュースを歓迎する、ごく自然な理由があった。「動機づけられた推論」は、強い心理的影響力をもっている。それによって私たちは、**精神的に不快になる事実ではなく、自分が信じたいことを裏づける情報をさがすようになる**のだ。あなたがもし喫煙をやめたくないのなら、タバコが安全だと信じた方が都合がよくはないか？

私たちは、その気になれば、自分自身に対してあらゆる情報を捏造したり、嘘をついたりできる。しかも、その大半が無意識のレベルでおこなわれることが研究でも示されている。[48] 現実から目をそむけている人と、否定論者をしばしば混同してしまうのは、ひょっとするとこれが理由なのかもしれない。[49] 私たちは、相手に効果的に嘘をつくために、まずは自分自身に対して嘘をつくのだ。

七〇年におよぶ社会心理学の研究から、自尊心が満足するかどうかは、人間の行動を決める重要な要因であることがわかっている。そして、自尊心を満足させるには、自分自身を肯定的に捉えることが不可欠だ。自分を肯定したくても認知的不協和がある場合は、真実よりも自分が信じたい物語——自分が正義の側にいられる物語——をみずからに言い聞かせることで、それを解消することもあるだろう。また、世間に向けて自分の好ましいイメージを確実に届けるようにすることで自尊心を高める場合もあろう。このように私たちの信念と行動は、自説への固執という温室で育まれ、他者の意見によって自分に跳ね返ってくる。それゆえ、経験的なトピックに対する信念であっても、たんなる事実ばかりでなく、行動や信念を形成する心理的、動機的な力に基づいているのはなんら驚くことではない。そのため経験的な信念は、自分自身の利益であれ他人の利益であれ、操作の対象になりやすい。

それに加えて、**恐怖が果たす役割も見逃すべきではない**だろう。fMRIを用いた神経科学の研究からは、自分の信念を脅かす主張に出会ったとき、保守はリベラルより扁桃体（恐怖や不安に関係のある脳の部位）の活動が活発になることがわかっている。[*50] これは科学否定の場合でも同じだろうか？[*51]

たとえば、子供が生まれたばかりの夫婦が、赤ん坊にとってワクチンは有害だという噂を聞いたとする。心配にならないわけがない。急いでネットで検索してみると、不安をあおる誤情報が出てきて、ストレスで脳にコルチゾールがあふれる。かかりつけ医に相談したところ、「まさか、そんなデタラメを信じたのですか？」と一笑に付され、馬鹿にされたと感じ、さらなる情報を求めて今度は反ワクチン派の会合に足を運ぶようになる。こうなるともう手遅れだ。反ワクチン派の会合から追い出された経験をもつあるジャーナリストは、次のように述べている。

オーティズムワン〔自閉症の問題を扱う非営利団体〕——および反ワクチン界隈全体——は、過激化の推進力として感心するほどうまく機能している。親は自分の子供の健康を心から心配し、答えを見つけようと藁にもすがる思いでやってくるが、そこで、医学界、政界、さらには世界の闇の支配者に関する、さまざまな、ますます過激になる主張を聞かされることになる。[52]

陰謀論と傷ついた人々

科学否定の背後で働く心理的な力としては、他にも、疎外感や、権利を奪われているという感覚が挙げられるかもしれない。科学否定の糾弾者から無礼な扱いを受けたり、悪口を言われたり、馬鹿だと見放されたりすること自体が、疎外感の原因になりうるのは言うまでもない。[53] だが、ここで考えているのはそれよりも根が深い。

FEICでは、人生にトラウマを抱えた人が不自然なほど多かった。そうしたトラウマには、健康に関連したものもあれば人間関係に関連したものもあったが、原因が特定できないものも少なからずあった。だがそれでも、フラットアーサーたちは、自分が「目覚め」、世界に騙されていると気づいたことには、人生のトラウマがなんらかのかたちで関与していると例外なく考えていた。彼らの多くは、フラットアーサーになる前から、すでにいくらかの被害者意識を胸に秘めていた。心理学はこうした視点について多くを語っていないようだが、[54] 私は、そこに学ぶべき点があると確信している。FEICに参加した私は、**フラットアーサーの多くは傷ついた人だ**という印象を抱いた。同じことが他の科学否定論者にも言えないだろうか？

この仮説が正しいかどうかはわからない。だが、私の個人的な経験や文献調査の結果から考えると、大半の科学否定論者の頭のなかに、真実を知っていると称する「エリート」や「専門家」に対する怒りや恨みが渦巻いているのは間違いないようだ。

このことは、先に引用したトム・ニコルズ『専門知は、もういらないのか』とも関連している。ニコルズはそこで、大衆が感じる不平不満がポスト真実(トゥルース)の文化として結実したことを指摘したのだった。これは科学否定だけの問題ではない。「はじめに」で述べたように、私は「科学の否定」を「真実の否定（ポスト真実）」のルーツの一つと見ている。[*55] だが、科学否定はいまや自分自身のもとへと再び舞い戻り、気候変動やワクチンからパンデミックのマスク着用に至るまで、否定の文化全体を下支えしている。その結果、科学否定そのものがさらに悪い状態へと追いやられたのである。見慣れた戦線が、ときに党派的な勢力図に沿って新たに引き直されると、疎外感は生じやすくなるものだ。分断された情報源、タコツボ化、二極化、「われわれ／彼ら」というメンタリティ――そうしたものが発達していけば、科学がポスト真実の渦に巻き込まれるのは必然と言えよう。

これは科学否定が政治的な問題になったということだろうか？　部分的にはそう言えるかもしれない。その誰の目にも明らかな例が気候変動否定で、気候変動が真実だと思っている人の割合は、支持政党によって大きく異なっている（民主党九六パーセント／共和党五三パーセント）。[*56] 認知科学者のスティーブン・ルワンドウスキーによると、近年見られる科学否定は、ほぼ例外なく保守によって支持される傾向にあるという。

一九七〇年代以降、リベラルではなく保守のあいだで、科学コミュニティに対する信頼が数十年かけて徐々に失われてきた。……この信頼の喪失は、保守が好む主張——規制のない自由市場を重要とみなすなど——と対立する科学的見解の登場と軌を一にするものだ。……まとめると、各種問題における科学的証拠の否定や、科学に対する一般的な不信感は、政治的右派に集中して見られるもののように思われる。*57

とはいえ、ルワンドウスキーすら認めているように、陰謀論を信じたり、確証バイアスの影響を受けたりすることは、なにも保守の専売特許というわけではない。当然ながら、私たち人間はみな、進化の歴史を通じて同じ脳と認知バイアスを与えられているからだ。*58 この事実からは、リベラルによる科学否定が存在するのかという疑問が生じるが、それについては第6章と第7章で詳しく見ていくことにする。

科学理解とアイデンティティ保護認知

政治的な視点はさておき、私たちは今、「科学否定論者は、それを否定する証拠が目の前にある場合でも、なぜ自説を信じ続けるのか?」という疑問を解くための、鍵となる洞察を手にしようとしている。ここで重要なのは、**信念の形成において中心的な役割を果たしているのは、証拠ではなく、アイデンティティである**という認識だ。これは、経験的なトピックについても言えることである。

アイデンティティは政治的な文脈に見つかるが、もちろんそこが唯一の場というわけではない。教会、学校、家族、職業、地元、そしてときには科学否定論者のコミュニティのなかにもアイデンティティの感覚は見つけられる。マイケル・リンチは、そのすばらしい著書『知ったかぶり社会』のなかで、私たちの信念がいかに確信に変わるか、それがアイデンティティとどう関係しているかを説明している。

確信とは、コミットメント（行動への呼びかけ）をともなう信念である。なぜなら、そこにはわれわれのアイデンティティが反映されているからだ。確信には、われわれがどういう人間になりたいか、どういう集団や仲間に属したいかが映しだされる。確信のような強い信念に向けられた攻撃がアイデンティティに対する攻撃に思えるのはそのためであり、実際そのとおりなのだ。これはまた、確信を否定するような証拠が無視されやすい理由でもある。その証拠を採用して信念を放棄することは、これまで抱いてきた自己のイメージを変えることにつながるからだ。[*59]

こうした態度はどこから生まれるのか？　その心理的なルーツの一つとして、イェール大学のダン・カーンが**アイデンティティ保護認知**と呼んだものが挙げられるだろう。[*60] 私たちは一般に、科学のトピックに対してなんらかの意見をもつにはデータを見るだけで十分と考えがちである。そして実際、自分の大切な信念を傷つけない結果が得られるトピックに関しては、そのようにしている。

科学否定論者は「カフェテリア方式の懐疑論者」だという話を覚えているだろうか？　アイデンティティの中心に据えられた信念を揺るがすものでないかぎり、科学否定論者であっても、科学の問題に対する正しい答えをデータに基づいて選びだすことができるのだ。ところが、進化や気候変動、あるいは稀に地球の形状といった「物議をかもす」ようなトピックを扱いだしたとたん、その推論能力は煙のように消えてしまう。そうなったが最後、意見を変えられないばかりか、証拠を合理的に評価することさえできなくなる。

ここで、カーンが「科学理解テーゼ」と呼ぶものとアイデンティティ保護認知のあいだに対立が生まれる。科学理解テーゼとは、「ある経験的な仮説が真であると相手を納得させる最善の方法は、合理的な判断を下せるだけの十分な情報を与えることだ」という考えに基づくものだ。要するに、相手を科学者として扱うわけだ。もし相手が合理的で、証拠に基づいて推論する方法を知っていれば、結論の正しさが「保証」されるかどうかを判断するのは、かなりシンプルな作業になるはずだ。そして、この視点に従えば、十分に根拠のある科学理論を否定する人がいる理由は、その人が非合理（愚か、未熟）か、あるいは判断材料が足りないからだと判断するほかない。

個人的には、このテーゼは「情報不足モデル」と呼ぶのが妥当に思える。[*61] というのも、この考え方では、どんな科学否定だろうと、より多くの情報を与えさえすれば解決できると仮定されているからだ。

実際、これまで科学者はこの種のことを懲りずに何度も繰り返してきた。気候変動否定論者が「一九九八年以降、地球の気温は上がっていない」と言えば、科学者はさらなるデータを提供した。それに疑いを向けられると、それじゃあと、海氷減少のデータを提供した。次にそれすらも疑われると、今度はまた別のデータを提供した。こんなことが続けば、相手を非合理と見限って、そのまま立ち去ることがあっても不思議ではない。証拠を見せても納得できないのであれば、それ以上対話を続けてなんになるというのか？　だが、もし問題の原因が情報不足でなかったらどうだろう？そうふるまってしまう原因が、実はアイデンティティを守るためだったとしたら？

あなたの目を曇らせるもの

この疑念を検証すべく、カーンはある実験を考案した。新発売のスキンクリームの効果を評価してもらうという内容で、その商品は架空のものである（管見によれば、スキンクリームを対象にした科学否定論者は今も昔も存在していない）。カーンは一〇〇〇人の被験者を集め、まず政治的信条を調査してから、偽のデータを渡した*62（表2・1）。

少々計算が必要とはいえ、スキンクリームが肌荒れに有効かどうかに関する情報は、この表のなかにすべて盛り込まれている。一見すると、クリームには効果があったように見えるかもしれない。肌荒れが改善したと答えた人のうち、クリーム使用者は二二三人だったが、未使用者では一〇七人

	肌荒れ	
	改善	悪化
新しいクリームを使用	223	75
新しいクリームを未使用	107	21

表2・1　カーンらの実験で用いられた偽のデータ

にとどまっているからである。だが、本当の効果を知るためには、肌荒れが悪化した人のことも考慮すべきだ。すると最初の印象とはうって変わって、新しいスキンクリームには効果がなかったというのが正しい結論だとわかる。クリームを使って変化が生じた人のうち、肌荒れが悪化したのは二五パーセントだったのに対し、未使用者における同割合は一六パーセントにすぎなかったからだ。[*63]

カーンが見つけたのは、正しい結論を出せる人はとても少ないということだった。また、この結果が政治的信条とはなんの関係もないこともわかった。予想していたとおり、答えに差が出たのは、数字を扱うのが得意な人とそうでない人がいたからにすぎなかったのである。この結果は、まさしく「科学理解テーゼ」が指し示すとおりのものだ。

次にカーンは、内容を少し変更した実験をおこなった。データの数字は同じだが、スキンクリームよりもイデオロギー色の濃いトピック、具体的には、銃規制によって犯罪数は増えるのか、それとも減るのか、という問題を扱うことにしたのだ[*64]（表2・2）。この実験では表が二通りあり、第一のもの（左）では

	犯罪数		犯罪数	
	増加	減少	減少	増加
銃を規制した都市	223	75	223	75
銃を規制しなかった都市	107	21	107	21

表2·2　カーンらの実験で用いられたもうひとつの偽のデータ

犯罪数の減少と相関があるデータが示され、第二のもの（右）では反対に増加と相関があるデータが示された。

結果は最初の実験とは異なっていた。政治ジャーナリストのエズラ・クラインは、次のように説明している。

この問題を出したとき、面白いことが起きた――被験者が数学が得意かどうかで、成績を予想できなくなったのだ。このとき成績に影響を与えたのはイデオロギーだった。リベラルは、銃規制法が犯罪を減らすことを証明する場合に、とてもうまく問題を解いた。だが、銃規制が失敗して犯罪が増える問題では、数学の能力が無効化された。つまり、どれほど数学が得意でも、間違った回答をする割合が増えたのである。保守の結果も同様だったが、ただしパターンは逆だった。……数学が得意であることは、正しい答えにつながらなかっただけではない。それどころか、数学が得意であるがゆえに正しい答えから遠ざかってしまっていた。数学が苦手な人は、自分のイデオロギーに合致する問題では、そうではない問題に比べて、正しい答えをだす確率が二五パーセント高かった。他方、数学が得意な人は、その確率が四五パーセントにのぼった。……人々は正しい答えを得るために推論しているのではない。自分が正しいと思いたい答えを得るために推論しているのである。[*65]

これを読んで、政治的立場は、経験的なトピックに対する推論能力を低下させると結論する人もいるかもしれない。しかしながらその結論は、問題全体のごく一部にしか光を当てていない。たしかに、カーンの実験では推論と信念が政治的な文脈に置かれていたが、実のところ、**政治とはアイデンティティの一つの要素にすぎない**。では、政治的立場だけが推論能力を邪魔するのではなく、アイデンティティのあらゆる要素によってそれが実現されているのだとすれば？　それこそが根本的な問題だったらどうだろう？

おそらくアイデンティティは、どんな特定のイデオロギーよりも重要なはずである。だからこそ、カーンは「アイデンティティ保護認知」という名前をつけたのだ。

アイデンティティはイデオロギーに先行する

リリアナ・メイソンは、その重要な論文「争点(イシュー)をもたないイデオローグ――イデオロギー的アイデンティティが二極化をもたらす」において、政治的な二極化をもたらしているのは、「争点」の内容ではないと主張している。そうではなく、支持政党を決めることでアイデンティティが形成されるという事実が、二極化を生みだしているというのだ。[*66] 重要なのは、自分が所属するチームを選んで敵／味方に分かれた政治ゲームで誰を応援するかを決めることなのである。

メイソンが調査データに基づいておこなった研究では、政治的アイデンティティの強さの方が、その背後にあるイデオロギーの内容よりもずっと正確に、対立陣営に対する感情を予測できることが示された。この研究ではまず、被験者に対して、移民、銃規制、同性婚、中絶、オバマケア、財政赤字という六つの争点に対する意見を聞き取り調査した。次に、自分とは異なる政党を支持する人と結婚できるか、友人になれるか、一緒に時間を過ごせるかと質問した。

そこでメイソンが発見したのは、被験者が「あちら側」の陣営に対してどんな感情を抱くかは、六つの争点に対する意見よりも、自分がどこに属しているかというアイデンティティによって、二倍も正確に予測できることだった。[*67] また、争点に関する見解については、保守の方がリベラルよりもずっと穏健だったが、アイデンティティにおける党派性の強さは、どちらも変わらなかった。メイソンは、この二つの違いを「争点に基づくイデオロギー」と「アイデンティティに基づくイデオロギー」の違いと位置づけた。[*68]

だが、もし各政党支持者たちがイデオロギーの内容よりもアイデンティティそのものを重要視しているのであれば、彼らの選択や行動を「イデオロギー」と呼んでしまっていいものだろうか？

哲学者のクワメ・アンソニー・アッピアは、「人々は自分の望みのために投票するのではない。自分が何者かを考えて投票するのだ」と題されたエッセイで、共和党員のロシアに対する態度が、トランプ時代にほぼ一八〇度変わったことを指摘した。事実、アッピアの文章に添えられた写真には、「民主党員であるよりもロシア人でありたい」と書かれたTシャツを着た二人のトランプ支持者の姿が収められている。メイソンの主張に同調するように、アッピアもまた「アイデンティティはイデオロギーに先行する」と結論づけたのである。*69

同じことが科学否定論者の信念にも言えるだろうか？　つまり、彼らの信念の内容がただのお飾りだったり、都合よく調整できたりする可能性はあるのだろうか？　私がＦＥＩＣで話したフラットアーサーたちがあのような信念をもつに至ったのは、その内容に納得したからではなく、それが心にあいた穴を埋めてくれるからだったとしたら、どうだろう？　彼らは、その信念によって応援すべきチームを手に入れ、自身の不満を手なずけた。さらには、社会やそのお定まりの信念から疎外された自分の状況を以前より苦にしなくなったはずだ。彼らは今では、自分のことを正しいと言ってくれる人々の集団とつながっているからだ。周囲に溶け込みたいと思うとき、信念の内容はただの付属物のようなものになるのかもしれない。

もしかすると、証拠を利用して科学否定論者の考えを変えるのが困難を極めるのは、これが理由なのだろうか？　信念の内容が二次的な立場に追いやられてしまえば、証拠もまた、彼らの信念の本質とはなりがたい。つまり彼らにとって、信念の内容は、その信念が与える社会的アイデンティティほど重要ではないのかもしれない。

行き着く先はどちらも一緒

私たちの認知には、自分の信じたいものを信じるよう私たちを誘惑する強い力が内在している。その力はまた、自分の信じたいものばかりでなく、周囲の人——よく知っていて、信頼もしている人——が自分に信じてほしいと思っているものをも信じさせようとする。[*70] 最近では、コミュニティ全体が自分に同意してくれるという経験も珍しくなくなり、おかげで荒唐無稽なアイデアを信じるハードルがずっと低くなった。ネット上でもリアルでも、大勢の人が集うところでは、どちら側の味方につくかを決め、自分と意見が異なる人を悪魔化するのが容易になった。「誰」を信じるかを決めれば、「なに」を信じるかが決まる。だがその結果、他人に操られ、搾取される危険も増している。

科学を否定するための偽情報を作りだす人にとって、この状況は、自分の情報を信じさせる待望の好機になっているはずだ。自分の利益が科学的知見と対立している人や組織があったとしよう。そうした人や組織が確固たる意志をもって、党派性を刺激したり、アイデンティティに沿った二極化をあおったりすれば、人々を自分の考え方に引き込むのはさほど難しいことではない。喫煙と肺がんをめぐって一九五〇年代以降におこなわれたタバコ企業の暗躍とは、まさしくこうしたものではなかっただろうか。また近年の気候変動問題においても、利害が一致した企業と政治家の働きかけによって、同様のことが起きた。このように特定の利益集団は、それを信じる側には物質的な利益がないにもかかわらず、自分の関心のある争点にアイデンティティという意味づけをして味方を増やすことができる。

だとすれば、すべての科学否定論は、外部の利害関係者が生みだしたものなのだろうか？　その証明は非常に難しい。たとえば、創造論者がダーウィンの進化論に反対する背景には宗教的なイデオロギーがしっかりと存在しているように見えるが、では、フラットアース、反ワクチン派、GMO反対派の場合にも、企業あるいはイデオロギーにまつわる利害関係があるのか？　それこそ陰謀論でも持ちださなければ、そうした利害関係が存在しているとは言えないだろう。

誤った信念がさまざまな要因によって自然に生じ、その結果、アイデンティティや利益集団が新たに生まれることもあるかもしれない。いったんそうしたものが生まれれば、その理由がなんであれ、そこに参画しようという人が現れるのは避けられない。結局のところ、重要なのはイデオロギーではなくチームなのであり、私たち人間は、誰かの仲間になりたいと思うものなのだ。そして、ここで忘れてはならないのは、科学否定と戦うには、信念が作られた経緯がどうであれ、それを考えだしたかもしれない嫌らしい連中ではなく、それを**実際に信じている人と話す必要がある**ということだ。

たしかに偽情報のキャンペーンを白日のもとにさらすのは有益だろう。だが、それは科学否定を克服する第一の方法ではない。嘘が一度でも出まわってしまえば、あとになってそれが嘘だとわかったとしても、その毒はすでに世間に広まっている。したがって、その嘘を信じてしまった人と対話をする必要は依然として残っていることになる。不正や腐敗を明るみにできれば、それはすばらしいことだろう。しかし、そうしたものが存在しようがしまいが、科学否定に対抗する手段が私たちには必要なのだ。

誤った信念を作るのは、性根の曲がった利害関係者かもしれないし、信じた当人がもつ心理的な傷や自我かもしれない。だが、行き着く先はどちらも一緒だ。科学否定は、証拠が足りないから生まれるわけではなく、より多くの証拠を示しても改善されることはない。だから、もし科学否定論者の考えを変えたいと望むのなら、彼らのことを、証拠に基づいた推論はできるが、不幸にもデータをもっていない仲間と考えるのは、もうやめるべきだ。たとえどれほど証拠を積み上げたとしても、**信念が社会的アイデンティティの強化に果たす役割を理解していなければ、科学否定論者の考えを変えることはできない。**

足りないのは信頼である

哲学者のピーター・ボゴジアンと数学者のジェイムズ・リンゼイが書いた『話が通じない相手と話をする方法』という、すばらしく役に立つ本がある。そのなかで著者たちは、自分と意見が異なる相手を説得したい人に対して、驚くべきアドバイスを送っている——**事実を避けよ**、というアドバイスだ。

証拠に基づいて意見を決めようと努める人にとって、誰もがそうやって自分の意見を決めているわけではないという考えは受け入れがたい。証拠に基づいて意見を決める人が犯す間違いは、対話の相手もなんらかの証拠を手に入れたなら、現在のような意見はもたないはずだと考えることである。[*71]

ボゴジアンとリンゼイは、証拠にこだわるかわりに、反証に関する質問をするよう助言している。具体的には、「どんな事実や証拠があったら、あなたの考えは変わりますか?」と問うわけだ。[72] 気づいた人も多いだろうが、これは私がFEICでした質問とまったく同じものだ(私たちが同じ結論に達したのは、どちらもカール・ポパーを参考にしていたからだと思われる。当時、私はまだこの本を読んでいなかった)。[73]

ここで再び重要になるのが科学否定の五つの類型である。本章ではすでに、その五つの類型が互いに補い合って、科学否定論者の推論に共通する台本を生みだしていることを見た。なぜそれが重要になるのか? その理由は、**台本についてよく知れば、それに対抗する手段が見つけられる**からだ。科学否定論者は、その台本があるおかげで、自分はアイデンティティに基づいて信念を強化しているのではなく、本当に推論をした結果、現在の信念をもち続けていると思い込めるようになる。もちろん、台本なるものが文字どおりに存在して、科学否定論者がそれを暗記したり、その存在に気づいていると言っているわけではない。彼らはたんに、その各要素を内面化し、かなり上手にそれを使いこなしているだけだ。

だが、もしその台本を無効化できれば、彼らを説得するチャンスが生まれるかもしれない。科学否定論者と話をするときは、彼ら自身が所属する集団が持ちだす論点に疑問を抱かせるようにしよう。しばらくのあいだ、自分の頭で考えるよう仕向けるのだ。彼らとの対話のゴールは、疑いをもつ機会を作り、これまでとは違った視点からものごとを見るきっかけを与えることである。

繰り返し述べてきたように、相手の意思に反して考えを変えさせることは、ほぼ不可能に近い。あなたがどれほどレトリックに長けていても（あるいは哲学に通じていても）、科学否定論者を論理的矛盾へと誘い込んで、意見を取り消させることはできない。相手の信念に挑戦することは、相手のアイデンティティに挑戦するのと同じだったことを思い出してほしい。[*74] もちろん、だからといって経験的な証拠が説得の材料にならないわけではない。ただ、証拠というのは、より大きな目的をもった会話のための道具であることを忘れないでほしいのだ。その目的とは、相手に新しいアイデンティティを身にまとってもらうこと、証拠を重視するとはどういうことかを知ってもらうこと、そして、科学者のように考えるとはどんな意味かを理解してもらうことである。

科学否定論者が使う台本に立ち向かい、自分で用意した証拠を持ちだすときは、彼らがその信念をもつに至った本当の理由――なにを考えたかではなく、なにを感じたか――を常に意識するようにしたい。言い換えれば、彼らの信念の内容だけでなく、それをどう正当化しているのかも考慮する必要があるわけだ。台本からは、信念を守る方法は学べても、それをもつに至った理由はわからない。彼らが信念をもつに至ったのは、恐怖を解消するためであり、疎外感を減らすためであり、誰もが望む社会的アイデンティティを得るためである。科学否定論者の信念には、彼らが何者であるかが反映されている。[*75]

より広義に考えれば、科学否定とは、科学理論の内容に対する攻撃にとどまらず、科学者が理論を導き出すときに用いる手法や価値観に対する攻撃でもある。いうなれば、科学否定論者はある意味、科学者のアイデンティティに挑戦状を叩きつけているのだ。科学否定論者は、事実を知らないばかりか、科学的な思考法についても無知である。この状況を改善するには、否定論者に証拠を示す以上のことをしなくてはならない。具体的には、自分がどのような思考過程を経て証拠を処理しているかを再考してもらう必要があるだろう。私たちは彼らを誘(いざな)って、これまでとは異なる価値観に基づいた、新しいアイデンティティを試してもらう必要がある。*76

このことは、私たちが「情報不足モデル」をきっぱりと捨て去るときが来たことを示している。足りない知識を埋めるという方法では、科学否定論者を心変わりさせることはできない。繰り返すが、これは証拠や事実には意味がないという話ではない。誰が、どうやってその証拠を示すのか、そして相手がそれを受けとるときの認識論的な文脈が重要なのだ。私が参加したFEICでは、フラットアーサーに証拠を否定されることが何度もあった。彼らは、証拠を見つけた科学者を信頼していなかったからだ。つまり、彼らに**足りなかったのは、情報ではなく信頼だった**のだ。

新しい事実や考え方を提示するだけでは、相手の心の奥深くに取り込まれた信念、マイケル・リンチが「確信」と呼んだものは変えられない。だが、新しい情報は相手のアイデンティティを揺さぶる。私たちは、そのとき相手が感じる脅威を理解し、それに対処する手助けをする必要がある。

第3章

どうすれば相手の意見を変えられるのか？

前章では、科学否定に共通して見られる要素と、その背後にある原因や動機について検討した。読者のなかには、「科学否定論者の特徴はわかった。だが、彼らに対してなにかできることはあるのか?」と疑問をもった人もいるにちがいない。実は、できることはある。**一定の条件下では、証拠に基づいて相手を説得できる場合がある**ことが実験で明らかにされているのだ。とはいえ、この実験結果は決定的なものではない。そこで本章では、まず実験に関する論文を見ていくが、その後は再び示唆に富む逸話を参照することにしよう。

実験環境で**意見**を**変**える

二〇〇〇年八月、ジェイムズ・ククリンスキーらの研究チームは、各政党支持者がいかに意見を変えるかに関する実験結果をまとめた論文を発表した。[*1] ククリンスキーらが扱ったのは科学ではなく政治的なトピックだったが、それでも本書の目的にとっては依然として有意義である。なぜなら、ここでもまた、被験者の信念を変える際に「経験的証拠」が重要な役割を果たすからだ。

論文が扱った題材は生活保護だった。実験者は、生活保護に関する被験者の知識を試験し、その後正しい情報を提示することで彼らの意見を変えられるかを検証しようと考えた。

予想されたことながら、被験者の知識はひどいものだった。アメリカにおける生活保護費の平均額、アフリカ系アメリカ人が生活保護を受けている割合、また連邦予算全体に占める生活保護費の割合について正確な事実を半分でも説明できたのは、全体のわずか三パーセントにすぎなかった。彼らは知識不足というだけでなく、誤った知識も身につけていた。論文はさらに、そこにある種の反転現象が見られたことも指摘している——もっとも知識のない被験者が、もっとも自分の正しさに自信をもつ傾向があったのだ[*2]（同じ傾向はそれ以降の研究でも確認されている）。

実験を具体的に見ていこう。ククリンスキーらはまず、イリノイ州の住民一一六〇人を対象に電話調査をおこなってデータを集計し、生活保護に対する認識を確認した[*3]（その多くが間違っていた）。同じ住民を対象におこなった次の調査では、質問事項を「生活保護費が連邦予算に占める割合」だけに絞ったが、どれほどの割合が適正と考えるか、被験者自身の意見も併せて尋ねた。こうすることで、生活保護に対する自身の「認識」と「意見」を被験者が並べて考えられるように仕向けたのだ。またこれは、被験者が生活保護を支持しているかどうかを示す暗黙の指標にもなった（「実際はこうだと思う水準」と「理想はこうあるべきだと思う水準」の差が大きいほど支持が弱くなると考えられる）。

最後の仕上げとして、ククリンスキーらは大胆な試みをおこなった。先の質問の答えと意見を聞いたあとに、被験者の半数に正確な情報を与え（残り半数は対照群）、それから両方の集団に「生活保護を支持するか?」と単刀直入に尋ねたのである。
その結果は注目に値するものだった。被験者の大半は誤った認識をもっていたので、生活保護に対する政府の支出を過剰に見積もることがよくあった。たとえば、「連邦予算の二二パーセントが生活保護費に使われている」と答えたあとに、「予算はやはり五パーセント程度にとどめるべきだ」と自説を述べるのが典型的な反応だった。
ところが、「生活保護に使われているのは予算全体のわずか一パーセントにすぎない」という正確なデータを突きつけられると、統計的に有意な数の被験者が、先の回答から予期される態度とは大きく食いちがうかたちで生活保護への支持を表明した。正確な情報に触れたあとに、彼らは厳しかった態度を軟化させたのだ。一方、対照群では、回答から予期される支持レベルと実際の支持レベルに差は見られなかった。[*4]
ククリンスキーらは次のように書いている。

生活保護に費やされている実際の金額が自分が好ましいと思っていた水準よりも低い場合、回答者はそこに注目する。つまり、誤った情報をもった市民が正確な情報に常に無関心とは限らない。もし正確な情報が——政策との関連性に目を向けさせ、誤った認識を明確に正すことで——強く印象に残るようなかたちで提示されるのなら、その情報は相当の影響力をもつ場合がある。[*5]

感情の転換点

二〇一〇年、デイヴィッド・レドロースクらの研究チームは、「感情の転換点――動機づけられた推論をおこなう者が『納得する』ことはあるのか?」と題された論文のなかで、以下のような仮説を立てた。[*6] 考えが絶対に変わらないということでもないかぎり、たとえ「動機づけられた推論」に基づいて主張をおこなう者であっても、転換点、すなわち、自分の信念と対立する情報によって考えがぐらつきはじめるポイントにかならず到達する、という仮説だ。

この実験もまた、先に見たククリンスキーらと同様、科学ではなく政治的な信念を対象としていたが、今回は被験者が支持する議員候補への傾倒度を測定するものだった。実験は電話ではなく対面でおこない、アイオワ州東部に暮らす二〇七人を対象に、架空の政治キャンペーンについて話し合った。

レドロースクらは実験に先立って、「あらゆる信念は、情報だけでなく、感情的な要因に基づいて形成される」ことを示唆する先行研究に着目した。これはまた、私たちは自分の信念と合致しない情報を提示されたとき、その内容だけでなく、それをどう感じたかに基づいて反応を返すという意味でもある。[*7]

この実験で測定したのは議員候補への傾倒度だったが、被験者がすでに候補者に相当入れこんでいる場合、少量のネガティブな情報ならば、反対に支持レベルを高める方向に作用することがわかった。これを非合理的だと思う人もいるだろう（実際、非合理的である）。だがこれは、すでに見た

「動機づけられた推論」という考えの本質部分である。私たちは情報ならどんなものでも受けとるわけではなく、特に意見を変えるか否かを決める場合には、自身の感情も考慮に入れて選択している。

ダン・カーンの実験の参加者が、銃規制に関して自分側のイデオロギーに合致する事実を熱心に見つけだそうとしたことを覚えているだろうか？　人間が自分のアイデンティティを守ろうとすること、アイデンティティを脅かす認知的不協和を軽減しようとすることは、社会心理学の基本的な考え方だ。したがって、ある信念をどう感じるかによって、その信念をもつかどうかが決まることは、驚くにはあたらない。すでに見たように、事実で他人の意見を変えられるのかを研究したいのなら、事実が提示されるときの社会的、感情的な文脈に注意を払うことが重要だ。[*8] 私たちは、自分がこうありたいというイメージに合致するのであれば、事実とは異なる信念でも守ろうとするものなのだ。

この状態がいつまでも続くと考えるのも一つの見識だろう。だがレドロースクらは、私たちが否定的な情報に接する場合、どの時点で自分の信念を更新する準備ができるかについても検討している。レドロースクらの仮説はこうだ。自分好みの信念と食いちがう情報に出会ったとき、私たちは、しばしのあいだ以前より強くその信念に固執するかもしれない。しかし、不安が次第に高まり、やがてなんらかの譲歩に至る場合もあるだろう。否定的な情報が十分な力をもち、十分に繰り返されるのなら、私たちはいつしか転換点へと到達し、その情報を受け入れて信念を更新するのではないか？

実際の実験を見てみよう。レドロースクらは、予備選挙中という設定で架空の候補者を作り上げ、その候補者に関する肯定的、否定的な情報を流した。そしてその後、被験者に対し、自身が下した候補者の選択についてどう考えるか尋ねた。その結果わかったのは、どれほど思い入れのある候補者であっても、否定的な情報が十分にあれば、被験者は最終的にその選択を取り消すということだった。どの時点で選択を撤回するかは人によって異なるとはいえ、転換点自体は誰にでも訪れたのである。

「ある時点で、投票者は真実に気づく。そして、自分が間違っている可能性に思い至り、修正しようと考える。つまり、合理的な更新プロセスの要求に従って行動しはじめるのだ」とレドロースクらは書いている。[*9]

言うまでもなく、この研究は対面方式で実際の人間を相手にしていたとはいえ、あくまで実験という人為的な環境内でおこなわれたものだ。したがって、これと同じ反応が現実世界の本物の政治家に対しても生じるのか、という疑念は依然として残る。

ある大統領候補の長年の支持者が、新しく出てきたネガティブな情報をほぼすべて否定し、それ以前の評価に固執することは容易に想像できる。ところが、そうした支持者であっても、期待に反する圧倒的な情報に直面すれば、現実が変化したことに気づき、それに応じて信念を変える可能性がある。[*10]

政治に言えることが経験的な信念にもあてはまると考えるのは、とても魅力的だ。もしその考えが正しければ、フラットアースのような特定の信念に固執している人でも、条件がそろえば信念を放棄するかもしれないからだ。はたして先の実験結果は、否定的な情報に繰り返しさらされれば、科学否定論者であっても意見を変える可能性があることを示しているのだろうか？　誤りを指摘する情報を通じて強い印象を残せれば、科学否定論者もやがて合理的な方向に信念を更新しはじめるのだろうか？

その可能性はあるだろうが、本当のところはまだわからない。問題は、ククリンスキーもレドロースクも科学的なトピックを扱っていない点だ。彼らの実験結果は示唆に富んでいるが、事実や証拠を用いて科学否定を克服できるという考えに、経験的裏づけを直接与えるものではない。ただそれでも、「事実は重要だ」という彼らの結論は頼もしいかぎりだ。そう、事実は重要である。もし事実になんの意味もなければ、どうやって意見が変えられるというのか？

バックファイア**効果**をめぐる**二転三転**

しかしながら、こうした楽観的な考えは、二〇一〇年に発表されたある記念碑的な論文によって一気に疑問視されるようになる。その論文は、ブレンダン・ナイハンとジェイソン・レイフラーが認識における**バックファイア効果**について検討したものだった。[*11]

ナイハンらの実験では、被験者がすでにもっている誤った信念に根拠を与えたあとに、正確な情報を与えて反応を見た。被験者にはそれぞれ支持政党があり、ここでの誤った信念とは、保守政党の支持者であれば、イラクは開戦前に大量破壊兵器を所有していたという信念、リベラル政党の支持者であれば、ジョージ・W・ブッシュ元大統領が幹細胞の研究を全面的に禁止したという信念である。どちらの主張も事実無根だ。

被験者はまず、どちらの支持者も、いま見た二つの誤った信念が正しいとする偽の新聞記事を読まされる。これによって、保守もリベラルも、それらの信念が正しいと思える根拠が手に入ったことになる。だが次に、信頼できる訂正情報、具体的には、イラクに大量破壊兵器はなかったことを認めるブッシュの演説が被験者に提示されると、保守とリベラルで異なる反応が見られた。驚くことではないが、リベラル(および穏健派)は訂正情報を受け入れて自分の信念を変えた。一方、保守はそうしなかった。実のところ、保守のなかには、訂正情報を提示されても意見を変えないどころか、当初の誤った信念はやはり真実だと反対に確信を深めたケースも見られた。この反転現象は「バックファイア効果」と呼ばれた。

では、ブッシュが幹細胞研究を全面的に禁止したという、リベラル側の信念の場合はどうだったのだろう(実際は、二〇〇一年八月以前に作成された幹細胞株に関する、政府資金が投入された研究だけが限定的に禁止され、民間研究は禁止されなかった)。同じように訂正情報を提示すると、保守(および穏健派)は意見を変えたが、リベラルには効き目がなかった。だが面白いことに、この場合はバックファイア効果は見られなかった。訂正情報によってリベラルが誤った信念を捨てることもなければ、強化することもなかったのである。つまり、保守もリベラルも訂正情報を採用することはなかったものの、保守に限っては、それをきっかけに誤った信念が強化されたということだ。

この実験結果は、事実や証拠を重んじる人たちに衝撃を与えた。二〇一六年の大統領選後には、状況はまさにパニックとなり、「この記事であなたの考えは変わらない」（アトランティック誌）、「事実はなぜ私たちの意見を変えないのか」（ニューヨーカー誌）といった人目を引く見出しが誌面におどった。それを見た人々は、事実では他人の考えをまず変えられないばかりか、そう試みることで状況をさらに悪化させる場合すらあると結論したのだった。[*12] 科学否定論者の信念は変えられる（変えるべき）という私たちの考えは間違いだったのだろうか？

だが、翌二〇一七年には再び状況が一変することになる。イーサン・ポーターとトマス・ウッドが、**バックファイア効果が再現できない**ことを発見したのだ。[*13] ここで強調しておきたいのは、それによってナイハンとレイフラーの主要な発見の価値が下がったわけではないことだ。ポーターとウッドの研究においても、被験者となった政党支持者たちは、事実を伝える情報に抵抗を示し、それに基づいて意見を変えようとはしなかった。ただ、バックファイア効果だけが消失していたのだった。

彼らは、この効果はユニコーンみたいなもので、めったに姿を現さないのではないかと推測した。ナイハンとレイフラーもこれに同調し、自分たちの元の論文でも、バックファイア効果の発見は実験結果のごく一部にすぎず、限定的な状況（非常に党派性が強い被験者）でしか観察されていないことを指摘した。ちなみに、四人の研究者は全員、被験者が訂正情報に基づいて意見を変えることはほとんどないという点で同意している。ある有識者が述べたように、「私たちは事実に耐性はあるが、免疫はない〔耐性が強化されることはない〕」のである。[*14]

ナイハンとレイフラーは、科学がもつ公開性（オープネス）と誠実さに従い、ポーターとウッドとともにこの結果を共有し、拡散に努めた。自分たちの当初の発見に反論が寄せられても、彼らは自説を修正するための協力を惜しまなかった。[*15] もちろん、その成果がすぐに世間に伝わったわけではないし、事実を用いて他人の意見を変えようとすることには利益よりも害が多いという認識は、いまだ消えずに残っている。それでも、科学界を覆っていた霧は晴れ、どうすれば他人の信念を変えられるかについて、さらなる研究が可能になったのである。

アイデンティティが脅かされるとき

そうした新しい研究のなかでも特に興味深いものに、これもまたナイハンとレイフラーが実施した実験がある。彼らは、二〇一八年に発表した「誤認識の蔓延（まんえん）におけるアイデンティティの脅威と情報不足の役割」という論文で、もっとも厄介な二つの疑問を取り上げた。[*16] 一つは、本人の情報不足を補うことで経験的なトピックに対する誤った信念を修正できるかという疑問。もう一つは、それが本人のアイデンティティを脅かす可能性と関係しているかという疑問である。

これら二つの疑問に答えるために、実験では次の二つの具体的な問いに取り組んだ。

「被験者の誤った信念の背後にあると思われる情報不足を解消する際、訂正情報の提示のしかたは問題になるか？」と「自分が常に正しいと思う気持ちを緩和できれば、訂正情報に対する抵抗感は弱まるか?」という問いだ。

信念の対象となったのは、ここでもまた政治的なトピックだった。とはいえ、実験は三度おこなわれ、そのうちの一つでは「政治的」信念として気候変動が取り上げられた。ようやく科学否定の問題とつながったわけだ。実験では、気候変動は正しいとする訂正情報を脅威に感じる傾向がある人を事前にふるい分けていたが、その全員が共和党支持者だった。つまり、気候変動の真実に関する情報は、彼らのアイデンティティと真っ向から対立するものだった。

この実験でナイハンとレイフラーは、訂正情報の提示方法によって被験者の反応が変わることを統計的に有意なかたちで示した。**図表で提示する方が、文章で提示するよりも効果的だった**のである。実際、図表だけで十分に効果があるので、それに文章を添えても効果は上積みされなかった。ただ残念ながら、図表になぜこれほどの効果があるのかは検証されていない。図表の方がより客観的に見えるからだろうか? 図表であれば、自己を脅かす対立的な言説や説得力のあるレトリックに触れなくてすむからだろうか?

この実験では、訂正情報を受けとったときの被験者の状態によって反応に違いが生じるかについても観察した。ナイハンとレイフラーは、みずからの仮説に基づいて、自己イメージを脅かすような信念に直面した場合、被験者がそれを否定する可能性は高まると予測した(以下、「アイデンティティ脅威仮説」と呼ぶ)。逆に考えると、被験者の感じる脅威をなんらかの方法で低減させれば、訂正情報を受け入れやすくなるということだ。ナイハンらはそこで、被験者に訂正情報を与える直前に、自己肯定感を高めるレッスンを施してみることにした。自分自身に満足している状態に導いたのである。

実験結果は、いくぶん煮えきらないものとなった。共和党の価値観への傾倒度で分類した場合、特定の傾倒度の被験者には効果が認められたが、それでも情報の提示方法が与える影響に比べれば、効果はごく小さかった。たしかに自己肯定感にはプラスの効果があったが、それは微弱なものであり、やはり図表の効果が飛び抜けていた。

この結果を聞くと、実験の方法論が間違っていたのではないかと思いたくなる。たとえアイデンティティ脅威仮説が正しかったとしても、なぜその脅威が自己肯定感によって軽減されると仮定できるのか？　ナイハンとレイフラーは、まさにこの疑問を扱った先行研究を引用しつつ、自分たちの結果には「失望した」と書いている。この結果を完全に予想できた人もいるだろう。自分に満足する簡単なレッスンを受けたからといって、気候変動の否定はアイデンティティの核だと何度も聞かされてきた愛党心の強い共和党員がすぐに自説を覆すとは、とても信じられない。

実際には、アイデンティティ脅威仮説の最良の証拠は、実験者たちのすぐ鼻の先にあったのかもしれない――棒グラフや折れ線グラフほど中立で、脅威を感じさせないものが他にあるだろうか？　情報を提示する形式がすでに社会的文脈をもっていたのだ。ナイハンらは最終的に次のように報告している。

「これらの結果は、誤認識が情報不足と心理的脅威によって引き起こされることを示唆しているが、……その二つの要因は、まだよく理解されていない経路で相互作用している可能性がある」[*17]

大切なのは「常識」

ここには実証研究の大いなる可能性が広がっている。信念の形成と変化は、事実に基づく正しい情報の有無だけではなく、その信念が作られるときの感情的、社会的、心理的な文脈の問題であるとしたナイハンとレイフラーは、おそらく正しい。特にアイデンティティは、カーンやメイソンの研究でも見たように、信念形成に決定的な違いをもたらす可能性がある。気候変動という本来であれば無味乾燥な科学の議論にすぎないものが、支持政党によって意見が異なる問題になっている事実そのものが、政治の力が経験的な信念に与える影響を物語っている。

すでに触れたとおり、事実に基づくはずの問題であっても、十分な動機（および誤情報）があれば、意見は二極化する。その結果、ある真実が、アイデンティティや特定の集団への帰属意識を脅かすこともある。[*18] だからこそ、事実の中身ばかりでなく、それが誰によってどう提示されるかということが、非常に重要になってくる。その情報源は信頼できるか？　相手は政治的立場から私の間違いを指摘したのでは？

繰り返すが、同じことは科学的な信念にも言える。もし私たちが共和党員だったら、気候変動に関する事実はアイデンティティの脅威になるだろうか？　おそらくなるはずだ。では、この気候変動の問題のように、事実に基づくと同時にイデオロギー的なアイデンティティと深く結びついたトピックについて、誰かの意見を変えようと思うとき、どうアプローチするのが有効なのだろうか？

大切なのは「常識」を思い出すことだ。どんなテーマであれ、相手に考えを再検討してもらいたいと思うならば、その相手を一人の人間として扱うことで、驚くほどの効果が得られるはずだ。その際にはもちろん、情報の伝え方も重要になる。相手を怒鳴り散らしたり、罵ったりすべきだろうか？　頭が悪いと侮辱すればいいのか？　おそらくそうではないだろう。こうした話し合いでは、威圧的ではない態度で臨む方がずっと効果が得られる。信頼を築き、敬意を示し、話を聞き、冷静でいるよう努めるべきなのだ。同意できないからと相手に敵意を向けてみても、反感を買うだけだ。先述したとおり、信念の「形成」には情報と感情の両方が関わっていることが研究で示されている。信念の「変化」にも同じことが言えない道理はないだろう。だが、ここまでわかっているにもかかわらず、実証研究、とりわけ科学否定の分野では、常識に基づいた戦略の有効性が十分に研究されているとは言いがたい。

マイケル・シャーマーは、すでに紹介した「事実が役に立たないときに他人を説得する方法」という小論のなかで、経験的なトピックに対する認識の齟齬（そご）を埋めるために「常識」を利用している。出発点はナイハンとレイフラーと同じだ。「人々は、自分に都合の悪い圧倒的な証拠を目の前にすると、それに抗って信念をさらに頑（かたく）なにしていく。そうなる理由は、自分は自説と対立するデータに脅かされているという世界観と関係がある」[*19]

この考えの根拠に疑問の余地はなく、実際それは、レオン・フェスティンガーによる**認知的不協和**の発見にまでさかのぼることができる。[*20] 被験者が十分に動機づけられ、アイデンティティや自己が脅かされるとき、彼らは自分の間違いを認めるように迫ってくるあらゆる試みに抵抗するのだ。

小論のなかでシャーマーは、古典的なバックファイア効果を認めたうえで、他者の説得に関する重要なアドバイスを送っている。そのアドバイスとは、これもすでに述べたように、感情を交えないこと、攻撃しないこと、丁寧に耳を傾けること、そして常に敬意を示すことである。*21

シャーマーは何十年もの経験を積んだ懐疑論の専門家であり、科学否定論者にも日常的に接してきたのだから、彼のアドバイスに従うのは賢明な判断と言える。たしかに科学論文のお墨付きはないかもしれない。だがシャーマーの戦略は、人々が現実にどう意見を変えるのかを見ていれば、かならずや支持されるものだ。

さて、こうして実用的な戦略が手に入り、バックファイア効果を恐れる必要がないこともわかった今、私たちはいつまで待つべきなのか？　こうしているあいだにも地球の気温は上昇し続け、反ワクチン派は新型コロナワクチンなど打たないと声高に主張している。そろそろ外に飛び出して、彼らの考えを変える時期なのではないか？

かくして私は、シャーマーの戦略をしっかり頭に叩き込み、現実の世界でさまざまな科学否定論者たちと膝をつきあわせてみようと決意するに至った。信念の変化の重要な部分にアイデンティティの問題が関わっているのが本当ならば、研究室の外に出て、相手にじかに会った方がよい結果が得られるはずだ。ネットや電話経由、あるいは実験という擬似的な環境でも正確な情報を伝えることはたしかに可能だが、信頼関係を築くにはやはり直接顔を合わせるのが一番だろう。

実験の一環として適切な環境を用意すれば、相手の意見を変えられるというのが、ククリンスキーとレドロースクが示したことだった。では、実験とは違う現実の世界で、しかも科学否定に関するテーマで、それと同じことが可能だろうか？　私がフラットアースの会議に潜入したのは、その答えを見つけるためだった。

ブレイクスルー

フラットアーサーとの対話から七か月後の二〇一九年夏、ネイチャー・ヒューマン・ビヘイビア誌に、フィリップ・シュミットとコルネリア・ベッチュによる論文が掲載された。[*22] この論文は、**科学否定論者の意見が変えられることを直接示す経験的証拠を初めて提示した、実に画期的なもの**だった。さらに驚くことに、そこには科学否定論者になにを話すべきかの台本まで添えられていた。少々誇張して言えば、私は自分の家が火事になったとしても、この論文を読むのをやめなかっただろう。それくらい興奮していたのだ。この研究については「はじめに」ですでに触れたが、そこに書かれた結果を利用できる準備が整ったので、いま一度、今度はもう少し詳しく検討してみよう。

シュミットとベッチュの研究は、アメリカとドイツで一七七三人の被験者を対象におこなわれた六件のオンライン実験からなり、気候変動否定やワクチン否定などのトピックを扱っていた。結果は驚くべきものだった。科学否定論者への反撃は、被験者の信念を変えるのにプラスに働くだけでなく、その効果はもっとも保守的なイデオロギーをもつ集団でもっとも顕著に現れたのだ。ポーターとウッドの実験と同様、ここでもバックファイア効果は見られなかった。

実験では、誤情報にさらした被験者への対応方法を「内容的反論」、「技術的反論」、「内容的・技術的反論」、「反論せず」の四つに分類し、それぞれを検証した。

第一の戦略である**内容的反論**とは、被験者がいま聞いたばかりの誤ったメッセージの内容に対して、それを訂正する情報を提示することである。たとえば、被験者がワクチンは危険だという虚偽の主張を聞かされていたら、ワクチンの優れた安全性評価を強調することで反論する。*[23]

第二の戦略は、ほぼすべての科学否定論者に共通の台本があるという、第2章で詳しく論じた発見に基づいたものだ。シュミットとベッチュが**技術的反論**と呼ぶその戦略の内容は、五つの危険な技術（証拠のチェリーピッキング、陰謀論への傾倒、偽物の専門家への依存、非論理的な推論、科学への現実離れした期待）を指摘して、被験者がもつ潜在的な科学否定の信念にその技術が与える影響力を弱めることである。これはたとえば、先述のワクチンが危険だというメッセージに対して、どんな医薬品であっても――アスピリンでさえ――一〇〇パーセント安全ではありえないのだから、そうした極端な基準をワクチンにあてはめるのは不合理だと指摘し反論をおこなう。*[24]

実験の結果はっきりわかったのは、反論をしないのが最悪の選択肢だということである。誤った情報をそのままにすると、被験者が誤った信念へと向かう可能性が高くなったのだ。さらに心強い結果もある。実験からは、「内容的反論」と「技術的反論」を用いれば科学に関する誤情報の影響を低減でき、どちらにも同等の効果があることが明らかになった。また、二つの反論を組み合わせて利用しても結果は同じで、追加の効果は生じなかった。これはつまり、科学否定論者を説得したければ、どちらか一方の好みの戦略を使うだけでいいということだ。

「技術的反論」を使うのなら、反論のために科学の内容に通じている必要はない。コルネリア・ベッチュはインタビューで次のように語っている。「内容的反論の問題は、それをおこなうには科学を熟知している必要があることです。これは無茶な要求でしょう。というのは、関連する研究は山ほどあって、そのすべてを把握するのはまず無理だからです[25]」。それに対して「技術的反論」では、科学否定論者が使う五つのテクニックを学び、それに対処する準備さえしっかりしておけば、いつなんどきでも、科学の誤情報と戦う「万能戦略」として使うことができる[26]。

科学否定論者に反撃したいと願っている人にとって、これはまたとない朗報と言える。私自身も、この研究によって自分のやってきたことの正当性が立証されたような気持ちになった[27]。命名こそしていないが、私もまた私なりの「技術的反論」をすでに一年以上前から試みていたからだ。

とはいえ、シュミットとベッチュが示したのはこの戦略だけではない。科学否定論者への反撃については、科学者にもできることがあるとはっきりと述べている。もはや科学者は、科学否定論者と対話するのは時間の無駄だと不平をもらすべきではない。科学者が「こんな連中と話す意味はないね」と言ったり、証拠を見せるだけ見せて反論されるとすぐさま立ち去ってしまう場面を、これまで何度目撃してきたことだろう。だがシュミットらによると、**これは考えうるかぎり最悪の行動なのだ！**

実験から得られた証拠は、科学否定論者との対話が非常に効果的であることを示しているが、当然ながら、その効果を得るにはまず対話をはじめる必要がある。では、科学者はどうすべきか[28]？この実験結果を否定して、自分たちも科学否定論者の仲間入りをすべきだろうか？

シュミットとベッチュの限界

残念なことに、シュミットとベッチュの実験からは、内容的反論と技術的反論はどちらも、科学の誤情報がもたらす腐食作用を押し止めるのに役立つが、これを完全に取り除くには至らないこともわかっている。いったん誤情報にさらされてしまうと、その影響は延々と残り続ける。したがって、一番よいのはそもそも誤情報に触れないことだ。反対に最悪なのは、誤情報が共有されたまま、反論が一切なされないことだろう。ここから導き出されるのは一種の妥協案だ。つまり、科学に関する誤情報がすでに出まわっているのであれば、黙ってやりすごすよりは、それに抵抗する努力をした方がいいということである。

シュミットとベッチュは、科学に関する誤情報が取り上げられそうな討論会があると知ったときにどうすべきかについて、笑える話をしている。「最悪の選択肢は、その討論会への参加を拒否することだろう。ただし一つだけ例外がある。それは、自分が参加しなかったおかげでその討論会がキャンセルになる場合だ。そうなれば聴衆に悪影響を広げなくてすむからね[29]」。とはいえ、笑ってばかりもいられない。事後的に意見を変えさせるのは、可能ではあってもやはり難しい。シュミットらが示した方法が役に立つとしても、それは万能の解決策ではない[30]。

私たちが暮らす世界には科学の誤情報があふれかえっていて、それに付随して解決すべき問題も数多く残されている。一例を挙げれば、シュミットとベッチュの実験結果をどう利用するかという問題がある。彼らの研究には潜在的な限界がいくつかある。たとえば、彼らの研究において、誤情報の影響を低減できることが明らかになったのは、そうした情報に触れて間もない人だけだった。[*31]だがきっと、何十年も誤情報に浸っているうちに、すでに主張がしっかりと固まってしまった人も世の中には少なからずいるはずだ。ところがシュミットらの実験は、その点に触れてはいない。長年にわたり繰り返し誤情報にさらされてきたような筋金入りの科学否定論者にも内容的反論や技術的反論は有効なのか、それを確認していないのだ。

誤った情報が信念に影響を与えないうちにすばやく介入することは、たしかに一つの方法だろう。他方、時間をかけて固まった核となる信念を変えようというのは、まったく別次元の話である。もちろん、この先の研究によって、どんな反論を用いても固まった信念は変えられないとわかる可能性もある（注力すべき方向が明らかになる点で、これはこれでよいことだ）。

反論戦略のターゲットは、誤情報を受けとったばかりの説得可能な人だけに絞るべきか？　熱心な科学否定論者と対話して説得するのは時間の無駄なのか？[*32]　その答えは、シュミットらの実験からはわからない。

考えるべき点がもう一つあるとすれば、それは相手にどのようなかたちで関与すべきかという問題だろう。先述したとおり、シュミットとベッチュの実験はすべてオンラインでおこなわれた。では、もしこれが対面でおこなわれていたらどうか？　彼らの反論戦略は依然として機能するだろうか？　それとも、さらに有効になるのだろうか？

対面では、個人間のやりとりに大きな影響を与える社会的、感情的な文脈を考慮に入れる必要があるため、事態はより複雑になる。ここまで見てきたように、誰かの信念に挑もうとすれば、その行為が相手のアイデンティティをどれくらい脅かすものなのかを考慮しなくてはならない。これはどんな状況でもそうだが、特に対面で言えることだろう。ネット上で相手を説得するのは、たしかに難しい。では、一対一の対面という状況で効果的な反論戦略を用いようと思えば、それに加えて、どのような認知的、社会的、対人的な要因を考慮すべきなのか？ ククリンスキーとレドロースクが人の意見を変えたのは実験環境でのことだったが、現実世界でも同じようにすればいいのだろうか？

この実践的で興味をかきたてられる問いについて、私たちは宙ぶらりんのまま取り残されている。

科学者への信頼を取り戻すこと

ここで再び、誤った経験的信念が実際にどう形成されるのかという問題が、私たちの行く手を遮る。もし人々が誤情報によってだけでなく、それを教えてくれる仲間や第三者と交わることで先鋭化するのであれば、それとは異なる集団――信頼関係を育んで真実を伝えられる集団――の介入を通じて、その人々を元の状態に戻すことはできないだろうか？

この問題は、第2章で詳しく見たアイデンティティと価値観による信念形成という考えの中核としっかり重なり合うものだ。そこで見たように、否定論者の信念がアイデンティティと価値観の文脈内で形成されるなら、その信念を変えようとする際も、同じ手順を踏むのが道理ではないか。[*33]

これについてダン・カーンは「同じ価値観を共有し、それゆえ理解もすれば信頼もしている人の意見を参照して、私たちは科学知識を得ている」[34]と述べている。これはおそらく科学者にも言えることで、だとすれば、科学者と科学否定論者では、たんに信頼する人が違っているだけなのか？思うに、科学否定論者との対話のゴールは、彼らに事実を示して心変わりをしてもらうだけでなく、**科学者に対する信頼をもう一度取り戻してもらうこと**なのだろう。[35]

陰謀論者と渡り合うにはどうするのが最善かという議論のなかで、ミック・ウエストは、信念の変化における信頼と敬意の重要性を次のように説いている。

あなたは、相手の理論を信じているわけではないと明言しつつも、もし説得力のある証拠をもっているのなら喜んで検討する準備がある、と最初に伝えることができる。あなたの考えを変えさせる機会を相手にも与えるべきだ。そうすることで、彼らは自分がなぜそう信じるに至ったかを説明できるようになり、その話に真摯に耳を傾ければ、非常に有益な視点が得られるばかりか、そのあとで今度は彼らがあなたの話を真摯に聞くようになるかもしれない。相手に敬意を示し、その主張を理解しようと努めれば、彼らもそれをありがたく感じ、あなたへの敬意も増すことだろう。彼らはおそらく、自分の考えを頭から否定されたり、笑われたりした経験が何度もあるはずだ。ゆえに敬意をもって接すれば、信頼獲得に向けて大きく前進するにちがいない。[36]

どうやら私たちは、信念変化の情報不足モデルからずいぶん遠いところにやってきたようだ。シュミットとベッチュは、誤情報を聞いて間もない人の意見なら変えることができるという考えに、確固たる基礎を与えた。サンダー・ファン・デル・リンデンらは、誤情報を聞く前にその誤りを暴くことにも同じ効果があることを示した。だが、誤情報やデマがすでにアイデンティティに組み込まれてしまった人についてはどうなのか？　この場合、正確な情報を示しても、あるいはデマを指摘しても、おそらく無意味と思われる。

シュミットらのモデルは、ある意味、科学否定は情報不足の問題に帰着するという考えから抜け出ていない。たとえば、内容的反論は、明らかに情報の足りないところを補うものだ（ただし、その過程で信頼と敬意を築くチャンスがあることも事実だ）。一方の技術的反論でも、推論方法に関する情報を科学否定論者に与えている。要するに、私たちは彼らに学んでもらおうと思っている。

こうしたやり方で本当に科学否定論者のアイデンティティを変えられるのだろうか？　答えはおそらくイエスである。ただし、そのためには正しい手順を踏む必要がある。実際に対面すること、時間をかけること、何度も対話を重ねて相手の話に耳を傾けること。そうすれば、私たちの証拠を受け入れてくれるような関係が生まれるかもしれない。

ずいぶん骨が折れる話に聞こえるだろう。だが私は、とりわけ筋金入りの科学否定論者を転向させたいと願うなら、個人的な関係を通じて信頼を育み、それによって彼らのアイデンティティに変化をもたらす作業に取り組まなければならないと思う。

ピーター・ボゴジアンとジェイムズ・リンゼイは、先に引用した『話が通じない相手と話をする方法』のなかで、私たち人類は、対面で会話をする——そしておそらく相手を説得する——ように進化してきたと説明している。一方、メールやオンラインでは、ただでさえ難しい会話をさらなる「ハードモード」で扱うことになる。[37] もし相手を本当に説得したいのであれば、なぜそんな方法を選ぶ必要があるのか？　ボゴジアンらは、アイデンティティの問題に直接言及はしていないが、その主張からは、相手に間違った考えを捨てさせるには信頼と敬意が鍵となること、その試みは個人的な交流のなかでおこなうのが最善であることが読みとれる。

本当に信念を変えさせたいのであれば、関与、信頼、結びつき、価値観が非常に重要になる。実験だけ、あるいはオンラインだけでの関与は勧められない。直接会えば、信頼が育まれる。証拠に基づいて説得するのは、そのあとのことだ。

ボゴジアンとリンゼイも以下のように述べている。

> 相手の考えを変え、影響を与え、信頼関係を築き、友情を維持する方法は、親切心、思いやり、共感をもつこと、尊厳と敬意をもって相手を扱うこと、心理的に安全な環境でこうした配慮を実行することである。きちんと話を聞き、親切にふるまい、自分を大事に扱い、敬意を示してくれる人に好意的に反応するのは、誰にとってもごく自然なことだろう。反対に、自分の信念に固執させ、不和を引き起こし、不信感を植えつけたければ、相手と敵対し、脅威を感じさせるのが確実な方法である。[38]

どうりでフラットアース会議では誰の意見も変えられなかったわけだ。現場に足を運んだのは正しい判断だったのだろう。しかし私は、相手の話にもっと耳を傾ける必要があった。一度だけでなく何度も参加して、継続性をもたせるべきだった。心理学の論文では、事実や推論戦略を用いた反論が成功した例は、限られたケースでしか見られない。それもなんら不思議なことではなかった。そうした実験は、たいていはオンラインでおこなわれ、回数も一度きりだ。もちろん、それでもうまくいくケースはあるだろう。だがそれと同じことを、適切な社会的文脈で、実際に会って再現してみたら、成功率はどれだけ上がるだろうか？　信頼関係を築くようにしてみたら、どんな変化が見られるだろうか？

私は、これこそが筋金入りの科学否定論者を説得できる唯一の有効な方法だと確信している。気候変動やワクチンの問題など、解決の見通しがきわめて暗いトピックに関しては、どんな手を使っても太刀打ちできない場合もあるかもしれない。だが、なんらかの手立てが有効なケースでは、この方法がもっともうまくいく可能性が高い。この方法は、相手を説得する十分条件ではないだろうが、必要条件ではあるように私には思える。

現実世界で意見を変える

人々を説得するのは「物語」であって「議論」ではない、とはよく言われることだ。そこでここからは実際の逸話をいくつか紹介して、気候変動やワクチンを否定していた人が、信頼できる情報源から事実に基づく情報を示されたことで、どのように考えを変えたかを見ていくことにしよう。目的は、科学否定論者も意見を変える場合があるとか、そうした変化は物語を通じて実現すると伝えることだけではない。科学否定論者に信念を捨てさせるためにできることなどないと疑っているであろう、あなたがた読者の考えも変えたいと思っている。

とはいえ、これは現時点の科学論文に先んじる試みである。つまり、残念ながら経験的な裏づけがないなかで進めざるをえない。私が知るかぎり、筋金入りの科学否定論者の説得に対面での会話が有効なことを示す実証研究は存在していない。[*39] 科学否定に片足を踏み入れた人に有効なことは先に見たとおりで、それは私たちにとって吉報だった。だが、年季の入った科学否定論者を対象にした同様の実験はあるのだろうか？　内容的反論や技術的反論の効果を研究室の外で検証した実験は？　科学否定論者はネットだけでなく、現実の世界——街角、公共の施設、あるいは感謝祭の食卓の向かいの席にさえ——にも存在している。にもかかわらず、そうした状況を踏まえた研究は存在していない。[*40]

だが安心してほしい。その一方で、科学否定論にどっぷり浸かっていた人が考えを改めた逸話を伝える文献は数多く存在している。そうした逸話は基本的にすべて同じパターンを踏襲している。つまり、**信頼できる相手との個人的な関係のなかで信念の変化が生じる**というパターンである。

ここまでずっと主張してきたとおり、事実や証拠は大切だが、そうしたものは適切な文脈で適切な人物によって提示されなければならない。なぜなら、繰り返すが、相手の信念を変えるには、たんに情報不足を補うだけでなく、相手のアイデンティティに変化をもたらす必要があるからだ。

科学否定論者が考えを改めた逸話のなかでも特に説得力をもつものには、反ワクチン派に関する話がいくつかある。本書ではここまで反ワクチン派について多くを語ってこなかった。このトピックに関しては、すでにすばらしい文献があるというのも一つの理由だ（巻末の注で紹介しているので、読者には一読を勧めたい）。[*41] また私自身が過去の著作でこの問題に少し触れたこともある。[*42] 反ワクチン派の源流がどこにあるかは、すでに知っている人も多いことだろう。それは次のような経緯だ。

一九九八年、アンドルー・ウェイクフィールドという医師が、ＭＭＲワクチン〔新三種混合ワクチン〕と自閉症に因果関係があるとする論文を発表した。この短い論文には、方法論上の不備や欠点が数多くあり、発表当初からその内容を疑問視する専門家もいた。その結果、共著者は一人を除いて全員が論文から手を引き、掲載した権威ある医学雑誌ものちにそれを撤回することになった。実際、ウェイクフィールドの研究は非常にずさんなもので、最終的に彼は医師免許まで剝奪されている。

その後、この論文に見つかる誤りはたんなる不手際の結果ではなく、不正行為のたまものであることがわかった。だが時すでに遅し。ウェイクフィールドを自分たちのために立ち上がったヒーローとみなした何千もの自閉症児の親たちにとって、そんなことはどうでもよかったからだ。それ以来、この話題が一般メディアで蒸し返されるたびに根拠のないワクチン懐疑論が高まり、反ワクチン派は無視できない勢力となった。[*43]

いくつもの論文がワクチンと自閉症には関連がないと報告し、ウェイクフィールド論文の誤りが徹底的に暴かれたにもかかわらず、子供へのワクチン接種を控える親が何千人も現れた。二〇一四年には、ディズニーランドで麻疹（はしか）の集団感染が発生し、一四の州に広がった。感染した児童数は数百人にのぼった。同様の感染はニューヨークのブルックリンでも起き、二〇一九年にはワシントン州のクラーク郡でも発生した。[*44] それでも反ワクチン運動は世界中で今でも続いている。

このような状況ではあるものの、よいニュースもある。かつて反ワクチン派だった人が考えを変えたケースが少なからずあるのだ。いったいなにが起きたのだろうか？　私が把握しているケースには、反ワクチン派と直接膝を交え、あらゆる質問に耳を傾け、敬意をもって辛抱強く説明した人が常に登場する。

こうした話は、すでに「はじめに」でいくつか紹介した。クラーク郡から派遣された公衆衛生の専門家が、小グループで親たちと面談をした話を覚えているだろうか？[*45] その面談では、ある医師がホワイトボードを使って二時間以上かけて質問に答え、それを聞いていた女性は、医師のことを「とても暖かい人」と評したのだった。この方法は有効だった。また、サウスカロライナ州に暮らすある女性は、ワシントン・ポスト紙に投書をして、自身が反ワクチン派から脱却できたのは、この問題について親切かつ合理的なやり方で話し合う人たちのグループを見つけたからだと説明した。[*46]

ここで、もう一つの事例を加えておこう。ケベック州のシャーブルック大学の教授で医師でもあるアルノー・ガニュールは、母親になったばかりの女性を対象に、病棟で「動機づけ面談」をおこなった。面談は二〇分間で、ガニュールと助手が彼女たちの心配事を聞き、質問に答えるというものだった。後日、三三〇〇回分の面談を分析したところ、面談を受けた母親は、自分の子供にワクチンを接種すると答える確率が一五パーセント高くなっていたことがわかった。

「誰かがワクチン接種に対する自分の立場を尊重してくれたり、こんなふうに話をしてくれたのは初めてのことだと母親たちは言っていた」とガニュールは述懐している。また、ある母親が「こうした話し合いをしたり、敬意をもたれていると感じたのは初めてで、先生のことを信頼しています」と述べたことも報告されている。[*47]

白人至上主義者の改心

同様の顛末は気候変動の否定にも見られる。共和党議員のジム・ブライデンスタインが、NASA長官になって数週間のうちに気候変動に対する考えを改めた逸話を思い出してほしい。意見が異なる人たちと昼食を囲み、廊下で談笑するようになると、奇跡のようなことが起こりうるのだ。[*48]関係がないと思う人もいれば、侮辱的な話題と退ける人もいるだろうが、ここで次の逸話を紹介しておくのは価値があるはずだ。私はそもそも科学否定に関する逸話をさがしていたわけだが、その過程で、より悪意に満ちたトピックに関する事例にもいくつか遭遇することになった。

なかでも特に印象に残っているのは、デレク・ブラックという青年の逸話だ。[*49]ブラックは、父親がストームフロント〔人種差別主義者向けのサイト〕を立ち上げた人物で、名付け親がデイヴィッド・デューク〔著名な反ユダヤ主義者〕という、白人至上主義の期待の新星だったが、大学に入るとユダヤ人学生のグループと知己になり、安息日の夕食に毎週招かれるようになった。

そのグループには、ブラックが個人的に親しくなった一人の女子学生がいた。はじめ彼女はブラックの主張を知って愕然とするが、その後、彼の話に耳を傾け、質問をし、資料を用意して意見の相違を一つひとつ解消していった。それによってブラックは、自分のイデオロギーを完全に捨てることになった。[*50] エリ・サスローがこの逸話を本にまとめているが、そのなかでブラック本人が自身の変化についてこう振り返っている。

僕の考えに賛同していなかった人たちは、そのあいだずっと反論していました。……とりわけ思想の違いにかかわらず友人でいてくれた人たちがそうでした。彼らはこの話題になると、僕の考えは間違っていると思うと言って証拠を示したり、落ち着いて話し合う時間を作ってくれたりしました。そうした意見にいつも賛成できるわけではなかったのですが、僕は彼らの話を聞き、彼らもまた僕の話を聞いてくれたのです。[*51]

断るまでもないが、この逸話を紹介したのは、科学否定論者と白人のナショナリストを同列に扱いたいからではない。私がここで言いたいのは、白人ナショナリズムや白人至上主義のような悪意に満ちたイデオロギーに何十年も染まっていた人間を、話を聞いたり友情を育んだりすることで、そこから抜けるよう説得できるのならば、科学否定のような悪意とは無縁の信念をもつ人にも同じやり方が通用するのではないか、ということである。

別の白人至上主義者の男性に関する同様の逸話を読んでいたとき、私は、考えを改める前のその男性の描写に興味を引かれた。彼は、自分が「のけ者にされ、打ちひしがれている」と感じていたために、「イデオロギーに迷い込んだ」と告白していた。男性自身の説明によると、彼の信念は、孤立、悪魔化、憎悪によって形づくられた自己認識に深く根ざしており、その自己認識は「あちら側」への怒りと結びついていたのだという。[52]

ここまでドラマチックではないが、政治的立場に見られる信念の変化もまた重要である。たとえば、かつて「トランプを支持する荒らし（トロール）」を自称していた男性は、自分がネットで攻撃していたリベラル派のコメディアン、サラ・シルバーマンとの交流を経て、自分がいかに「トランス状態から抜け出せた」かを報告している。それによると、シルバーマンは彼に親切に応じ反論もせず、かわりに彼女自身の価値観を共有してくれたのだという。自分はひどいことをしたが、それでも彼女は敬意をもって接してくれた。そしてこのことが、銃規制、中絶、移民などに関する彼の信念を変え、ついには「白人特権というものが存在していると気づいた」と述べるまでに至った。[53]

繰り返すが、私は科学否定論と他のイデオロギーを結びつけたいわけではない。そうではなくて、ある人の信念がアイデンティティに由来する情報の偏りに基づいているのだとすれば、話を聞くこと、共感すること、敬意を払うことを通じて、それを健全な状態へと回復できるのではないかと言いたいのである。

ここで忘れてはならないのは、情報源にはものの見方を二極化する力があることだ。たとえば、ワクチン研究に関する情報源がネットの動画だったら、あるいは気候変動に関する情報源がFOXニュースだったら、[54]どうだろうか？　誤った情報にさらされやすくなるだけでなく、「あちら側」にいる人を悪魔化して憎悪を向けることさえあるかもしれない。科学者に会ったことがなければ、彼らが友好的で愛想のよい人であること――そうでない場合も当然あるわけだが――をどうやって知るというのか？　科学否定に抗う第一の方法が、多くの情報を与えることではないのは確かである。だが、たとえそうだとしても、情報のタコツボ化は、人の理解力ばかりか、対立陣営の見解を聞く寛容さをも破壊してしまうことを念頭に入れておくのは重要だ。

覚えておくべき三つのポイント

ここまで見てきた逸話で、否定論者の説得には対話や敬意が非常に重要であることがわかった。だがそれ以外にも、知っておくと科学否定論者との対話に役立つ知識がいくつかある。ここでその例を三つ挙げておくことにしよう。

科学否定にはグラデーションがある

科学に否定的な態度をとる人がみな筋金入りの科学否定論者であれば、彼らを説得できるとは到底思えなくなるはずである。だが実際は、科学否定論者といっても知識や傾倒ぶりは人それぞれだ。したがって、すべてをひとくくりに見ないこと、たとえばワクチンであれば、それに疑問を呈する人がすべて反ワクチン派だと考えないことが、特に重要なアドバイスになるかもしれない（ついでに言えば、彼らの前で「反ワク」などの侮辱的な言葉は使うべきではない）。カナダのある研究では、筋金入りの反ワクチン派が人口に占める割合は一～三パーセントで、それ以外に「ワクチン慎重派」が約三〇パーセントいると見積もられている。説得しやすいのは明らかに後者の方だろう。[*55]

同じことは気候変動否定論者にも言える。「イエール・クライメト・コネクション」というサイトの記事では、否定論者を翻意させるための第一歩として、説得可能な人とそうでない人を区別することを勧めている。その記事にはまた、**説得可能性のスペクトル**なるものも掲載された。説得しやすいタイプから順に、「情報をもつがそれに無関心な人」、「情報をもたない人」、「誤った情報をもつ人」、「党の考えに従う人」、「イデオローグ」、「荒らし(トロール)」と並べたものだ。*56 シュミットとベッチュの研究で学んだように、説得のチャンスは、相手に早く接触するほど高まる可能性がある。それを考えれば、「情報をもつがそれに無関心な人」からはじめて、「党の考えに従う人」に向けて説得作業を進めていくべきだろうか？　エネルギーとリソースが無限ではない以上、もっとも効果が望める対象に集中するのは当然の話だからだ。

だが、思い出してほしい。私たちは、筋金入りの相手であっても翻意する可能性があることを見たばかりではなかったか？　読者のなかには、イデオローグや荒らしに手を差し伸べる価値はないと考えている人もいるかもしれない。しかし、彼らの並外れた影響力の大きさを考慮すれば、なんらかの対応をすることには、やはり確かな価値がある。

誤情報や偽情報はソーシャルメディアで増幅される

筋金入りの科学否定論者の数は非常に少ないが、その声は驚くほど大きい。かつて反ワクチン派だった人物はこう語っている。

ワクチンに反対する人は以前からいましたが、ソーシャルメディアのおかげで、その活動の輪に入るのがずっと簡単になりました。そして、いったん輪に加わると、その外の世界を眺めるのが難しくなります。ネットのアルゴリズムは、あなたが過去に検索したものを多く表示するようにできています。もし反ワクチン派の話を検索したのなら、それに関連した広告も出はじめるわけです。それを見て、「なんてことだ。こんなに多くの人に、こんなに多くのことが起きている」と思うかもしれません。でも一皮むいてみれば、実はごく一部の人が、人並みはずれて大きな声を上げているだけだとわかるでしょう。なにかを恐れているとき、人はそれを怒りに変え、暴言を吐くようになります。そして、一度その状態になってしまえば、そこにとどまるのは容易なことなのです。*57

科学否定の声は、実際以上に大きく聞こえるかもしれない。筋金入りのイデオローグが背後にいる場合は、特にそうだろう。スティーブン・ルワンドウスキーとジョン・クックは『陰謀論ハンドブック』のなかで、次のような鋭い指摘をしている。

> 陰謀論者はまた、その数の少なさにもかかわらず、圧倒的な影響力をもっている。レディット〔掲示板型サイト〕の陰謀論のカテゴリーに投稿された二〇〇万以上のコメントを分析したところ、陰謀論的な考えを示す投稿者は五パーセントにすぎないのに、コメント数は全体の六四パーセントを占めることがわかった。もっとも活発な投稿者が書き込んだ単語数は八九万六三三七語にの

ぼったが、これは『指輪物語』のおよそ二倍である。*[58]

こうした事実を踏まえれば、ときには熱心な科学否定論者と関わりをもつことも非常に有益と言えるかもしれない。偽情報の発信源を無力化できる可能性があるからだ。また、「偽情報のプールは浅い」ことも覚えておく必要がある。つまり、広がっているように見えて、心から信じている人は少ないということだ。そうした人と簡単なやりとりをして、まだ情報の大量拡散者（スーパースプレッダー）から得ていない情報を提供すれば、その人が懐疑論者から否定論者へと転じてしまうのを食い止められるかもしれない。

粘り強くフォローする

説得に成功したと思っても、すぐにおさらばというわけにはいかない。ここでもまた、政治的信念の変化に関する先行研究が役に立つ。ある研究からは次のようなことがわかっている。

ファクトチェックのあと、どちらの政党支持者にも信念に大きな変化が見られた。これは、保守もリベラルも、説得力のある公正な情報を提示されると考えを変える場合があることを示している。しかし、そこには落とし穴があった。一週間後に再度確認してみると、被験者は誤った言説を部分的に「信じ直して」いたうえに、事実に基づく情報が正しかったことを部分的に忘れてしまっていたのだ。……「一時的に信念を更新できたとしても、そのために利用した説明には、それが事実に関するものであれ誤情報に関するものであれ、有効期限があるようなのだ[59]」

ファクトチェックを通じた信念の更新は、たしかに前進と言えるだろう。だが、その状態を完全に定着させるには、情報不足を補うだけでは不十分だ。アイデンティティに変化をもたらすという難しい仕事が待っているのである。

すてきなヨットと意見の変化

その一方で、証拠だけに基づいて意見を変えられる人がいることもわかっている。二〇一六年、共和党のジェイムズ・ケイソンはフロリダ州コーラル・ゲイブルズの市長となり、就任のわずか三日後にそれまでの考えを一八〇度変えた。気候変動は真実だと認めたのである。「これまでも記事はあちこちで目にしてましたよ。でも、いま自分がトップを務めている地域にとって、それがどんな影響をもつかはわかってませんでした」とケイソンは語っている。「影響」とはおそらく次のことだろう。

コーラル・ゲイブルズは富裕層が暮らす街で、三〇二艇のヨットが登録され、その多くは所有者の邸宅に係留されている。問題は、その邸宅から外洋に出ようと思えば、ある橋の下を通過しなければならないことだ。だが、地球温暖化によって水位が上がると、通過に支障が出かねない。これについてケイソンは、「この街には五〇〇万ドルの邸宅とすてきなヨットがありますが、それが使えなくなれば、資産価値が下がっていくのをその目で目撃することになります。これが［海面上昇の］最初の指標となって、人々の目を覚まさせてくれるでしょう」と述べている。たしかにイデオロギーは無視できない。だが、ヨットに乗れなくなることはそれ以上の緊急事態だったようだ。[*60]

その後ケイソンは、大統領候補を決めるための共和党討論会の直前に、マイアミ市長のトマス・レガラドと連名でマイアミ・ヘラルド紙にある論評を寄稿した。そこにはこう書いてある。「私たちや南フロリダのほとんどの公人にとって、気候変動は所属政党によって意見が変わるような話ではない。即座に取り組まなければならない、差し迫った危機である」[*61]

このように自分の利益が絡んでくるとき、私たちは速やかに意見を変えることができる。実際、農家や漁業関係者は、気候変動の現実を徐々に受け入れているように見える。[*62] また、反ワクチン派でも、コロナウイルスの脅威が高まるにつれ、ワクチンに対する態度を軟化させる動きが見られる。周囲では誰もかかっていない麻疹（はしか）のような比較的まれな病気を念頭に反ワクチン派になるのと、命に関わるようなパンデミックに直面したときにワクチンに反対するのでは、おのずと意味が違ってくるはずだ。かつてワクチン反対派だったある人は次のように述べている。

「私は、ワクチンで防げる病気と同じ程度に、ワクチンそのものを恐れていました。……けれどコロナが登場してからは、ワクチンの助けがないと、その病気がどれほどひどい状況をもたらすかを目のあたりにしてしまったのです」[*63]

ここまで見てきたのがすべて逸話であることは認めよう。だが、その重要性に変わりはない。科学否定論者が実際にどう信念を変えたかという話は、その骨子がどれも非常によく似ているため、まったく根拠のないものと切り捨てることはできないだろう。私が読んだものはほぼ例外なく、「反ワクチン派や気候変動否定論者などのイデオローグが考えを変えたのは、信頼できる相手から対面で証拠を示されたからだ」という筋に沿っていた。このとおり、親切、共感、拝聴は役に立つのだ。これらは、アイデンティティの再構築を助けるアプローチであり、ひいては信念を変える後押しをする重要な要素である。また、そうした態度で科学否定論者の注意を引きつけることができれば、自前のデータで彼らの情報不足を補う時間も生まれるかもしれない。

科学に深い敬意を抱いている哲学者として、こうした推測を裏づける実証研究の例を挙げられないことには忸怩(じくじ)たる思いがある。だがその一方で、マイケル・シャーマーやスティーブン・ルワンドウスキーなど、この種の議論を研究してきた人たちが、ボゴジアンとリンゼイの助言を支持しているのも確かであり、私はその事実を心強く感じている。ボゴジアンらの助言とは次のようなものだった――誰かの意見を変えたければ、直接会って敬意をもって会話を交わすのが最善の方法だ、それがどんなトピックであれ。

では、トピックが科学否定だったらどうだろう? コルネリア・ベッチュと電話で話をしたところ、彼女は私と新たな実験をしてみることに乗り気のようだった。

第4章

気候変動を否定する人たち

気候変動の否定は、現代の科学否定のなかで**もっとも規模が大きく、かつ重要な事例**である。そう言えるのは、この否定論が（特にアメリカでは）非常に根強く、広範に受け入れられているだけでなく、このままなんの対策も講じなければ、将来支払うコストが天文学的なものになると予測されているからだ。

二〇一八年に発表されたＩＰＣＣ（気候変動に関する政府間パネル）の特別報告書は、衝撃的だった。世界の平均気温の上昇幅を二度より低く抑え続けるという「失敗が許されない」目標をこのままでは達成できないばかりか、二〇一七年の世界の二酸化炭素排出量も過去最高値を記録したというのだ。[*1] 二酸化炭素排出量は二〇一八年にはさらに上昇し、[*2] 二〇一九年の完全なデータはまだ発表されていないが、事前の分析によると、再び記録を更新すると予想されている[*3]〔実際に過去最高値を記録した〕。

国連事務総長のアントニオ・グテーレスは、二〇一八年にポーランドで開催された第二四回気候変動会議で、「われわれは気候変動の問題を深く憂慮している」と断言した。二〇一八年の二酸化炭素の排出量は、中国では約五パーセント増加し、インドの約六パーセントに続いた。また、世界第二位の排出国であるアメリカでも二・五パーセント増加したが、トランプ大統領による石炭優遇政策を考えれば、なんら驚くことではない。さらに気が重くなる話もある。科学者たちは今になって、パリ協定が定めた「二度目標」では十分ではないと考え、地球温暖化の悪影響を免れるには、気温上昇を一・五度未満に抑えるべきだと主張している。[*4]

これに加えて、現在の状況が続けば、二〇四〇年までに一・五度目標に到達してしまうという見通しもあり、これには誰もが背筋を凍らせることだろう（現時点ですでに三分の二の道のりまでやってきている。一八五〇年代の産業革命以降、世界の平均気温は一度上昇している）。[*5] 私たちが今なんの行動も起こさないと、今世紀の終わりには気温が三〜五度上昇しているという予測もある。[*6] そうなってしまえば被害は壊滅的で、気候変動による世界の経済的損害は五四兆ドルを超える見込みだ。[*7] 人的コスト、社会的コストにいたっては、さらに悲惨な状況になるだろう。猛暑、山火事の増加、洪水、ハリケーン、水不足、農作物の被害などの環境災害は、何百万もの熱関連死、気候難民の原因となり、過去に例のない規模の社会崩壊をもたらすと考えられている。[*8]

暗い見通しばかりだが、希望もわずかに残っている。二〇三〇年までに世界の二酸化炭素排出量を半減できれば、一・五度目標はまだ達成できるのだ。[*9] とはいえ、目標の達成に必要なエネルギー、交通などのシステムの抜本的改革については、ＩＰＣＣの報告書が端的に述べているように「歴史的に見て前例がない」のも事実だ。[*10] 技術は助けになるだろうか？　もちろん、答えはイエスだ。プリンストン大学の科学者ロバート・ソコロウとスティーブン・パカラは「すでに人類は、今後五〇年で炭素と気候の問題を解決するための科学的、技術的、工業的ノウハウの基礎をもっている」と指摘している。[*11]

では、経済的なインセンティブが変化をもたらす可能性は？　これも答えはイエスである。たとえば、炭素税の世界的な導入は、私たちの消費行動を変え、環境にとってよりよい選択をする契機となるかもしれない。とりわけ重要なのは、石炭の使用を中止することだ。[*12]　これは痛みをともなう変化だが、将来に先送りするよりは、コストが相対的に低い現在のうちに受け入れるインセンティブは十分にある。グテーレス国連事務総長は次のように述べている。

「われわれがどれほど切迫した状況にあるかは、どんなに言葉を重ねても言い足りない。……気候変動の破壊的な影響が世界中で大混乱を引き起こしているのを目のあたりにしてもなお、われわれは、気候システムの崩壊を防ぐための行動を十分に起こしておらず、対応も遅きに失している」[*13]

環境問題に目をつぶるリーダー

政治家が気候変動に目を向けないかぎり、いま見たような目標を実現するのはまず無理だろう。しかも私たちは、気候変動の存在を認めている政治家がリーダーの国でさえ目標を達成できていない世界に生きている。

二〇一八年、フランス大統領エマニュエル・マクロンは、ささやかな額の燃料税を導入し、大規模な暴動に直面することになった。マクロンはのちにそれを撤回し、「国民の結束を損なってまで導入すべき税はない」と述べるに至った。[*14]　マクロンは以前、「月曜日に環境対策に賛成し、火曜日に燃料の値上げに反対することはできない」と言っていたのだが、そこから目をそらすかたちになったわけだ。[15]

一方、アメリカの政治リーダーは目をそらすことができない。目をそらすもなにも、**気候変動の現実には当初からずっと目をつぶってきた**からだ。広く報道されているように、トランプ大統領は、それが可能になった最初の機会（二〇二〇年一一月）にアメリカをパリ協定から離脱させた。[16]

トランプは、気候変動の問題などなかったふりをするためなら、やれることをなんでもやった。石炭産業への補助金を復活させた。[17] オバマ時代の新車の排ガス基準を後退させた。[18] 二〇一八年に起きたカリフォルニア州の山火事に際しては、気候変動となんらかの関係があるという考えを否定し、消防士たちにもっと「森林の落ち葉を掃除するよう」提案した。[19]

二〇一八年一〇月のインタビューで、トランプはインタビュアーのレスリー・スタールから気候変動をまだインチキだと思っているのかという質問を受けた。

以下は、カメラの前で繰り広げられた耳を疑うやりとりである。

スタール　気候変動がデマだとまだお考えでしょうか？

トランプ　なにかが起きているのは確かだと思う。なにかが変化したり、元に戻ったり。デマだとは考えていないし、たぶん実際に影響があるんじゃないかな。でも、それが人為的なものかはわからない。あと、これは言っておくべきだろう。何十兆ドルも出したくはない。何百万もの雇用を失うのも反対。不利な立場に追いやられたくないのでね。

スタール　大統領にはぜひグリーンランドに足を運んでいただいて、巨大な氷塊が海に落ちて海面が上昇するのを目のあたりにしていただきたいわね。

トランプ　でも、それが人間のせいかどうかはわからない。あなただって知らないだろう？

スタール　そうかもしれないですが、政府には科学者が——

トランプ　いや、私たちの科学者は——

スタール　ＮＯＡＡ（米国海洋大気庁）やＮＡＳＡがありますよね？

トランプ　いや、私たちの科学者は人為的なものだと見ていないよ。

スタール　私、考えていたんですよ。もし大統領が「ハリケーンの状況を見て考えを変えたよ。地球温暖化は本当にあるんだ」って言ったらどうだろうって。それで思ったんです。「それはすごいインパクトになるでしょうね」って。

トランプ　私は否定はしていない。

スタール　そのインパクトはいかほどのものかと。

トランプ　温暖化は否定していない。でも、元に戻る可能性だって大いにあるだろう。なにしろ何百万年——

スタール　いえ、それじゃあ否定です。

トランプ　——何百万年単位の話なんだから。マイケル〔二〇一八年にアメリカ南東部を襲ったハリケーンの名前〕よりもずっとひどいハリケーンがあったと彼らは言っている。

スタール 誰が言ってるのですか？「彼ら」って誰のこと？

トランプ 世間だ。世間がそう言って――

スタール なるほど。では、地球温暖化がかつてないほど進んでいると言っている科学者については どう思います？

トランプ その科学者を連れてきてほしい。彼らはとても大きな政治的な意図があるのだから。そうだろ、レスリー。[*20]

アメリカには他にも、「地球寒冷化」という突拍子もない推測をしたり、気候科学者の「取り越し苦労」に否定的なコメントを出したりする政治家もいる。[*21] だが、アメリカ国民の苦難はそれだけにとどまらない。トランプ大統領は、公表義務のある気候変動に関する議会報告書をブラックフライデー〔最大規模のセールがおこなわれる日〕当日に発表して、できるだけ話題にのぼらないようにした。国民はその姑息さにも対峙しなければならないのだ。報告書には、「すぐになにかしらの手を打たなければ、アメリカは今世紀末までにGDPの一〇パーセントにのぼる経済打撃を受けるだろう」という政府の科学者の率直な結論がつづられていた。[*22]

フラットアーサーは無害だったが、**この種の科学否定は私たちを死に追いやるかもしれない。**[*23] だが幸いにも、気候変動を認めない人の数は年を追うごとに減っているようだ。モンマス大学が二〇一八年におこなった世論調査によると、アメリカ人の実に七八パーセントが気候変動を現実とみなし、「非常に深刻な問題」と捉えているという。ただし、そのうち共和党支持者が占める割合は二五パーセントにとどまっている。

一方で、気候変動の原因については意見が大きく分かれている。人間の活動にほぼ全責任があると考える科学者は九七パーセントにのぼるものの、一般市民を対象にしたモンマス大学の調査でそう答えたのは、全体の二九パーセントにすぎなかった。[*24] もちろん、気候変動を否定する人のすべてが科学否定論者というわけではない。なかには、企業のロビー活動や政治家の利己心によって生まれた偽情報キャンペーンのせいで、事実を知る機会がなかっただけの人もいることだろう。だからこそ、気候変動の重要性と影響を理解し、それを研究する科学者を信頼している私たちが、この話題について語り続けることがとても大切なのだ。

科学者と世間を分かつ溝

気候変動に対する世間一般の理解と現実に起きていることのあいだには、大きなギャップがある。トランプ時代の共和党と民主党のパワーバランスの不均衡、そして共和党内での気候変動否定論の根深い広がりを考えると、選挙で選ばれた代表者たちにとっても、このギャップの解消は困難を極めるだろう。[*25] 気候変動解決に向けて世界が協力するには、やはりアメリカのリーダーシップが必要だ。だが、その実現を望む意思が国民になければ、選挙で選ばれた政治家が独自に動く可能性などあるだろうか？

ここで大きな疑問が私たちの行く手に立ちふさがる――気候変動に対して科学が下した結論は明

白なのに、なぜこれほど多くの人がそれを否定しているのだろうか?
気候変動が真実であることを示す証拠は十二分にあるので、[26]あえてそれは示さない。第1章で地球が丸いことを読者に証明しなかったのと同じことだ。そのかわり、ここで検討すべきなのは、気候変動否定論者がすがる動機と戦略についてである。私は彼らを「懐疑論者」ではなく「否定論者」と呼んでいる。気候変動の証拠はあまりに明白であり、科学者のコンセンサスも盤石なので、それを認めないのはもはや懐疑論とは言えないからだ。
科学界がどれほど一致団結しているかは以下の研究からも明らかだろう。二〇〇四年、ナオミ・オレスケスは一九九三年から二〇〇三年のあいだに発表された「地球規模の気候変動」をテーマとする九二八本の論文を精査し、気候変動は真実だとする科学界の立場に否定的なものは一本もないことを確認した。[27]二〇一二年にはジェイムズ・L・パウエルによる追跡調査がおこなわれ、一九九一年から二〇一二年に発表された気候変動に関する一万三九五〇本の査読付き論文のうち、地球温暖化を否定しているのは、わずか二四本(〇・一七パーセント)であることがわかった。[28]その二年後の二〇一四年に、新たに発表された二二五八本の論文についても調査をしたが、科学的コンセンサスに異議を唱えていたのはわずか一本にすぎなかった。[29]
「科学者の九七パーセントは、気候変動が実際に起きていて、人間の活動がその主な原因になっていると考えている」という主張を近年よく耳にする。この主張の根拠の一つは、ピーター・ドランとマギー・ジマーマンによる二〇〇九年の研究である。彼らの調査では、気候科学の専門家のうち、九六・二パーセントが一八〇〇年以降地球の気温が上昇してきたと考え、九七・四パーセントが人間の活動は気温上昇に多大な影響を与えていると考えていることが明らかにされた。[*30]

この結果は、ジョン・クックらによる二〇一三年の論文でも裏づけられている。クックらは、一九九一年から二〇一一年のあいだに発表された気候変動に関する一万一九四四本の論文の要旨を調査し、そのうち九七・一パーセントが、気候変動には人為的原因が関与しているという科学的コンセンサスに同意していることを見いだした。[*31] さらに二〇一五年には、ラスマス・ベネスタッドらによる驚くべき追跡調査もおこなわれた。気候変動に異を唱える三パーセントの科学者の研究――過去一〇年間に査読付きジャーナルに掲載された三八本の論文――を精査したところ、そのすべてに方法論上の欠陥があることがわかったのだ[*32]！

要するに、**気候変動の真実性については、事実上、科学コミュニティに争いは生じていない**のである。反対意見がないわけではないが、その数は、証拠は山ほどあるが証明はできない類の学説に対する反対意見と同じだ。つまり、ごくわずかしかないのである。[*33] とはいえ、科学者が実際に信じていることと、世間が思う「科学者が信じていること」の齟齬（そご）は大きい。世間の人々は、気候変動が実際に起きているかどうかを知らないだけでなく、それが真実で、しかもその責任の大半は人間にあると科学者が「同意している」ことも知らないのだ。この状況は、企業と政治家の利益のために作られた偽情報キャンペーンのたまものであり、こうして世間は間違った方向へと誘導されることになった。

ベネスタッドの論文の共著者、ダナ・ヌチテリは次のように書いている。

最新のＩＰＣＣ報告書について質問を受けた共和党議員たちは、「気候科学者は地球温暖化の原因が人間か否かについてまだ議論を続けている」という誤ったメッセージを一貫して発してきた。しかし、前回のＩＰＣＣ報告書は、一九五〇年以降の温暖化はすべて人間の活動に起因するとして、それが間違いであることを誰の目にも明らかにした。ＮＡＳＡの大気科学者ケイト・マーヴェルはこう述べた。「温室効果ガスが気候変動の原因だというのは、喫煙が肺がんの原因だというよりも確かなことです」[*34]

「にもかかわらず」とヌチテリは続けている。「イエール大学とジョージ・メイソン大学がおこなった調査によると、気候の専門家の九〇パーセント以上が意見の一致を見ているのを知っているのは、アメリカ人のおよそ一五パーセントにすぎない」

地球気候科学コミュニケーション計画

なぜこんなことになってしまったのだろうか？　そもそもの理由は、政治的なものよりもまず経済的なものだった。具体的には企業の利益と関連があるのだが、その構図には一九五〇年代にタバコ会社が起こした事件と似たところがある。覚えているだろうか？　大手タバコ会社の役員が会議を開き、喫煙と肺がんの関連性を解明しようとする科学界に反撃する計画を立てた話である。

その四〇年後、今度は米国石油協会（エクソンモービル、ＢＰ、シェブロン、シェル石油が加盟）が非常によく似た会議を開き、気候変動への対策を求める科学界と戦うために「地球気候科学コミュニケーション計画」なるものを策定した。一九九八年のことだ。彼らにぼんやりしている暇はなかった。その前年には京都議定書が採択され、多くの国が温室効果ガス排出量の削減を宣言していたからだ。このようにして、数十年前にタバコ会社が使ったのと同じ青写真に従って、気候変動の科学に混乱をもたらす戦略が誕生した。

タバコ会社の重役が書いた「疑念はわれわれの商品だ」という悪名高きメモを思い出してほしい。米国石油協会も行動計画のメモを残していたが、すぐにリークされたため、表面化するまで何十年も待つことはなかった。[*35] それは次のようなものだ。

「一般市民が気候科学の不確実性を『理解』(認識)したときに勝利は訪れる」、「現行の科学に基づいて京都議定書を推進する人は、現実から乖離しているように見える」[*36]

だが、これはたいした問題にはならなかった。石油会社が気候変動に反対するのはわかりきっていたことで、リークされたメモの文言にも昔ほどのインパクトはなかったからだ。その数年後には、エクソンモービルが一九七七年の時点で気候変動の実態を知っていたことがわかった。[*37] エクソンモービルは、気候変動を否定する運動を後押しする一方で、北極の氷が溶けた場合に備えてその地で油田を調査する計画を立てていたのだ。[*38] これを二枚舌と呼ばずして、なんと呼ぶべきだろうか?

覚えている人は少ないかもしれないが、最初からこんな状態だったわけではない。気候変動が一般市民の耳目を集めはじめた一九八〇年代後半、ジョージ・H・W・ブッシュ大統領は、「温室(グリーンハウス)効果」には「ホワイトハウス効果」で立ち向かうと宣言した。その一つの成果がIPCCの設立で、気候変動に対する世間の関心を高めるのに大きく貢献することになったのだった。[39] 二〇〇八年の終わり頃になっても、少なくとも表面上は、超党派で問題解決にあたろうという態度が見られた――テレビの公共広告で、共和党のニュート・ギングリッチと民主党のナンシー・ペロシがソファに腰かけ、気候変動に協力して対処していくと約束していたのである。[40]

ご存じのとおり、たしかにその頃にはすでにアル・ゴアが講演活動で再びスポットライトを浴びており、その成果は書籍と映画というかたちで結実していた（どちらも二〇〇六年の『不都合な真実』）。気候変動の問題は、今日の熱狂的な政党間闘争の次元には至ってなかったものの、すでに政治化されつつあった。それというのも、政治家はまず第一に、企業――気候変動の「論争」がどちらに傾くかに関心をもっている企業――の利益に黙って従う必要があるからだ。[41]

石油メジャーは「疑念」を買う

ジェイン・メイヤーは二〇一六年の著書『ダーク・マネー』で、気候変動否定論は、コーク兄弟〔コーク・インダストリーズのオーナー〕やエクソンモービルなど、化石燃料に投資している個人や企業によって広められたと主張している。[42] 実際、コーク兄弟が拠出した金額は圧倒的だ。「二〇〇五年から二〇〇八年にかけて、コーク家という一つの出どころから、気候改善を目指す人たちと戦う数十の組織に約二五〇〇万ドルがつぎ込まれた」という。[43] 二五〇〇万ドルという額はエクソンモービルの拠出金のおよそ三倍にものぼる。メイヤーは別のところで次のように書いている。

「コーク兄弟がアメリカにおける気候変動懐疑論のメインスポンサーであることを疑うのであれば、『コークランド』〔クリストファー・レオナードが二〇一九年に出版した書籍〕がその疑念を解消してくれるはずだ」[44]またそれ以外にも、「気候変動危機を拡大したという点で、デイヴィッド・コーク〔コーク兄弟の弟〕以上に責任を問われるべき者はほどんどいない」という意見もある。[45]

当然のことながら、化石燃料企業からも資金は投入されている。二〇一九年、フォーブス誌の記事は以下のことを明らかにした。

石油メジャー五社は、気候変動に関する拘束力をもつ政策をコントロール、遅延、阻止するためのロビー活動に、毎年およそ二億ドルを費やす。……ロビー活動への年間支出額は、BPが五三〇〇万ドルでもっとも多く、次いでシェルの四九〇〇万ドル、エクソンモービルの四一〇〇万ドルが続く。シェブロンとトタルは年間二九〇〇万ドル前後を費やしている。[46]

スミソニアン誌によると、全体では「年間一〇億ドル近くが、気候変動に対する組織的な反対運動に流れ込んでいる」という。[47]

こうしたお金でなにを買っているのだろうか？　シンクタンク。[48]会議。[49]ロビイスト。産業界に協力的な科学者の手による調査。メディア報道。つまり一言で言えば、気候変動に対する「疑念」を買っているのだ。メイヤーは『ダーク・マネー』のなかで、ハーバード大学の政治学者シーダ・スコチポルが、気候変動を取り巻く争いの様相が変わったのは二〇〇七年だったと指摘したことを紹介している。これは『不都合な真実』が公開、出版されて、アル・ゴアがノーベル平和賞を受賞した直後のことであり、世論調査でも気候変動に対する関心が高まりを見せてきた時期だ。

この頃から、気候変動の否定を掲げる勢力による反撃が活発になった。ラジオ、テレビ、書籍、議会での証言などを通じて、懐疑をあおる広報活動がいっせいに繰り広げられたのだ。スコチポルは、こうした動きを通じて、気候変動の否定意見がアメリカ国民の三〇～四〇パーセントに広まったと推定している。[*50] そして、誰もが予想していたとおりの状況が生まれた。「いつの間にか、世論調査では、筋金入りのリベラルを除くすべての人々のあいだで、気候変動への関心が低下していた」[*51]

一般市民ばかりでなく、政治家への影響もまた誰もが予想したとおりになった。化石燃料企業からの長年にわたる数百万ドル規模の政治献金は言うに及ばず、世論の変化も後押ししたことで、「共和党、特に連邦議会議員は、気候変動の問題に対して急速に保守化した。また、国民間での支持政党による意見の違いはまだ小さいままだったが、選挙で選ばれた議員のあいだの溝は大きくなった」[*52]。

クリストファー・レナードは、著書『コークランド』に関するインタビューでこう語っている。

コークのネットワークは、気候変動が現実の問題だと認めていた共和党内の穏健派を一掃するのに、これ以上ない重要な役割を果たしました。それによって政治家の言説は一変してしまい、今では、当選する見込みのある共和党議員で、再選のために十分な資金を集めたいと思っている者は、科学の基礎的な事実すら認められなくなりました。[*53]

科学的論争から政治的論争へ

こうした否定と偽情報の遺産は、今日でもいたるところに見つかる。そんな状況にあっても、気候変動が真実だという世間の声は再び高まっているが、政治家は態度を変えていない。[*54] 気候変動の存在自体に疑問を投げかける者はさすがに少なくなったものの、そのかわりに「私たちは気候変動に対してできる（すべき）ことを十分に理解しているのか」という立場をとるようになったのだ。[*55] この立場は、これまで以上に政党間対立の色合いの濃いものである。

ピュー研究所の最新の世論調査（ピュー調査）からは、気候変動に対してなんらかの行動を起こすことが大統領と議会にとって最優先事項であるべきと答えたアメリカ人が、初めて過半数を超えたこと（五二パーセント）が明らかになった。だが、その内訳は支持政党によって大きく異なる。気候変動に対して政治がより多くの対策を示すべきとする民主党支持者は、過去四年間で四六パーセントから七八パーセントに増加したが、共和党支持者では一九パーセントから二一パーセントとほとんど変わっていない。[*56] この数字からは、気候変動に対する態度が知識ではなくアイデンティティの問題になった印象を受ける。[*57] フラットアースがそうだったように、もはやそれは証拠の問題ですらなく、自分がどこの陣営に属しているかという問題と化してしまったのだ。

しかし、本当にこんなふうに言い切ってしまっていいのだろうか？　気候変動を科学の問題として議論する立場は本当になくなってしまったのか？　古きよき健全な懐疑論はどこでなにをしているのか？　気候変動の証拠は、地球が丸いことを示す証拠と同じくらい明白なものなのか？　もしそうなら、なぜ気候変動を「証明」しないのか？

どうやら私たちは、見慣れた場所にいま一度戻ってきてしまったようだ。この台本は以前にも見たことがあるだろう。もうご存じのとおり、科学の営みには反論の余地が常にある。新しい仮説が真実になる可能性は常に存在するが、だからといって、その可能性によって既存の仮説の「保証（ワラント）」が損なわれるわけではない。人間が気候変動の原因であることを示す証拠は膨大にある。気候変動の証拠の信頼度が九九・九九九九パーセントに達したという、ロイターの発表を覚えているだろうか？[*58]　圧倒的な証拠を前にしながら、**それ以外の仮説にも真実の可能性があるからという理由で、その証拠を信じないのは合理的ではない。**南極には縞模様のユニコーンが暮らしているのか？　そんなわけがないとどうして言えるのか？　だがこれではフラットアースの再来だ。これほど多くの科学的証拠、コンセンサスを拒否するのは懐疑論ではない。それはもう科学否定なのだ。

それにもかかわらず、私たちは現状を黙認してしまっている。化石燃料の受益者や保守派の政治家が、気候変動に関する科学的推論に重大な瑕疵を見つけたかのようにふるまい、そうして生まれた疑念を利用している現状を無視しているのだ。だが、いつまでもこんなことをしているわけにはいかない。気候変動否定論者を解毒するには、彼らの経済的、イデオロギー的腐敗の全容を明らかにすること、進化論、ワクチン、地球の形状など、他の科学否定論で使用された戦略との類似性を指摘することが重要だ。

ここで興味深い疑問が湧いてくる。気候変動の否定に、喫煙と肺がんの関係を否定するキャンペーンと多くの類似点があることはわかった。では、フラットアースとはどうだろう。なにか共通点はあるのだろうか？

フラットアースから利益を得ている人がいるのか、私には見当もつかない。たしかに抜け目のない人のなかには、Tシャツや帽子や書籍を売ったりサイトを運営するなどして、一ドルや二ドル、あるいは生活費くらいは稼いだ者もいるだろう。だが、フラットアースはそんなしみったれた目的のために作られたのか？　私にはそうは思えない。

科学否定にもさまざまなケースがある。つまり、フラットアースのようになにもないところから生まれたように見える場合もあれば、明らかに自己利益のために生みだされた場合もあるわけだ。気候変動否定がなにから生まれたかについては疑問の余地はほとんどない。オレスケスやコンウェイをはじめとした研究者によって、気候変動否定論の起源がどれほど腐敗し、姑息なものだったかが明らかにされ、そこから利益を得る人々が長年にわたりいかに支配してきたかが白日の下にさらされている。もちろん、気候変動を本心から疑っている人がいることは確かだ。ただし、そうした人は運動の手駒にすぎない。だがこのことは、否定論を作りだした側が本当は気候変動を信じていることを意味するのだろうか？

クリストファー・レナードは『コークランド』に関するインタビューのなかで、気候変動の否定派に資金を提供し、誤情報を広めているあいだ、コーク兄弟は自分たちのしていることが真実に基づいていると本当に信じていたのか、という疑問を考察している。

月並な結論に聞こえるかもしれませんが、これが正直なところなのです。……外部のジャーナリストとして、ここであなたが満足するような答えは提示できません。彼らは気候変動が嘘や誇張だと本気で信じているのか？　市場原理が手を差し伸べて、この問題を解決すると本気で信じているのか？　チャールズ・コーク〔コーク兄弟の兄〕とは、取材で直接話すことも、私の質問に答えてもらうこともありませんでした。会社に守られていたからです。けれど、わかったこともあります。コーク・インダストリーに何十年も勤めているような管理職を取材したのですが、彼らは本心から気候変動はデマだと信じていました。こういうわけですから、石油産業に身を置くことで信念体系がどれほど強化されるのか、科学的証拠を意図的に避けている部分がどれくらいあるのか、私にはわかりません。皆目わからないのです。[*59]

気候変動の五つの類型

このレナードの話は、気候変動否定論がフラットアースと同じ台本を使っていないことを示唆しているのだろうか？　台本は、否定論が意図的に作られたか否かで異なるのだろうか？　あるいは、他人を惑わそうとしているか自分が本当に信じているかで異なるのだろうか？

そんなわけはない。**フラットアースがそうだったように、気候変動否定論もまた五つの類型という台本に従っている。**科学否定の五つの類型は、フラットアースを信じ込ませるために意図して作られたものではないが、それでもフラットアーサーの推論の土台になっていることは間違いない。一方、気候変動否定論は企業的、イデオロギー的利益を求める人たちによって底意をもって作り上げられたものだが、それもまた同じ台本に従っている。これは一九五〇年代のタバコ会社の戦略から残ったスキームであって、好都合なことに、ほぼすべての科学否定論に合致する。気候変動否定論も例外ではなく、この典型的なパターンに従うことにはなんの驚きもない。

以下、具体的に見ていこう。

証拠のチェリーピッキング

気候変動否定論にも明らかに使用されている。すでに見たとおり、テッド・クルーズらはわざわざ一九九八年を基準年に選び、そこから一七年間気温は上昇していないと主張した（一九九八年はエルニーニョの影響で例外的に気温が高かった）。忘れてはいけないのは、誤りを指摘されたあとも、彼らがこの主張を続けたことである。[*60]

陰謀論への傾倒

もちろん含まれている。たとえばトランプ大統領は、気候変動はアメリカの製造業に打撃を与えるために中国が仕組んだデマであり、科学者は政治的に偏向しているといった主張を数年にわたり繰り返した。[*61] また二〇〇九年のクライメトゲート事件では、否定論者たちが、イースト・アングリア大学の科学者がやりとりをしていたメールを切りとって公開し、気候科学者による国際的な陰謀があったことを示そうとした。[*62]

偽物の専門家への依存

先の二つの類型よりやや微妙な問題ではある。気候変動の懐疑論者が引用する研究には、実際の科学者によるものもあるが、気候変動と対立する既存の見解がチェリーピッキングされてきた。また否定論者は、気候科学に関して信頼できる経歴をもたない人物に頼らざるをえない場合もあるし、気候変動は事実で人間が原因であるという科学的コンセンサスには同意するが、言われているほど大きな問題ではないと主張する人物を持ちだす場合もある。彼らが参照する科学者たちは、気候変動を否定する集会に呼ばれ、ロックスターのような扱いを受けることもある。この種の集会は毎年どこかで開催されているようだ（二〇二一年は四月にラスベガスで開催）。[*63]

非論理的な推論

この類型の事例はいくらでも挙げられるし、本書でもすでに一つ触れている。第2章で見た「藁人形論法」がそれだ。たとえば、この論法を使えば、温室効果ガスが増加した原因は人間の活動だけではないと主張できる。だが、たしかにそうであっても、それでもやはり温室効果ガスの主な原因が人間活動であることには変わりない。[*64]

科学への現実離れした期待

これについては、つい先ほど見たとおりだ。否定論者は、地球の気候変動の予測はただのモデルであり、誤りや不確実性があるのだから、もっと証拠が集まるのを待つべきだと絶えず主張してきた。言うまでもなくこれは馬鹿げた基準であり、しかも彼らはそれを承知のうえで持ちだしている。これは否定主義の基本だ。否定論者は、どんなに些細な疑いでも不信の正当な理由として利用する。*65 そして、対策の遅れを活用して、自分の利益を得るのである。

モルディブ――気候変動のグラウンドゼロ

二〇一九年三月、妻のジョセフィンと私は、アメリカから見て地球の裏側にある小さな島国モルディブを旅した。モルディブは、スリランカから約六〇〇マイル〔約九五〇キロメートル〕、インド洋のただなかにぽつんと浮かぶ、世界でもっとも海抜が低く平坦な国である。海抜の平均は四フィート〔約一・二メートル〕。一番高い場所でも八フィートしかなく、これは国内のもっとも高い地点としては、世界でもっとも低い数値となっている。一二〇〇の島々からなり、五〇万人が暮らすモルディブは、気候変動の影響を世界一受けやすい国と言えるだろう。そうした環境によって、この国は気候変動の脅威を世界に知らせる重要な役割を担うことになった。

モルディブにとってのリスクは、なんと言っても洪水による水没だ。現在と同様の気温上昇傾向が続けば、二〇五〇年までにモルディブの国土は文字どおり消滅し、住むところを失った住民は別の土地を見つけるほかなくなる。マーシャル諸島共和国の外務大臣だったトニー・デブラムはこう言っている。「気温上昇が二度を超えることは、私たちの国にとって死の宣告と同じだ」[*66]

島が水没してしまう前であっても、人が住めなくなることはありうる。モルディブにおける真水の供給源は雨水であり、その雨水は地下の帯水層に蓄えられる。だが、気候変動によって海から嵐が押し寄せるようになれば、そこに塩分が混入する。その濃度が増せば、最終的には降雨によってもそれを除去できなくなるだろう。そのときモルディブの人々は決断を迫られることになる。

モルディブはこのように危機的な状況にあるが、そんな彼らが最初に試みたのは、自分たちの窮状を独創的なかたちでアピールすることだった。たとえば、四代目大統領であり、民主的に選ばれた最初の大統領でもあるモハメド・ナシードは、世界初の海中閣議を開き、世界中の注目を集めた。ナシード大統領はまた『南の島の大統領』というドキュメンタリー映画に主演し、パリの気候会議で二度目標の合意を目指し奮闘する姿を広く知らしめた。さらには、モルディブをカーボンニュートラルにすることを公約し、より裕福な（そして地球をより汚染している）国々に規範を示した。ナシードは二〇一二年にクーデターで失脚してしまったが、彼の温暖化対策の一つである未来のための貯蓄計画は現在も継続している。いざというときに他の国々が十分に手を差し伸べてくれるとは限らないと考えたモルディブ政府は、国民全員が国を離れなければならない日に備えて、年間二〇億ドルにのぼる観光収入のうち、かなりの金額を政府系ファンドに積み立てている。それを資金として、世界のどこかに新しい居住区を用意するというわけだ。[*67]

一二〇〇の島と一つの人工島

私たち二人はボストンを夜の一一時に出発し、まずはドバイに向かった。ドバイに行ったのは乗り継ぎのためで、そこで七時間待機してからモルディブの首都マレ行きの飛行機に乗り換えた。

マレは人口密度の高さでは世界有数の都市である。わずか二平方マイル〔約五・二平方キロメートル〕程度の土地に、二五万近くの人々がひしめいている。機内からは、これまで見たこともないほど青い海と、その青に包まれたマレ島全体が見渡せた。ずんぐりとした島には建物が所狭しと密集している。モルディブに滞在しているあいだ、私たちは空から島々を何度も眺めたが、他の島の密度はこれとは正反対と言ってよかった。

首都のマレにはモルディブの人口の約四〇パーセントが集中しているが、それ以外は二〇〇の有人島に散らばって暮らしている。一二〇〇あるモルディブの島々すべてを線で囲ってみれば、その面積は三万五〇〇〇平方マイル〔約九万平方キロメートル〕以上になるが、そのうち陸地は一一五平方マイル〔約三〇〇平方キロメートル〕ほどしかない。モルディブはまさしく島国であり、したがって実用的な移動手段はやはり船と飛行機ということになる。

有人島は、それ自体がそれぞれ一つの世界のようなものだ。とはいえ、イスラム教国家という性格上、服装、アルコール、公の場での愛情表現などに関する厳しい規律は共通している。モルディブには、二〇〇の有人島に加えて一三二の「観光島」がある（モルディブ人は居住していないので無人島に数えられる）。観光島は観光業者によって運営されているため規律がいささか緩い――ビキニを着ても、豚肉を食べても、公然と酒も飲んでもいいのだ。もちろん、各島には役人も派遣されていて、法律がきちんと守られるよう監視の目を光らせている。[68] 観光島の存在は、地元の人と観光客を隔離する力として働く。モルディブ人が暮らす島にはホテルがほとんどなく、観光島にはモルディブ人が（ホテルのスタッフ以外は）ほとんどいないからだ。一般的に、一つの大型ホテルが一つの島全体を所有している。

マレ国際空港に降り立つと、興味深い光景が見られる。それはマレ島のすぐ隣にある双子の島、**フルマーレ島**だ。フルマーレ（あるいは「ニュー・マーレ」）は、マレの人口過密と地球温暖化の脅威に対処するために海を埋め立てて作った人工島である。自分がマレに暮らしていると想像してほしい。当然ながら、いつの日か大波や洪水が襲ってきて、世界でも指折りのこの過密都市をさらっていくことを考えないわけにはいかないだろう。[69] そのときにどこに行けばいいのか？

フルマーレはいまだ建設中ではあるが、すでに人が暮らしており、経済も発展してきている。だが、第一の目的はあくまでも、マレが危険にさらされたときの「緊急避難場所」になることだ。実際、マレの海抜が平均三フィートなのに対し、フルマーレは六・五フィートになるように設計されている。温暖化の影響が懸念されるなか、アメリカの都市、たとえばニューヨークの隣に、まったく新しくて海抜の高い島――ニュー・マンハッタン島――が建設されるのを思い浮かべてみれば、少しはイメージが湧くだろうか。

フルマーレにはクレーンが林立していて、建設が急ピッチで進んでいるのがうかがえた。水際には巨大な砂の山がいくつも並び、ボストンのバックベイ（私の家の近所）など、埋立地の在りし日の姿を彷彿とさせた。だが、この人工島もいつまで持ちこたえられるだろうか？　フルマーレは当座の解決策であり、将来訪れる温暖化の影響によって、海抜の低い島を離れなければならない人の一時的な避難所として作られている。要するに一種の保険だが、これだけで十分だろうか？　観光客が落としていったお金が政府系ファンドに大量につぎ込まれている現状を考えれば、おそらく十分ではないのだろう。

このフルマーレ島でさえも海に呑み込まれる日がやってくるかもしれない。そうなれば、モルディブを再建する土地を売ってくれる国を見つけられないかぎり、モルディブ人は気候難民として、スリランカ、インド、オーストラリア、中国、アメリカなどへ避難するほかない。

ハダハア島へ

妻と私は小型のプロペラ機に乗って、クードゥー島へと向かっていた。この旅の三度目のフライトだ。上空からはあちこちに島が見え、それが連なって環礁（かんしょう）を形成していた。環礁は、互いに何マイルも離れた場所にいくつも見つかった。とびきり青い海の上に大きな白い雲が浮かんでいる。

クードゥーに着いて、今度はハダハア島行きのボートをしばし待つ。そこが私たちの目的地だ。ようやくハダハアに到着したのはボストンを出発してから三六時間後で、私は寝不足だった。だが、それにもかかわらず、これまで経験してきたどんな旅よりも期待に胸がふくらんでいた。長年旅をしていると、世界のどこに行ってもみな似たりよったりに感じられるものだ。しかし、モルディブは違った。

ハダハア島の船着き場にボートを停めてからというもの、私たち夫婦はずっとニコニコしどおしだった。ハダハアには道路がなかった。とても小さな島で、二〇分もあれば一周できてしまう。同じ環礁内にある島々がいくつか水平線の遠くに見えはするが、近くに視界を遮るものはなにもない。ここはモルディブのほぼ最南端で、赤道までの距離も三四マイル〔約五五キロメートル〕あまりだ。この旅では、できるだけ中心地から離れた場所に行こうと決めていた。というのも、**気候変動の影響をもっとも強く受けるのは、もっとも外縁にある島々だからだ。**また、ハダハアに海洋生物学者が常駐していたのも決め手になった。彼の助けを借りて、気候変動が現地に与える影響を学びたいと考えていたのである。

さて、ここで正直に告白しておこう——ご想像のとおり、ハダハアはすばらしいリゾートである。ここもまた、モルディブに数多くある、ホテルが所有、運営する島の一つであり、宿泊客は一流のサービスを楽しみ、見たことのないような美しい景色を存分に目にすることができる。もちろん私たち夫婦は、他の宿泊客と同じように、最終的に政府系ファンドにまわされることになる目玉の飛び出るような額の税金を支払ったし、帰国後はカーボンクレジットを購入してこの旅で排出した温室効果ガスの埋め合わせもした。これらの費用は、すべて環境を改善するために使われるものだ。

さらに言えば、私がはるばるモルディブまでやってきた理由は仕事である。私は気候変動の物理的な影響だけでなく、文化的な影響も知りたかった。そのためには現地を訪れる必要があったのだ。

この旅では、海洋生物学者と行動をともにし、モルディブ人のホテルスタッフや漁師と会話を交わし、死んだサンゴを見るためにインド洋の真ん中までシュノーケリングに出かけた。だが、そんなことをするまでもなく、気候変動の影響は身近に見てとれた。ハダハアのビーチは浸食によって日々削られており、ホテルはそれを食い止めようと孤軍奮闘していた。ホテルの客室のクローゼットには救命胴衣が用意され、ビーチの砂のすぐ下には土嚢が大量に埋められていた。また、特別に手配された「バック・オブ・ハウス・ツアー」では、ホテルのスタッフの生活環境を垣間見ることもできた。

ハダハア島では、一〇〇人の観光客を二〇〇人のスタッフが迎え入れる。スタッフは島の中心部にある三人一部屋の寮で生活しており、部屋代と食費は無料、健康管理もなされ、三〇日の長期休暇もとれる。チップはみんなで分けるそうだ。ほとんどは若者で、一～二年働き、なかには故郷に仕送りをしている者もいる。法律が定めるところにより、スタッフの半分はモルディブ人、あとの半分は近隣諸国からやってきた人たちだ。モルディブは近隣の国々に比べると収入が高い方だが、それでも貧富の差が大きいことはすぐにピンときた。そのなかでも、ホテルスタッフは憧れの職業なのだという。

気になったことは他にもある。世界でもっとも気候変動の脅威にさらされているこの国では、観光客のためにエアコン設備などの資源を贅沢に使わざるをえず、これは間違いなく気候変動にネガティブな影響を与えている。厄介な現実だ。とはいえ、これがモルディブの現実であることは動かしようがない。この国には観光業と漁業という二つの産業しかない。そして税収の九〇パーセントは観光業に由来している。それがなければ、気候変動を生き延びる対策を考える余裕もなかったはずだ。

観光客が資源を消費して生みだす影響から自分の身を守るために、それと同じ資源を使って収入を確保しなければならないのは、たしかに皮肉なことだ。だが、それはモルディブの人たちの責任なのだろうか？　そんなはずはない。過去数百年にわたって炭素資源を利用して富を築いてきたのは巨大な産業国だというのに、モルディブをはじめとする発展途上国に特別な重荷を背負わせ、気候変動を解決して世界を救えなどと、どうしたら言えるだろうか？　しかも、モルディブはただ指をくわえて先行きを見守っているだけではない。先述したカーボンニュートラルという目標を掲げ、ハダハアでもゴミの削減に絶えず取り組んでいる。太陽光発電や水のリサイクルを進めている様子も目にした。

モルディブで豪華なリゾートを楽しんでいる自分に、いくばくかの罪悪感を抱いてしまうのは自然なことだ。私の場合は気候変動について学ぶことが旅の一つの目的だったのだから、その思いも人一倍大きかった。だが、私はすでにここに来てしまっている。私は覚悟を決めてビーチを満喫し、気前よくチップを渡し、これからの仕事に備えることにした。

突きつけられる二つの脅威

海洋生物学者のアレックス・ミードには、シュノーケリング用具をそろえるために出向いたダイビングショップで最初に顔を合わせた。アレックスは、経験豊かなダイビングインストラクターであり、かつイギリスのプリマス大学で教育を受けた科学者でもある。私が驚いたのは、彼が映画『クレイジー・リッチ！』の主演俳優ヘンリー・ゴールディングに瓜二つだったことだ。背が高くてスポーツマン、しかも話すのはイギリス英語。アレックスが自身の経歴を語ったのも、その上品な英語を通じてのことである。

私が最初に取りかかった仕事は、サンゴ礁が島の形成に果たす役割について短い説明をアレックスから聞くことだった。説明によると、モルディブはもともと火山だったが、それが徐々に沈んでいき、まず堡礁（ほしょう）〔陸地とのあいだに水域をもつサンゴ礁〕が形成されたという。やがて火山が完全に沈むと、その周囲にサンゴ礁だけが円状に残り、それが環礁となった。この環礁は、サンゴ（植物ではなく動物である）が積み重なってできたものだ。環礁には、魚の排泄物や魚がかみ砕いた古いサンゴ礁からできた砂がゆっくりと堆積し、その付近にあるものを保護する働きをする。その結果、動植物が成長する環境が生まれ、いつしか島ができあがるわけだ。島ができるまでにはおよそ一万年という長い年月が必要だったと考えられているが、温暖化が続けば、その島もわずか五〇年（あるいはそれより短い期間）で消滅してしまうかもしれない。

気候変動がモルディブに突きつける重大な脅威は二つある[*70]。一つは、**海水温の上昇が原因でサンゴ礁が消滅**してしまうことだ。水温上昇によってサンゴが死に追いやられると（サンゴは死ぬと白化する）、島を保護するものがなくなり砂浜が浸食される。その状態が続けば、やがて島自体が消失してしまうだろう。

もう一つの脅威は、**海面の上昇によって起こるオーバーウォッシュ**、つまり島が海水にさらされてしまうことだ。その極端なケースが津波や洪水であり、地球の気温が上がるほどその発生頻度も高まることになる。嵐が多くなれば、オーバーウォッシュが起きる可能性も高まる。海抜が低い土地に波が流れ込み、すべてを洗い流してしまうのだ。このように島の浸食は、洪水ばかりでなく、嵐の発生によっても進行する。それが頻繁に起こってしまえば、島に住むことはかなわなくなる。*71

考えている暇はない!

さて、いよいよボートに乗って、こうした状況を直接確かめるときがやってきた。

ボートで待っていたのは、三人のモルディブ人の若い漁師だった。みな裸足で、痩せており、英語は一言も話せないという。年齢は一〇代後半といったところ。私たち夫婦は、これから彼らが操縦するボートに乗って、アレックスが案内してくれるツアーに参加することになっていた。

最初の目的地はニランドゥ島である。一〇〇〇人ほどのモルディブ人が暮らしているその島は、リゾート用の島とは驚くほど様子がちがっていた。景色は相変わらず見事だったが、島の人たちの暮らしは見るからに貧しそうだった。うち捨てられた建物には落書きが目立ち、未舗装の一本道が島の端から端をつないでいた。真昼にその道の真ん中に立ち、左右に向き直りながら島を囲む海を眺めていると、気候変動がこの島にとってなぜそれほど脅威なのかがすぐに理解できた。「高波がきたら一巻の終わりです。島全体があっという間に呑み込まれるでしょう」とアレックスは言った。

バイクが数台通り過ぎたのを除けば、交通量はゼロだった。自動車は一台も見なかった。観光客向けの島ではないため、男性は上半身裸で、女性は黒いローブとヒジャブを身に着けていた。地元の診療所を覗いてみると、部屋はきれいに掃除されていたが、点滴ボトルは一時代前のガラス製である。なかには入らなかった。島にいるあいだじゅう、私たちには地元住民の視線が絶えず注がれていた。さほど目立つような格好はしていなかったはずだが、ニランドゥ島では外部の人間自体が珍しいのだろう。バイクに乗った男性は、私たちが船着き場からボートを出す様子を最後まで飽きずに眺めていた。

次にボートが向かったのはドラガラ・ティラ沖で、私たちはそこでシュノーケリングをする予定になっていた。これは私にとって、この旅のハイライトと言える（そしてもっとも恐れていた）イベントだった。目的は死んだサンゴを見ることで、そのためにアレックスがさがしてくれた場所である。サンゴの話を聞いた当初は、海の真ん中でサンゴを見るということが、いまいちよく飲み込めなかった。サンゴというのは普通、沿岸にあるものだと思っていたからだ。だが、よくわからないながらも、海の深さは場所によって異なるのだろう、だからこそインド洋のただなかにも島があるわけだし、などと思い直し、いざシュノーケリングを楽しむことにした。

ボートを操縦していた若者は、できるだけ早く外洋に出ようというのか、楽しそうにスピードを上げ、やがて唐突に停止した。周囲には島影一つ見えない。陸地からはずいぶん離れてしまったようで、見渡すかぎり青い海だった。「さあ、着きましたよ」とアレックスが言った。

最初に海に入ったのはアレックスで、そのあとに妻が続いた。次はもちろん私の番なのだが、実は私は泳ぎが苦手で、泳ぎを習ったのも三〇代前半である。当時、私は父親になったばかりだった。もし幼い娘が水に落ちるようなことがあれば、それを助けるのはどう考えても自分であると気づき、泳ぎの習得を決意したのだ。スイミングスクールには行かず、自分が教えていた小さな大学の授業に混ぜてもらったのだが、水泳のコーチは私の動機を汲みとってくれて、その単位を取らないと卒業できない、泳ぎが苦手な四年生のクラスに入れてくれた。三か月間、プールの浅いところで（深い方に行かざるをえないときはプールの縁から離れないようにして）、私は泳ぎを学んだ。

そしていよいよ勝負のときがやってきた。私は、その大学で四年生と一緒にプールの試験を受ける初めての教員になった。試験はまず深い方に飛び込み、プールを四往復したあと、五分間立ち泳ぎをして、その後さらに四往復するというものだった。今でも覚えているが、飛び込もうとする私の足はプールの縁で震えていた。

それを見たコーチが言った。「いいかい、リー、君はもう泳げるんだ。ここに来た理由を思い出して。ほら、娘さんが溺れている。考えてる暇はないよ、さあ、飛び込んで！」

「覚えてろよ」と言って私はプールに飛び込んだ。試験は合格だった。

とはいえ、それはもう二〇年も前の話で、しかも私がいるのはプールではなく、インド洋だった。近くには島影すら見当たらない。束の間、私はボートの縁で逡巡した。だが、妻とアレックスが潮の流れに乗って遠ざかっていくのを目にして、急に強い焦りが湧いてきた。これ以上時間が経てば、妻たちに追いつくのにさらに長い距離を泳ぐはめになるか、もっと悪い場合には、置いてきぼりにされる可能性もある。そうなれば、この旅の目的が果たせなくなってしまう。

その思いが背中を押してくれたのか、あるいは、三二年間連れ添った妻がありえないほどハンサムな海洋版ジェームズ・ボンドとすでに海の中にいたせいか、ともかく私は海に飛び込んだ。海に入ってからもトラブルは続いた。ライフジャケットの位置が悪く、体がどうしても前方に傾いてしまうのだ。妻が遠くで声を上げ、手を振っている。「がんばって、リー、あなたならできるわよ」

私は泳ぎはじめた。シュノーケルを使っての呼吸には違和感があったが、なんとか無事に泳げてはいるようだった。何度も顔を上げて、自分がちゃんと進んでいるか確認する。やがてついに妻たちのところにたどり着き、私は安心して手を差し伸べた。とそのとき、背後からエンジン音が聞こえてきた――ボートが帰ってしまったのだ。

サンゴの死

私は海のただなかに取り残されてしまった。ダイビングのインストラクターと妻はいるが、それ以外はなにもない。怖くなってもボートに戻ることすらできない。

「ねえアレックス、これはいったいどういうこと?」と私は聞いた。

「どういうことって、なんの話ですか」

「いったいボートはどこに行ったんだろうね?」

「ああ、あれならあとで戻ってきますよ」

「あとでって、いつ?」

「リーさん、どこか具合でも悪いんですか」

「いやいや、どこも悪くない。でも、ボートがどこに行ったのかはぜひ知りたいな。それと、戻ってくる時間は決まってるかとか、ボートになにか問題があったのかとか、段どりはどうなってるかとか」

アレックスは私の勢いに一瞬たじろいだが、すぐに笑顔を取り戻してこう言った。「いや、いつもそうなんですよ。心配ご無用。浅瀬のサンゴに船底が引っかかることがあるので、ボートはすぐに離れることになっているんです。でも、いつでも呼び戻せますから。ご安心ください」

その説明で私はようやく少し落ち着いた。妻の方を見ると、早くもシュノーケリングを楽しんでいるようだった。アレックスが言った。「さあ行きましょう。サンゴ礁まであとちょっと。見せたいものがたくさんあるんです」

私は頷いて、再び顔を海につけた。そして、目に入ってきた光景に完全に魅了された。サンゴ礁に近づくにつれ、魚の数がどんどん増えていった。カクレクマノミにブダイ。ディズニー映画以外では決してお目にかかれないような、色とりどりの魚の群れだった。

しばらくそうやって泳いでいるうちに、妻が身振りでなにかを知らせているのが見えた。サメだ。そういえば、ツマグロザメがいるかもしれないとアレックスが言っていた。だが、もし遭遇したとしても危険はないということだった。それよりも危険なのは黒いウツボだが、それはめったに現れないという。

私たちはサンゴ礁まで泳ぎ、ダイビングショップでアレックスが話していたことを自分の目で確かめた。**サンゴは色が抜けて真っ白になっていた。**死んでいるのである。水は透明で見間違うはずはなかった。原因は海水温の上昇だった。このまま水温が上がり続ければ、今後数十年のうちにモルディブ中のサンゴが死に絶えることだろう。

私は時間を忘れてその光景に見入った。その瞬間、恐怖心はどこかに消えていた。それは一生に一度あるかないかの経験だった。それを見ることができて幸運だった。ここに、私の目の前に、気候変動の影響を示す直接の証拠がある。*72 私はもっと見てみたくなった。サンゴ礁をくまなく泳いでいると、妻がなにかを指さした。水中でなにか動いているのが視界の端にうつる。大きな黒いヘビだろうか？　もちろんそんなことはなく、それは危険だと言われる黒いウツボだった。

妻が私に微笑みかけた。そしてさらに数分、ばちゃばちゃと泳いだあと私は言った。「ＯＫ、アレックス、そろそろボートに戻ろう」

「もういいんですか？」

「ああ、十分楽しんだよ。何事もほどほどが肝心だから。ボートを呼び戻せるかな？」

ボートの姿はどこにも見えない。私はパニックになりそうな気持ちを押し殺しながら、さらに数分間シュノーケリングを続けた。さっきのウツボはどこかに行ってしまい、虹のように鮮やかな魚たちが舞い戻ってきていた。こうした景色をあと何年見ることができるのだろうか？　モルディブが消滅してしまえば、自然が与えてくれるこのすばらしい恩恵をどうやって味わえるというのか？

読者には正直に告白しておくが、こんな海のど真ん中になぜこれほど浅い場所があるのか、私はまだ不思議でたまらなかった。だが、アレックスが講義をしてくれたように、島が生まれる場所というのはこういうものなのだろう。何千年もの時間をかけてサンゴ礁に砂が引っかかり、堆積していった結果、海の中から島が現れる。しかし今日、その重要な役割を果たしたサンゴは死に近づいている。*[73]

新しい友人との会話

海面から顔を上げると、ボートが戻ってきているのが見えた。

再び船上の人となり、次の目的地であるオダガラという無人島に向かう。そこでピクニックランチをする予定なのだ。アレックスと若者たちは、しばらくお二人で島を散策してくださいと私たち夫婦を送りだしたが、今度は私も怖くはなかった。島は五分もあれば一周できる大きさで、ちょうど散策が終わった頃に別の観光ボートがやってきて、無人であるはずの島が私たちによって有人島になっているのを発見したのだった。

若者たちがランチを終えて戻ってくると、次はダアンドゥー島に向かい、再びシュノーケリングだ。目的はサンゴではなくウミガメで、船着き場近くのもっと深い海域に行くのだという。私はもうシュノーケリングは卒業である。きっとすばらしい体験になるのだろうが、私には私の計画があった。妻とアレックスはボートから海へとするりと滑り込んだ。私はボートに残り、若者たちににっこりと微笑みかけた。

お目付け役のアレックスがいなくなったせいか、スタッフの一人がそれまで封印していた英語を話しはじめた。そのうちダアンドゥー島のスピーカーから、正午の祈りの呼びかけが聞こえてきた。英語を話すスタッフによると、彼らは流れを見張っていなければならないので、ひざまずいて祈ることはできないのだそうだ。あるスタッフはスピーカーから流れる音楽に合わせて祈りの歌をうたっていた。私はそれを黙って聞いていた。そのあと、私たちは話をした。

あなたはモルディブの人か、と私は英語を話す新しい友人に尋ねた。彼はそうだと答え、ここにいる他のスタッフもそうだと教えてくれた。彼はこの近隣の島で育ち、環礁の外には生まれてから一度も出たことがないという。ここには気候変動について学ぶために来たと伝えると、彼は頷いた。そこで私は次のような質問をした。

「モルディブの学校では、気候変動について教えてくれますか？」

友人は今度は首を横に振った。「モルディブにいれば、気候変動のことは嫌でもわかります。私が生まれてからだけでも気候は大きく変わりました。昔は季節は二つあったのに、今では一つしかありません。それと、嵐もすごく多くなりました」

妻とアレックスはシュノーケリングを楽しんでいる。聞こえてくる声から判断するに、ウミガメにも出会えたようだ。前回とは違い水深があるので、ボートが離れる必要はない。私はすわったまま若者たちと会話を続けた。

「それはひどい」と私は言った。「あなたたちは気候変動の影響を目のあたりにしているのに、アメリカの人たちはそんなことを知りもしないんだから」

彼は素っ気なく首を振った。礼儀正しくふるまいたいと思いながらも、私が本当に問題を理解しているのか確かめたいと思っているふうでもあった。「モルディブの外では、そんなことは誰も気にしていませんから」

それは胸の痛む言葉だった。

話を続けながら、世界には気候変動に関心をもっている人も多くいることを伝えようとしたが、彼らは一様に悲しげな目で私を見つめるだけだった。この話題が出ているあいだずっと、彼らは感情を表に出さず、笑顔もあまり見せなかった。たぶん彼らは、科学が教えてくれないことを理解していたのだろう――**なにを信じているかだけでなく、関心をもつことも大切なのだ。**

「ところで、モルディブにはいくつ環礁がありますか?」と私は質問した。話題を変えようと思ったからだ。英語を話せる若者はこの質問に笑顔を見せた。そして、他のスタッフたちの顔を見やり、指折り数えながら、わらべ歌のようなものを歌いはじめた。それが終わると、「二六です」と答えた。

＊　＊　＊

そのとき、妻とアレックスがボートにあがってくる気配を感じた。どうやらウミガメをたくさん見ることができ、さらに再びサメも目撃したようだった。私たちは船尾にすわり、シュノーケリングの装備を外した。スタッフが操縦するボートは『スター・ウォーズ』のミレニアム・ファルコン号のように勢いよく海面を引き裂き、ハダハアに一直線に向かっていった。

二日後、島を離れるときがやってきた。これからまた三六時間の空の旅が待っている。クードゥー島へと戻るために他の宿泊客たちと船着き場に向けて歩いていると、島のスタッフが総出で見送りに出てきてくれた。船着き場に降りていく私たちと笑顔で握手を交わす。私たちはボートに乗り、救命胴衣を身に着ける。同乗の宿泊客たちの顔を見ると、皆この光景に魅了されているようだった。私たち夫婦も同じだ。

ボートが岸を離れると、船着き場にいたスタッフ全員がいっせいに手を振りはじめた。ボートがどんどん遠ざかり、巡航速度に達してからも、彼らは手を振り続けていた。私たちの姿が見えなくなれば、きっと手をとめたはずだと思うのだが、確かなことはわからない。

私の心には、喜びと物悲しさがきっちり同じ量だけ同居していた。私はここに二度と戻ってこられないとわかっていたからだ。そして、それはいつの日か、モルディブ人の身にも起きることなのかもしれない。

第5章

炭鉱のカナリヤ

気候変動の議論では、その原因として、石炭、石油、天然ガスといった化石燃料がやり玉に挙げられることが多い。それ以外にも、牛などの家畜が消化の過程で排出するメタンは、温室効果ガスのかなりの割合を占めており、否定論者はこれをネタにして大いに楽しんでいるようだ（その様子は「牛のおならの謎を解く」と題されたAP通信の記事に詳しい）。[*1] とはいえ、温室効果ガスの主な排出源はエネルギー転換、産業、運輸であり、こうした分野の主要な動力源はやはり化石燃料である。[*2]

二〇一七年のガーディアン紙の記事によると、一九八八年から二〇一五年にかけて世界で排出された温室効果ガスの約七一パーセントは、わずか一〇〇の企業に由来しているという。産業分野だけに絞ればさらにひどく、わずか二五の民間および国有企業が、世界の排出量の半分以上を占めている。[*3] 詳しくは表5・1を参照してほしい。

表を見て、すぐに気がつくことがある。一つは、エクソンモービル、シェル、BP、シェブロンが上位一二位までにランクインしていることだ。だが、ちょっと待ってほしい。前章で見たように、この四社は、米国石油協会に多大な影響力を行使して、反科学キャンペーンを仕組み、気候変動を

順位	企業名	排出量の割合
1	中国（石炭）	14.32%
2	サウジアラビア国営石油会社（Aramco）	4.50%
3	ガスプロム	3.91%
4	イラン国営石油会社	2.28%
5	エクソンモービル	1.98%
6	コール・インディア	1.87%
7	メキシコ国営石油会社（Pemex）	1.87%
8	ロシア（石炭）	1.86%
9	シェル	1.67%
10	中国石油集団（CNPC）	1.56%
11	BP	1.53%
12	シェブロン	1.31%
13	ベネズエラ国営石油会社（PDVSA）	1.23%
14	アブダビ国営石油会社	1.20%
15	ポーランド（石炭）	1.16%
16	ピーボディ・エナジー	1.15%
17	ソナトラック	1.00%
18	クウェート石油公社	1.00%
19	トタル	0.95%
20	BHP ビリトン	0.91%
21	コノコフィリップス	0.91%
22	ペトロブラス	0.77%
23	ルクオイル	0.75%
24	リオ・ティント	0.75%
25	ナイジェリア国営石油会社	0.72%

表 5・1　1988 〜 2015 年にかけての温室効果ガス累積排出量トップ 25

否定するための広報活動に毎年何百万ドルもの寄付をしていた企業ではなかったか？[*4] もう一つ気がつくのは、温室効果ガスにおける**石炭の影響の大きさ**だ。石炭は、世界全体の排出量のおよそ二〇パーセントを占めているのだ。なかでも圧倒的なのは中国の石炭であり、表からはそれに続く五つの企業の合計よりも排出量が多いことがわかる。

こうした状況のなか、アメリカが石炭への依存率を下げつつあるのは数少ない朗報と言えるだろう。二〇一九年のアメリカの石炭消費量は、前年に比べて約一八パーセント減少した。これは一〇年前のおよそ半分の量だ。[*5] よりクリーンな燃料への移行を進めてきた結果、石炭がアメリカの電力生産に占める割合は約二五パーセントにまで下がった。[*6] とはいえ、他の国では石炭消費量が増えているケースもあり、この問題はそれと合わせて総合的に考えるべきだろう。

二〇一八年一一月のニューヨーク・タイムズ紙には次の記事が見つかる。

アジアは今日、世界の石炭消費量の四分の三を占めている。さらに重要なのは、建設中または計画中の石炭発電所もまた、アジアが四分の三以上を占めている点だ。……インドネシアの石炭採掘量は年々増加している。ベトナムは、石炭火力発電所を新設するための用地を整備している。二〇一一年に起きた原発事故の動揺が残る日本は、石炭を復活させた。しかしながら、群を抜いているのは中国だ。中国は一国だけで世界の石炭消費量の半分を占め、国内の炭鉱では四三〇万人以上が働いている。二〇〇二年以降、中国は世界の石炭生産力を四〇パーセント増加させ、わずか一六年で著しい成長ぶりを示した。[*7]

この記事を読んで、アメリカ以外の国での気候変動否定論の実態が気になりはじめた。もしかしたら、アメリカ国内だけでなく、中国をはじめとする海外の否定論と戦うことにもっと力を入れるべきなのではないか？　だが、その必要がないことはすぐにわかった。二〇一四年に実施された国別調査によると、気候変動を否定する国民の割合がもっとも低い国が中国だったからだ。[*8]　では、どの国が一番高かったのか？[*9]

調査結果を分析した科学ライターのクリス・ムーニーは、**ナンバーワンがアメリカ**だったばかりか、トップスリーも英語を母国語とする国（イギリスとオーストラリア）だったと指摘している。[*10]　もちろん、中国の例からも推測できるように、否定論者が多ければ、汚染物質をまき散らす上位国にかならずなるわけではない。温室効果ガス排出量の多さを、動機づけされた推論、イデオロギー、認知的不協和のせいにすることはできない。だとすれば、いったいなにが関係しているのか？[*11]

わかっているのは、私たちは自分のできることから解決すべきだということだ。では、石炭に対する中国政府の注力に対して、私たちはなにができるのか？　アメリカがリーダーシップを発揮しなかったことで世界に蔓延した、無責任の空気を取り除く努力をするのはどうか？　パリ協定の目標を達成できるようアメリカがもっと後押しをして、決まりの悪くなった中国がコンプライアンスを遵守するように仕向けるのは？

たしかに中国は否定論者であふれかえっているわけではない。だが、中国などの汚染国が自身の罪を見つめようとしないことに、アメリカ政府を麻痺させた**否定キャンペーンが一役買っているこ**

とは間違いない。

温室効果ガスを世界一排出しているのは中国である。これは事実だ。その一方で、アメリカがそれに続く第二位であること、そして歴史的に見れば、世界一の産業汚染源として気候変動の危機を生みだしてきた当事国であることも、また事実である。アメリカの二酸化炭素排出量が依然として世界全体の一四パーセントを占めているという事実は、わざわざ地球を半周しなくとも、この問題に対してやるべきことがいくらでもあることを示している。[*12] アメリカは、主要な汚染国であると同時に、一分たりとも無駄にできない今このときに、国際的な取り組みを遅らせる口実を提供する国になってている。そうなってしまった主な原因の一つが石炭であり、それは今も昔も変わっていない。[*13]

炭鉱労働者たちとの対話

モルディブから帰ってきた私は、彼の地で直接経験した証拠――およびシュミットとベッチュの「技術的反論」戦略――を使って、科学否定論者を説得するというアイデアを思いついた。いったんやってみたいと思うと、もういてもたってもいられない。軽く下調べをしてみたところ、ペンシルベニア州が、ワイオミング州、ウェストバージニア州に次いで国内で三番目に石炭生産量が多いことがわかった。私は、現地に行って炭鉱で働く人たちと気候変動について話をしてみようと決心した。

リゾート感あふれるホテルは今回は期待できない。なので、ピッツバーグに住む友人の家に泊めてもらい、「ヒア・ユアセルフ・シンク」という非営利団体の運営者に会う手はずを整えた。ヒア・ユアセルフ・シンクは、政治的分断を乗り越えて対話を促進することを目指す団体で、誤情報やイデオロギーのタコツボ化を解消する活動をおこなっている。それによって、深刻化する政党対立や、時代の閉塞感を打破しようというのだ。

この団体を立ち上げたのは、デイヴィッドとエリンのナインハウザー夫妻。彼らは、フェアトレードやユニバーサル・ヘルスケアなどの進歩的な取り組みを邪魔してきた保守派のプロパガンダに対抗する方法をレクチャーするセミナーを開いているが、それを通じて党派性を強化しているのではない。むしろ反対に、政治的な負荷のかかるトピックについて、互いに敬意をもって、和気あいあいと生産的な対話をおこなう方法を教えてくれるのだ。

気候変動否定論者と対話をしたかった私にとって、デイヴィッドとエリンはこれ以上ない強力な助っ人だった。彼らはかつて組合系の政治活動家だったことがあり、その一環として長年にわたり戸別訪問をおこなってきたおかげで、多くの炭鉱労働者と直接面識があった。団体のサイトにもあるように、二〇〇四年以降、彼らは「一〇万戸以上のドアをノックして」、進歩的な理念について人々と難しい対話を続けてきたのである。また二〇一五年からは、トランプ大統領を支持する集会に足を運んでその様子を撮影し、セミナーで紹介するようになったという。

私もピッツバーグに行く前にその動画を何本か見てみたが、なかなか衝撃的なものだった。[*14] フラットアーサーの会議もかなり大変だと思っていたが、これはそれ以上かもしれない！　いずれにせよ、気候変動について話すためにペンシルベニアの炭鉱労働者に会いたいと思っていた私にとって、デイヴィッドとエリンほど完璧な人選は考えられなかった。

計画実現のためにまずしなければならなかったのは、互いに敬意をもって、腹を割って話せる舞台と形式を選ぶことだった。私は、ボストンから飛行機でやってきては、講義でもするかのように一方的に話をする大学教授にはなりたくなかった。そこで、想像できるかぎりもっともざっくばらんになれる場所を選ぶことにした。グリーン郡かワシントン郡にある食堂（ダイナー）を会談の場に設定したのである。ダイナーは、ペンシルベニアの石炭地帯における重要拠点であり、組合会館や図書館のような肩ひじばった場所とは異なる。椅子に行儀よく腰かけて議論する場所でなく、一緒に食事をする場所なのだ。

デイヴィッドとエリンは親切にも宣伝の手伝いを買って出てくれた。チラシを作って、戸別訪問の際に配ってくれるという。エリンはまた、知り合いに声をかけて、「ジ・アレゲーニー・フロント」というＮＰＲ〔アメリカの公共ラジオ放送〕の番組に私が出演できるよう取り計らってもくれた[*15]。これで地元の関心を少しでも高めておこうというわけだ。私は、気候変動に対する意見を聞かせてくれる人には夕食をごちそうすると宣言した。デイヴィッドとエリンが推薦してくれたのは、ワシントン郡のイートゥン・パークという店だった。その店の奥にはテーブルがたくさん並ぶ部屋があり、そこならば他の客を気にせず存分に議論できるということだった。

炭鉱で働く人たちとの対面の日は近づいていた。カーネギーメロン大学でちょっとした講演をするためにすでにピッツバーク入りしていた私は、彼らとの会談がうまくいくことを祈りつつ、すでに緊張もしていた。炭鉱労働者の大多数は気候変動を否定していると想像していたからだ。これは、「なにかを信じないことで給料を得ている人たちに、そのなにかを信じさせるのは難しい」というアプトン・シンクレアの箴言に基づいた予想だった。[*16] ただその一方で、ニューヨーク・タイムズ紙の「石炭産業が盛んな州の住民も気候について気にかけている」という見出しの記事を読んで、ちょっと待てよと思いなおす気持ちもあった。早合点は禁物だ、そう思ったのだ。記事にあるように、「この二極化の時代では、住んでいる場所とアイデンティティを混同するのはいかにも安易」だからだ。[*17]

私は自分の予想を撤回して、ただ真摯に相手の話に耳を傾けることを誓った。フラットアース会議のときのように、相手の意見をその場で変えさせようともしない。今回の夕食会は、相手の話を聞き、信頼を育むためのものなのだ。

最初に話ができたのは、デイヴィッドとエリンが紹介してくれた二人の炭鉱労働者だった。どちらも夕食会には参加したいが、実際に行けるかはわからないとのこと。電話をしてもらってかまわないという話だったので、私はさっそく準備にとりかかった。

具体的には、七つの質問を用意してリストにまとめたのだが、その際には、読み上げるだけの台本にならないよう気をつけた。私がイメージしていたのは、それらの質問を頭に入れつつも、それに縛られず対話をおこなうことだった。せっかく一対一で話ができるのだから、その機会を生かさない手はない。夕食会では意見が二極化してしまう恐れがあったが、今回の電話は、対面ではなくとも個人的に話を聞いて、相手の本心を知るチャンスだった。

私が用意した質問は次のとおりである。

1　鉱業界で働いてどれくらいか？　炭鉱で働いたことはあるか？
2　炭鉱労働者は気候変動を信じていないというステレオタイプがあるが、それについてどう思うか？
3　あなた自身は気候変動についてどう考えているか？
4　あなたの同僚は気候変動についてどう考えているか？
5　あなたの家族は気候変動についてどう考えているか？
6　気候変動に対する自分の考えが変わるとしたら、その原因はなんだと思うか？
7　気候変動に対する政治の動きをどう見ているか？　なにか実現しそうだと思うか？

最初に話したのは、スティーブ（仮名）という男性で、炭鉱夫として三〇年以上働き、「ユナイテッド・マイン・ワーカーズ」という組合の代表を四〇年以上にわたって務めた人物だった。二〇〇六年に引退したという。私はまず、「炭鉱労働者は気候変動を信じていないというステレオタイプがあるが、それについてどう思うか？」という質問から会話をはじめた。

スティーブは慎重に言葉を選ぶタイプのようだった。デイヴィッドたちからは、地元の民主党事務局の職員をしていたこともあるので、質問をうまく受け流すのはお手のものだという話も聞いていた。スティーブによると、炭鉱労働者の世界は多様だという。炭鉱夫には高等教育を受けている人も多く、教師や看護師などと仕事をする機会もある。支持政党の割合は、民主党と共和党で半々くらいのようだ。

そうした多様性は気候変動に対する意見にも反映されているのかと尋ねると、彼はそうだと答えた。炭鉱労働者にはあらゆるタイプがそろっているのだという。第一のタイプはトランプ派で、彼らは気候変動に関するニュースはすべてフェイクだと考えている。第二は、「私は炭鉱労働者だから、石炭の味方でありたい」というタイプ。そして第三が「環境のことを意識している」タイプだ。私はそれとなく、彼がどのタイプにあてはまるのか聞いてみた。自分は地球が問題に直面していると思っている、とだけ彼は答えた。明言は避けたかたちだが、おそらく彼は第三のタイプだろうと見当をつけた。

だが、彼のような考えをもつこと、つまり第三のタイプであり続けることは、働くうえで困難をもたらすのではないか、と私は指摘した。炭鉱労働者のなかには相容れない人もいるはずだからだ。そして、こう続けた。「自分の仕事が地球を傷つけているという思いと、そう自覚しながら、ともかくこの仕事を続けるほかないという思い、この二つの折り合いをどうつけているのですか?」。それに加えて、アプトン・シンクレアの箴言のことも話した。もしあなたが気候変動を信じなければ、気持ちはずっと楽になるのでは?

スティーブの返答は、この問題の私の見方をすっかり変えてしまうほど重いものだった。「炭鉱労働者は運命論者であることを理解してもらいたい。この仕事は、緩慢な死のようなものなんだ」

労働者の日前の金曜日に、ワシントン郡の炭鉱で二五歳の炭鉱夫が亡くなる事故があったことは、デイヴィッドたちから聞いていた。スティーブとの対話は、この痛ましい事故から二週間も経っていなかった。私は質問を中断して、彼がいま言った言葉の意味を考えてみた。日々自分の健康と命を危険にさらして働いている炭鉱労働者が、地球が危ないからとか、会ったこともない他人の健康が脅かされるからといって、どうしてその仕事をやめられるだろうか？　彼らが冷淡だという話ではない。それが炭鉱労働者の現実なのだ。彼らにはそれ以外に仕事がなく、家族を養わなければならない。そんな彼らにこれ以上なにをしろというのか？

私は、炭鉱労働者が自分自身の危険と対比して気候変動のリスクをどう捉えているかについて、スティーブに意見を尋ねてみた。それについては後日ダイナーで会ったときにいろいろ話せると思う、と彼は答えた。私はスティーブと一対一で話せてとても嬉しかった。夕食会で彼の話の続きを聞くのが待ちきれなかった。

炭鉱労働者は馬鹿ではない！

二人目の対談相手は、ダグ（仮名）という男性である。ダグは石炭業界歴が四〇年以上あり、「鉱山労働者組合」でも活動していた。現在は、政府機関に勤務している公務員である。レイバー・デーのパレードでデイヴィッドとエリンに会って夕食会のことを知り、気候変動の問題に興味があったので、私と話ができれば嬉しいし、夕食会にも参加できるかもしれないと言ってくれたそうだ。ダグは、トランプ大統領が炭鉱労働者を守ると言っておきながら、そのための支援を一切しなかったことに不満をもっていた。同様に、「強硬派」の環境活動家にも不満を感じていた。自分が暮らす地域の雇用がどれほど石炭産業に依存しているか、活動家たちは理解していないと考えていたからだ。

ダグに電話をすると、彼はちょうど地元の会合に出かけるところで、あまり長くは話せそうになかった。彼は、石炭業界で働いた四〇年を振り返って、自分は管制室に配属されたり、溶接や加工の担当になるなど、地上にいられたので「幸運」だったと言った。とはいえ、彼もまた塵肺(じんぱい)を患っていた。「石炭産業で働けば、採鉱だろうが加工だろうが、粉塵は避けられない」。では、炭鉱内は危険だから、地上勤務の人はみな自分が幸運だと思っているのだろうか? そうでもない、とダグは答えた。炭鉱に降りた方が金は稼げるものだし、そもそも鉱山業というのはなにをするにせよ危険なものだからだ。

次に、多くの人が炭鉱労働者は気候変動を信じていないと思い込んでいるようだが、これはたんなるステレオタイプだろうか、と聞いてみた。ダグは「そのとおりだ」と断言した。そして、現代の石炭採掘においてテクノロジーと遠隔操作がどれほど発展しているかを強調した。炭鉱夫はもう、つるはしを担いだ男たちの集団ではないのだ。

では、次の質問――彼自身は気候変動についてどう思っているのか? ダグは、自分の住んでいる地域は石炭とガスによって支えられていると説明した。もし石炭の仕事がなくなれば、地域の学校を支える税基盤も消え去るだろう。「私はそれが死ぬほど怖い」とダグは言った。地元の高校を卒業する生徒数は三〇人を切っている。規模はすでに小さく、今なお縮小を続けている。

一方でダグはこうも言った。

「私には孫がいる。私はこの街で一生を過ごしてきたから、ここしか知らないが……」

私はこの言葉から、彼はスティーブの言う第三のタイプ、つまり、石炭が気候変動に与える影響を「意識している」タイプにあてはまると考えた。もちろん、彼自身がそう明言したわけではない。ダグは話を続けた。それによると、石炭由来の温室効果ガス排出量を減らす方法はたくさんあるが、どれも金がかかるのだという。誰が好き好んでその金を払いたいというのか。政治家などはたいした助けにならない。そして、ついにこう漏らした。「ああ、そうだよ。私は気候変動が真実だと思っている」

とはいえ、ダグはすぐにこう付け足すのを忘れなかった。「だが、中国を見ろ」。中国の石炭産業はやりたい放題で、アメリカがかわいく見えるほどだ。しかも、石炭に大いに依存しているため、汚染源として世界に与える影響はずっと大きい（この点についてダグの意見は完全に正しい）。アメリカから石炭を消し去ることはできない。電力不足がかならず起きるからで、国防の観点から考えてもそれは危険だ。なにか対策を練るべきだということはわかるが、じゃあ、いったい誰がそれを発案できるのか？

私は、トランプ大統領が二〇一六年に、自分は石炭に賛成であり石炭業界を救うと宣言した話を持ちだした。ダグから見て、大統領はそれを実行したと言えるだろうか？

彼は毅然とした声でノーと言った。

「トランプは、過去のどの政権よりも多くの石炭発電所を封鎖したからな」[*18]

ダグにはこれが裏切りに思えた。彼が住んでいる郡はもともと民主党が強い地域だったが、それでも七〇パーセントがトランプに投票したという。

ダグが地元の会合にいく時間が近づいていた。私はそれ以上質問せずに、彼が話すにまかせた。

ダグは、炭鉱労働者は理性的に状況を改善していきたいと願っているが、その解決策がただ石炭だけを排除するものであってはならない、と言った。また、「センター・フォー・コールフィールド・ジャスティス（CFJ）」という、彼いわく過激な環境保護活動団体のメンバーが私の夕食会にやってくる可能性があり、そうなれば公正な対話を続けるのが難しくなるかもしれないとも警告した。ダグは、ほとんどの人は舞台裏で起きていることを知らない、炭鉱労働者は馬鹿ではない、と繰り返し口にした。「誰もが納得できる解決策を見つけるべきだ」。そう言い残して、彼は会合へと出かけていった。

自分の故郷を守ろうとしているだけ

石炭業界に精通し、気候変動問題についてここまで深く考えている二人と話すことができて、私は感無量だった。と同時に、彼らが二人とも気候変動を信じていると言ったことに驚きを感じていた。だが、驚く必要など本当はなかった。生活がかかっていれば、人はそれを理由になにかを造作もなく否定できるという単純な考えは、私の未熟な思い込みにすぎなかったからだ。

問題ははるかに複雑だ。たとえ自分が地球に与える影響を炭鉱労働者が自覚していたとしても、彼らにとってより差し迫った問題は仕事とお金だった。それはまた、家族をどう守るかという問題でもある。彼らは、石炭産業がなくなってしまえば愛するコミュニティが解体されるというリスクと、現実とのバランスをとらざるをえなかった。ここで彼らの名誉のために言っておくが、炭鉱労働者たちは、長年にわたり気候変動否定キャンペーンに関与してきた化石燃料の巨大企業などより、この問題のことをずっと誠実に考えてきた。[*19] 私がさっきまで話していた二人の炭鉱労働者は、企業が意図的に生みだした気候変動否定論者よりも、モルディブのボートで話した若者たちにずっと近いように思えた。どちらも自分の故郷を守ろうとしているだけなのだ。

二人との電話を終えたあと、その報告がてらデイヴィッドとエリンに連絡をとった。すると、夕食会には、ダグが気をつけろと言っていたCFJのメンバーも来ることがわかった。その他に地元の記者も来るはずだという。彼らの戸別訪問が効いたのだ。しかし、夕食会が荒れたりしないだろうか。デイヴィッドたちによると、CFJのメンバーはたしかに活動家ではあるが過激派ではなく、混乱の心配はないという。CFJが要注意扱いされていることは彼らには意外だったようだ。そこでデイヴィッドはCFJに連絡し、私たちのイベントの性格を説明することにした。この夕食会は、近隣の人たちと気候変動の話をするためのものであって、誰かの意見を変えさせるものではないと伝えたわけだ。CFJはそれを理解したうえで、それでも参加の意志を表明した。

電話での対話がとてもうまくいったので、できるだけこれと同じ雰囲気を夕食会でも作りだせたらと考えていた。私はデイヴィッドとエリンに相談して、BGMや映像などは使わず、会話をすることだけに集中しようと決めた。その方がイベントの空気に合っていると思ったのだ。意見が二極化する危険はあったが、それを乗り越えるのがこの夕食会の目的だ。私は出演予定のラジオ番組の準備に追われつつ、当日を心待ちにした。

意外な結果

イートゥン・パークは地元ワシントン郡では有名な飲食店だ。ウェストバージニア州との州境から約二〇マイル〔約三二キロメートル〕、ハイウェイから少し入ったところにある。緊張を解きたかったので、私は友人のアンディと早めに店に向かうことにした。アンディはピッツバーグ出身の哲学者で、理性とイデオロギーに関する著作がある。[*20] まもなくデイヴィッドとエリンも到着し、討論会場となる部屋を確認してからアイスティーを注文し、開始時間を待った。やれることはすべてやった。あとは人が集まってくれるのを祈るのみだ。

三〇分が経過した。夕食会がはじまる時間だったが、参加者はまばらだった。まずアンディ、デイヴィッド、エリン、私の四人。そして、マイク（電気業界で四〇年働き、そのうち一五年は石炭発電所に配属された）、ノーラとトレイ（ともにCFJのメンバー）、ナンシー（地元住民。環境保護論者だが、鉄鋼や石炭業界で働く家族がいるので、「両方の立場からその問題を考えられる」と言っていた）、ゼフ（地元の公立校の教師）、スティーブ（電話でも話をした炭鉱労働者）の六人だ。[*21] そのほか地元の記者が一人取材に来ていたが、討論には参加しなかった。

開会の挨拶はデイヴィッドにお願いした。彼は難しい交渉についた経験が何度もあり、対話を円滑に進める技能に長けていたからだ。そして実際、すばらしい仕事をしてくれた。デイヴィッドは、誰を信じるべきかを知ることが、なぜもっとも重要な事柄になりうるかについて話をした。私たちは、すべてのテーマに対して専門家でいられるわけではない。また、ソーシャルメディアがもたらした分断をどう乗り越えるかを考えなくてはならない。「私たちがここに集まったのはそのためです」とデイヴィッドは言った。「お互いの顔が直接見える場所で、意見を交換しましょう。でも、お互いの意見がどんなに異なっていたとしても、自分の意見を変えられるのは自分だけなのです」

挨拶が終わって席を移動しながら自己紹介をしていると、ある意外な事実が判明して、皆が大笑いすることになった。なんと、部屋にいた全員が気候変動は真実だと信じていたのだ。科学者の九七パーセントどころではない。一〇〇パーセントのコンセンサスだった！　正直に言えば、はじめにそれを知ったときはさすがに落胆した。これが石炭業界の本音と言えるだろうか？　炭鉱労働者に警戒せずに来てもらえるように、組合会館を会場にした方がよかったのではないか？　たとえ夕食が無料だとしても、自分の意見を表明するためにわざわざダイナーまで足を運ぼうと考える者がいるだろうか？　否定論者たちは誰も彼も家にこもっているにちがいない。

デイヴィッドとエリンは、少し心配そうな顔をしていた。私が本を書くために気候変動否定論者と話をしたがっていることを知っていたのに、誰一人として該当者がいなかったからである。だが、文句などあろうはずもなかった。この親切な二人は、見知らぬ人物との夕食会に炭鉱労働者を招こ

う と宣伝を買って出てくれた。そのためには何百マイルも移動する必要があったが、彼らはそれを見事にやりとげたのだ。私の仕事は炭鉱労働者に会うことであって、気候変動否定論者に会うことではない。それに、この夕食会は地元住民の考えを知るために開催したのであり、その目的は達成できるはずだ。私はニューヨーク・タイムズ紙の記事を思い出していた。

「あらゆる炭鉱労働者、あるいは採取産業と結びついたあらゆるコミュニティが変化を憎んでいるという考えは、たんなる事実誤認である。アパラチアには、炭鉱労働者――そしてその妻たち――が、自分たちの健康、仕事、環境を守るために組織を作ってきた豊かな歴史がある。この炭鉱労働者組合も、こうした原則を守るために設立されたものだ[*22]」

気候変動の問題は複雑で、立場が同じであろうがなかろうが、互いに学ぶことがまだたくさんある。こうした機会がもてたことに私は感謝していた。

それぞれの意見

最初はまず、実際に炭鉱内で働いている人の話を聞きたかった。そこでその旨を伝えると、マイクが口火を切ってくれた。彼は、石炭採掘で生じる環境汚染を軽減するさまざまな技術があるが、最近はそれを推し進める動きがあまり見られないようだと言った。この問題を解決するには、十分な資金をもった「懐の暖かい人」を巻き込まなければならないという。「ただし」と彼は付け加えた。「どんな人が関わるかはたしかに重要だが、それは問題の一部であって、すべてではない。われわれは石炭にたしかに依存しているのだから、これという解決策はなかなか浮かばないと思うよ」

次はスティーブの番で、炭鉱夫の「宿命論」について再び語った。彼によれば、炭鉱夫の仕事は、勤務が終わったときに自分の体をともかく坑内から外に出すことであって、それで十分なのだという。

ＣＦＪのノーラは「欲求のピラミッド」について少々話した。私たちは自分の基本的な欲求が満たされて初めて、他者の欲求に関心を向けることができる。反対に自分が危険な状態にあると（たとえば、経済的不安、生命の安全や健康が脅かされているときなど）、他者の欲求のことは後まわしにしてしまう、という内容だった。彼女には、気候変動は真実ではない（人間の活動が原因ではない）と考えている叔父がいた。だが、気候変動によって清潔な飲み水がなくなるかもしれないと彼女が指摘すると、その問題について改めて考えるようになったという。

それに対してスティーブは、気候変動は一から十まで政治の問題だと主張した。世界では今、この問題は一五秒のサウンドバイト〔放送用に抜粋された言葉や音楽のこと〕のようなものとして扱われていて、もう誰も注意を払おうとしない。そうした状況で、人々の気持ちを変えるにはどうしたらいいのか？　一九八三年のテレビ映画『ザ・デイ・アフター』は、核戦争の危険性を世間に広めるきっかけとなったが、それと同じ流れを生みだす方法はないだろうか？　ハリウッドはなぜ気候変動をテーマにした映画をもっと作らないのか？　そういう後押しがない場合に多くの人たちの意見を変えるには、金銭的な要素、個人的な要素に頼らざるをえないだろう。もちろん、変えるのは意見だけでなく、行動もそこに含める必要がある。そして、こうした問題に常につきまとうのが、「どうして自分が関心をもたなければならないのか?」という疑問だ(このスティーブの話に私はひどく驚いた。一万三〇〇〇マイル離れたモルディブの若者から聞いたのと同じ言葉を、ペンシルベニアの炭鉱労働者から聞いたからである)。

少し遅れてやってきた教師のゼフは、学校でディベートを教えているそうで、みんながディベートを学べば状況はもっとよくなるのではないかと語った。

マイクは、気候変動の問題が政党の存在を通じて二分化されてきたと訴えた。そして、党派というノイズを取り除いて、心に残るメッセージを一つでも発信できるなら、それは進歩であること、ソーシャルメディアはこの問題の大きな部分を占めていることを指摘した。

スティーブもそれに応じ、人々はなにかを信じているというより、なにかを吹き込まれていると言った方が真実に近いと同意した。

ナンシーはこの意見を受けて、それこそが政党の目的だと感じていると言った。つまり、私たちを分断するように仕向けたり、自分たちではなく「誰かがこれを解決してくれるはずだ」と考えさせたりしているのだという。

大切なのは関心をもってもらうこと

この時点で私は、参加者たちの意見に十分満足していた。そこで、ここからは自由に議論してもらい、そのなかで解決策を見つけていくことにした。私は議論に参加しながら、今こうして自分たちがしているように生身の人間として向かい合うこと、「これは本当だろうか?」と疑いの種をまくことは、他人の考えを変えるうえで非常に大切なことではないかと考えていた。人は普通、自分の仕事と幸福を第一に考える。問題が見えなければ、あるいはその影響をこうむっている人を知らなければ、関心をもつことは難しい。だからこそ、直接顔を合わせることに意味があるのだ。私はモルディブ旅行での経験について少し話をした。皆その話に聞き入っている様子だった。私のすぐ目の前で、他者を思いやる感情の輪が広がっていった。

これは当初計画していた流れではないかもしれない。しかし、私の気分は高揚していた。やがて料理が運ばれてきたあとも、会話は途切れず続けられた。私はこの時点でメモをとるのをやめてしまったので、ここに詳細を記すことはできない。だが、それがなごやかで、うちとけた議論だったことは確かだ。それでも、夕食会が終わったとき、気候変動の問題に対する私の態度はすっかり変わっていたのである。

私はこれまで、気候変動から受ける利害は正反対なのに、信念は同じというケースを一度ならず目撃してきた。つまり、その人がもっている価値観と信念はかならずしも一致しないということだ。私がこの問題を考えはじめたときに抱いていた疑問は、「どうしたら、これまで信じていなかったことを信じてもらえるのか?」というものだった。だが今では、「どうしたら、これまで関心のなかったこと(あるいは人)について関心をもってもらえるのか?」にその疑問は変わっている。気候変動に対してもっと多くの行動を期待するなら、否定論者に不合理な見解を改めてもらうだけでは足りず、自分の価値観が見解にどう作用しているかを理解してもらう必要がある。それによって、人類全体に影響を及ぼす事柄について、もっと関心を抱いてもらうよう促すことができる。

そう、モルディブの若者は完全に正しかった。私がモルディブまでわざわざ足を運んだのは、ボートで彼がこう言うのを聞くためだったのかもしれない。

「モルディブの外では、そんなことは誰も気にしていませんから」

だが、どうして誰も気にしないのか？　それが自分にも影響する問題だと気づいていないからか？　モルディブ人の知り合いが一人もいないからか？　こうした状況は、「私は気候変動を信じていない」から「経済を破壊してまで気候変動の対策をする必要はあるのか」へと進化した、否定論者の最新の戦略と軌を一にしているように思える。この壁を乗り越えるにはどうすべきか？

人は否定からなにを得ているのか？　自説に固執することやアイデンティティは、欲求ピラミッドにおいてどんな役割を果たしているのか？　私たちは自分の信念が間違っていると知っていても、それを認めれば認識の不協和音が生じてしまうから、あえて変えようとはしないのだろうか？　だとすれば、私が話をした三人の炭鉱労働者はなんと勇気があったことだろう。彼らはみな、自分の生活基盤と相容れないと知りながら、気候変動が現実であることを理解し、それを人前で認める用意があった。だが結局のところ、その問題を解決するには信念を変えるだけでは足りず、行動も変える必要があるのだとすれば、その実現に向けてなにができるのか？

炭鉱労働者を炭鉱内に縛りつけていたのは、急進的なイデオロギーでもなければ、動機づけられた信念でもない。それは、**家族を飢えさせるわけにはいかないという経済的事情**だった。炭鉱で働き続けるよりほかに現実的な道はなかった。石炭産業、そしてワシントンの政治家は、モルディブの人々を失望させたのと同じように、炭鉱労働者たちも失望させた。気候変動問題に対する不作為には、おそらく否定問題以上の大きな力が働いているのだろう。もしかしたら、気候変動否定論者の存在は、その大きな力が生みだした症状の一つにすぎないのかもしれない。

ピッツバーグをあとにした私は、近いうちにもう一度戻ってきて、追加インタビューをしたいと考えていた。今度の会場はダイナーではなく、組合会館がいいかもしれない。夕食会に参加してくれた人たちも、次は否定派の知り合いを連れてきてくれると約束してくれたが、その計画もコロナによって実現不可能になってしまった。その影響なのか、私は次第にこう考えるようになっていた――私のこの行動になにか意味はあるのだろうか？　否定論者を何人か説得できたとして、それがいったいなんだというのか？　石炭産業で働きながらも気候変動が真実だと思っている人が数多くいることは、すでにこの目で確かめていた。そうした人たちがストライキや職場放棄をするとでも思っているのだろうか？

中国は気候変動否定の割合がもっとも低いという調査結果も、これで説明できるのではないかと私は思った。気候変動問題について啓蒙され、科学の真実を信じたからといって、それだけで温室効果ガスの排出が止まるわけではない。気候変動に歯止めをかけるには、信念を変える以上のことが必要なのだ。だが、それはいったいなんなのだろう？

気候変動の現状

二〇一九年七月、アラスカのアンカレッジでは、観測史上初めて最高気温が華氏九〇度〔摂氏にして約三二度〕に達した。[*23] また、二〇二〇年六月二〇日、夏がはじまったばかりのシベリアのベルホヤンスクでは、気温が華氏一〇〇・四度〔同約三八度〕まで上昇した。これもまた新記録だった。[*24] このように気候変動はいたるところで起きており、しかも加速している。次のIPCC報告書は二〇二二年の公表が予定されているが〔実際は二〇二一年〕、地球温暖化の問題は、二〇一八年の特別報告書が伝えた終末論的な状況よりさらに悪化したと報告されることだろう。地球温暖化に対する関心は、近年高まりを見せている。だがその一方で、アメリカの政治家の多くは、それを否定することに依然として血道を上げているようだ。リーダーシップをとる国が現れないまま、時間だけがただ過ぎている。

私たちが直面しているのは、全体として見れば、人々の関心が十分ではないという現実だ。このような状況で気候危機を解決しようと思えば、否定論者との対話ではなく、政治的な変化を求めるのが最善の道なのだろう。ある意味、これは簡単なことなのかもしれない。フラットアース会議での経験を思い出してみれば、科学否定論者の考えを変えることに過剰な期待はもてないからだ。たとえ変えられたとしても、そのあいだに地球温暖化はずっと進んでいるだろう。だが、想像してほしい――誰かを説得して考えを捨てさせる必要がなかったとしたら？　そう、**政治の変化を実現したいのであれば、投票に行って否定論者を議会から追い出すだけでいい**のである。

だがそうはいっても、そのためには効果的なコミュニケーション戦略が必要だ。化石燃料から利益を得ている側が発信するプロパガンダに対抗する必要がある。地球温暖化を強硬に否定する人――そこには上院議員も含まれる――は偽情報にまみれている。その状態からどうしたら脱却できるのか？　もしそれが可能だったとしても、彼らの意見を変えることが行動につながる保証はあるのか？

この問題には個人の価値観と利害が深く関係している。それは「事実」や「真実」とは別次元の話だ。アイデンティティは、信念だけでなく、価値観の骨子を形成する役割も果たす。すなわち、自分はなにが気になるか、なにに対して行動を起こしたいと思うかにも、大きな影響を与えている。この話が信じられないのなら、中国をはじめとした多くの国のことを考えてみればいい。気候変動を否定する国民の割合がいかに低くても、大量の汚染物質をまき散らす国が確かにあるのだ。もし否定論を乗り越えることが行動につながるのなら、中国ではなぜそれがうまくいかないのか？　より多くの議論やグラフ、言葉や数字が問題解決の鍵にならないのなら、なにがそのかわりになるのか？

コロナ禍から見えてきた懸念

新型コロナウイルス感染症が世界的に大流行しはじめたとき、私はこの危機と気候変動には明らかに似ている点があると考えるようになった。どちらも解決のためには国際的な協力が欠かせない世界規模の危機であり、私たちの命がかかっている。唯一大きな違いがあるとすれば、それは時間的猶予だろう。気候変動は今この瞬間にも全世界で進行している現象だが、それを理解してもらうのはときに難しい。「ああ、それは未来の問題ね」とか、「自分の住んでいるところじゃ感じたことがないね」などと言って、ちがう話題に移ってしまう。人々は気候変動を気にしていない。彼らの認識では、それはまだ起きていない問題だからだ。だが、新型コロナはそうではない。見通しは非常に暗く、あらゆる人が影響を受ける可能性があることを誰もが知っている。だとすれば、気候変動という類似の危機への対応について、ここから学べることがあるのではないか？

だがその後、驚いたことに、コロナ危機は政治的に利用されはじめ、最新版の科学否定へと姿を変えてしまった。これについては第8章で詳しく論じるが、ここでは**新型コロナへの対応から見えてきた気候変動問題に対する懸念**をいくつか挙げておくにとどめよう。

1　現在の自分たちの命を守るために必要な経済的犠牲や変化すら望まないのなら、気候変動がもたらすかもしれない暗い未来において（このままだと確実にそうなるわけだが）、他人の命を守るために必要な手立てを誰が講じるだろうか？

2　新型コロナにどの国もひどく苦しんでいる現在にあって、パンデミックと戦うために国際的に協力しようという政治的意志を呼び覚ませないのなら、気候変動に対してどうしてそれができるだろうか？

3　特定の利益集団が、荒唐無稽な陰謀論や党派に根ざしたたわごとを用いて、新型コロナの問題をこれほど迅速に政治利用できるのなら、気候変動に関する「論争」を二極化させないなど、どうすれば望めるのか？[*25]

こうした見方は、たしかに悲観的かもしれない。だが、コロナ禍において世論と政治的リーダーシップのあいだに断絶があるときちんと認めることは、問題解決にきっと資するはずだ。コロナ危機を解決するときに、もしこの一連の騒動を「インチキ」と考える頑固な少数派を説得する必要がなく、もっとましな政治的リーダーを選べばいいだけなら、それと同じことが気候変動に言えない道理はないだろう。*[26]

二つの出来事が偶然に重なったおかげで、素直に喜べる話ではないにせよ、少なくとも気候変動にとってよいニュースも聞かれた。たとえば、パンデミックがはじまった最初の数週間、二〇二〇年四月上旬における温室効果ガスの排出量は、全世界で約一七パーセント低下した。これほどの急落は前例がないという。パンデミック前の二〇一九年秋に発表された国連の報告書は、「気候変動の最悪の影響を避けるには、二〇二〇年から毎年七・六パーセントずつ、世界の温室効果ガスの排出量を減らしていく必要がある」*[27]と警告していたが、まさしく二〇二〇年にその動きが生まれたのだ。ある科学研究は、在宅勤務、飛行機や自動車の使用頻度の減少、一部の国でのロックダウンの影響によって、「二〇二〇年の総排出量は、前年に比べて四〜七パーセント低下するだろう」と見積もった。また、IAEA（国際エネルギー機関）による報告書は、二〇二〇年の減少率は八パーセントになると予測した。*[28]国連が警告した条件を満たしているのである。

もちろん、パンデミックが終息すれば、この傾向は消えてしまうだろう。そのうえ、二〇五〇年までの気温上昇を二度に抑えるというIPCCの目標を達成するには、この状態を二〇三〇年まで毎年継続する必要がある（しかも、二〇五〇年までに排出量がゼロになるよう、さらに削減を進めなくてはならない）。パンデミックのあいだにアメリカなどの国々で経済的な引き締めに対する大規模な抵抗があったことを考えれば、このようなことが可能だと誰が思うだろうか？

アメリカでは、新型コロナの第一波発生からひと月も経たないうちに、「経済活動を再開させよう」というロビー活動があった。また、最初の外出禁止令が出てからおよそ二週間後に、トランプ大統領は後世に長く語り継がれる次のようなツイートを投稿した。いわく「治療が病気そのものより害悪であってはならない」[29]。さらに気分が悪くなるのは、早くも二〇二〇年四月の時点で、経済を救うためにコロナで死ぬのはアメリカ人の愛国的義務だと示唆した者がいたことだ[30]。これは明らかに気候変動が目指すところではない。パンデミックのさなか、人命のためでも経済的犠牲は払えないとする意見がここまで根強いのであれば、現在であれ将来であれ、気候変動にもっと真剣に取り組もうという動きが起きるはずがない。

もうおわかりのように、私たちが直面している危機は、もはや疫病や否定論の範囲にとどまらない。ここで問われているのは、私たちの人間性そのものだ。この状況を打開するには、市井の科学否定論者を説得するのではなく、システム全体を相手にすることが重要なのだろう。気候変動（および新型コロナ）が政治的に利用されているのなら、視線を向けるべきはまず政治家たちのはずだ。システムを大きく変えられるのは、彼らだけだからだ。世論調査からは、気候変動に対して行動を起こすべきだと多くの国民が考えていることがわかっている。なにかが起こるかもしれないと楽観的に考えてはいけないだろうか？[31]

説得すること、投票すること

共和党による政治が、気候変動の対策を阻む主な原因であることは間違いない。政治献金と企業の影響力がいかに問題解決を阻み、膠着状態を生みだすかは、ジェイン・メイヤーの仕事を通じて見たとおりだ。では、どうやってそれを打破するのか?

一つの答えは投票である。ペンシルベニア州ドーヴァーでは、進化論の否定派が教育委員会を掌握し、進化論と並行してインテリジェント・デザインも教えるカリキュラムに賛成票を投じた。だが後日、保護者から一〇〇万ドルの訴訟を起こされ、次の選挙では、八人の教育委員全員がその座を追われることになった。[*32] つまり、否定派の政治家に自分の誤りを認めさせるよりは、よりまともな政治家を当選させればいい。ジェイムズ・インホフ、テッド・クルーズ、ミッチ・マコーネルなど、気候変動を認めない一三〇人の現職国会議員がいなくなれば、なんらかの変化が生まれるかもしれない。[*33] トランプが去れば、パリ協定に復帰できるかもしれない。もちろん、それまでにはまだ時間があるので、説得の努力は引き続きおこなっていくべきだろう。説得によって変わるのが、信念であろうが「関心の輪」であろうが、結果は同じだ。まず考え方を変えることで、行動を起こさせるのである。

第3章では、共和党議員が気候変動に対する信念を変えた印象的な事例をいくつか紹介した。ジム・ブライデンスタイン、ジェイムズ・ケイソン、トマス・レガラドといった共和党議員はみな、信頼している人の話を聞いたり個人的な経験を積み重ねることで心を揺さぶられ、気候変動に対する考えを変えたのだった。[*34] では、ここまで本書で検討してきた技術を使って、残る否定派を説得できないものだろうか？　政敵と「妥協」した民主党議員を非難するかわりに、政党を超えた友好関係が生まれたことを歓迎すべきではないか？　民主党議員に説得に必要な技術を身につけてもらえば――そしてもう少し図表を使ってもらえば――この現状によい影響を与えられるのではないか？

とある心理学のジャーナルに最近掲載された論文によると、**道徳的フレーミング**という説得戦略を使うことで、保守が気候変動問題を受け入れる確率が増加することがわかった。[*35] 具体的には、自然環境を守るとは、①秩序に従い、②自然の清らかさを守り、③愛国心を示すことだ、という考えを強調することで、保守が環境保護のメッセージを受け入れる確率に統計的に有意な変化が見られたのである。また、ガーディアン紙でダナ・ヌチテリが引用した別の研究からは、気候科学者の九七パーセントが気候変動を真実だと考えていることを強調すると、他の方法よりも保守を説得しやすくなったことがわかっている。ここで示されているのは、事実を認めないのが問題だということではなく、効果的な科学コミュニケーションをおこなえば、保守の態度に著しい影響を与えられるということだ。この研究はその好例だと言えよう。[*36]

説得すること、投票すること。信念を変えること、価値観を変えること。事実を共有すると同時に、関心の輪を広げていくこと。 こうした挑戦が、いま求められている。気候変動の問題は非常に規模が大きく、あまりに切迫しているので、人類の総力をあげて取り組まなければとても対処できない。二〇一八年のＩＰＣＣの特別報告書は、地球温暖化の最悪の局面を避けるために使える時間は、あと一二年しかないと述べた。[37] BBCによると、最近ではもっと短くなり、「温暖化危機に対処するには、これからの一年半が非常に重要になる」というコンセンサスが形成されつつあるようだ。[38] また、先述の特別報告書は「一・五度目標を達成しようと思えば、世界の二酸化炭素排出量は二〇二〇年をピークとしなくてはならない」とも述べたが、政治的リーダーシップを発揮して、そのための対策を二〇二〇年末までに講じなければ、実現はまず不可能だろう。

ポツダム気候影響研究所の創設者ハンス・ヨアヒム・シェルンフーバーは次のように述べている。「気候の数学は、残酷なまでにはっきりと示している――続く数年で世界が回復することはないし、二〇二〇年までの怠慢が致命傷になるかもしれない」。二〇三〇年までに温室効果ガスの排出量を半減させようと真剣に考えるのなら、私たちに迷っている時間はない。

個人レベルであれ政府レベルであれ、気候変動に対処するために重要なことはなにかと問われたなら、私は確信をもってこう答えるだろう――**私たちは、もう一度、互いに話し合う必要がある。**[39]本書がここまで着目してきたのは、科学否定に対抗するには、相手と個人的に、対面で関与することが有効な手段になりうるという考え方だった。敬意と信頼を育み、ひいては相手の意見を変えるには、個人的な関係を築くことが最善の方法だからだ。これと同様のことが、「なにに関心をもつか」を決めるときにも言えないだろうか?

本章で見てきたとおり、対話を通じていくら個人の信念を変えてみたところで、気候変動問題の世界的解決にはつながらないかもしれない。だが、直接解決するのではなく、まずはより多くの人に関心をもってもらうのなら、同じ戦略が使えるのではないか? 相手の心や価値観に変化を与えるには、個人的な関わりを通じてアプローチするのが一番である。私たちは、自分が知っている人、自分が見たことがある場所を気にかけるものなのだ。

では、世間の「関心の輪」を広げて、そこにペンシルベニアの炭鉱労働者とモルディブの若者を加えることができたら、なにが起きるだろう？　チャンスは広がるのではないか？　相手の信念を変える試みは、相手の関心の対象を変える試みとある程度までは同じだ。それを実現する完璧な戦略というものは存在しないかもしれないが、それでも対話をおこなうことは依然として有効である。対話を放棄し、自分の狭い世界にとどまっているだけでは、問題は悪化するばかりだろう。

第6章

リベラルによる科学否定？

科学否定とは概して右派的な現象だという指摘がある。なるほど、その事例を見つけるのはたしかに難しくない。たとえば私たちは、たった今、気候変動の問題が共和党によって政治化され、各人の政治的立場を明らかにするリトマス紙として機能することを見た。[*1]ダーウィンの進化論を信じるか否かもまた、そうした事例の一つだろう。支持政党によって賛否の割合に明確な違いがあることが世論調査のデータからわかっているばかりでなく、保守に近いキリスト教福音派による見え透いた政治キャンペーンもおこなわれている。福音派は、旧来の創造論に「インテリジェント・デザイン」という科学風の装いをほどこし、公立校の科学カリキュラムに導入しようと企てている。[*2]

支持政党による意見の違いは誤差レベルではない。気候変動が重要な脅威だと考えている割合は、共和党支持者では二七パーセントにすぎないが、民主党支持者では八四パーセントにのぼる。[*3]進化論に関しても、人類が長い年月をかけて進化してきたと考えている割合は、共和党で四三パーセント、民主党で六七パーセント。しかも、共和党の割合は前回調査時よりも減少している。[*4]だがこれは、あらゆる科学否定において、リベラルより保守の割合が多いということだろうか？[*5] 割合が逆転しているケースはないのだろうか？[*6]

ここで気をつけるべきことがある。すでにリリアナ・メイソンの研究（第2章）を通じて検討したように、**政治的イデオロギーと党派的アイデンティティは区別できる**。言い換えれば、私たちがなにを信じているかよりも、誰と同じ意見を信じているかの方が重要になる場合があるということだ。気候変動や進化論を否定する保守の存在は、ある具体的な信念（炭素税に対する深い疑念や、眼球は自然選択で生まれるには複雑すぎるという考え）をもっているという事実だけでなく、党派的立場そのものが否定を促しているという事実によって、ある程度説明できるのだ。

そうであれば、気候変動や進化論の是非がすでに政治化された問題になっている以上、リベラルと保守でそれを信じる人の割合が違うことになんの驚きもない。私たちは、いったんなにを信じるべきかという情報を手に入れると、自分が所属する陣営の主張を利用して、自分の見解を支えようとする。[*7]

では、同じことはすべての科学否定に言えるのか？　もし言えるのなら、科学否定は政治的右派の専売特許ではなく、左派にも事例が見つかるのではないか？　学者や有識者によると、そのような事例の候補として最初に思いつくのは、**反ワクチン**と**反GMO**（遺伝子組み換え作物）である。[*8]

二〇一三年のサイエンティフィック・アメリカン誌に、マイケル・シャーマーがとある小論を発表した。政治というものは右派と左派のどちらにおいても科学を歪める可能性があるとする論文を擁護した、よく引き合いにだされる小論である。[*9] シャーマーはさらにそこで、共和党支持者による科学否定は広く知られているが、それに加えて「リベラルによる科学上の戦争」なるものも存在するという挑発的なアイデアを提示した。
後年に発表した別の小論で彼はこう述べている。

左派もまた、自身の政治的イデオロギーと対立している場合は、すでに確立された科学的発見に対して懐疑的になることがある。たとえば、GMO、原子力、遺伝子工学、進化心理学などだ。最後の進化心理学に対する懐疑を、私は「認知的創造論」と呼んでいる。なぜなら左派は、「空白の石版」モデル〔心はまっさらな石版で、環境のみが書き込むことができるとする説〕を支持しており、自然選択は人間の首から下のみに作用すると考えているからだ。*10

この主張は検証可能なものに思えるが、いまだ物議をかもしている。シャーマーは、心理学者アシュリー・ランドラムの次の言葉を好意的に引用している。「知識の豊かな人は、自分がすでにもっている信念や価値観と矛盾しないときだけ科学を受け入れる。矛盾していた場合は、自慢の知識を用いて、自分の立場をより強硬に正当化しようとする」*11
認知バイアスに関するダニエル・カーネマンの研究は、よく知られている。私たちは皆、共和党員だろうが民主党員だろうが、リベラルだろうが保守だろうが、数十万年におよぶ自然選択のプロセスを通じて進化してきた、同じ認知バイアスをもっていることを示した研究だ。その人が左派だからといって、「確証バイアス」や「動機づけられた推論」の影響を受けないわけではない。実際、第2章で紹介したダン・カーンの実験では、トピックが銃規制になったとたん、数字に強いリベラルでも正しい結論を出せなくなった。

偽りの等価性

ここで再び次の問いを考えてみよう——**リベラルの手による科学否定は本当に存在していると言えるのか？** スティーブン・ルワンドウスキーは、陰謀論、認知バイアス、人々が科学を否定する理由をテーマにした多くの著作のなかで、「左翼による科学否定の証拠はほとんどない」[*12]、科学への不信は「主に政治的右派に集中しているようだ」[*13]と主張している。

この問いは、検討するだけでも大きなリスクをはらんでいる。そこでまず、「リベラルによる科学否定が存在する」という言葉の意味を明確にしておくことが重要だろう。リベラルによる科学否定が存在すると言うためには、なんらかのトピックに対して、リベラルに科学否定論者が何人かいることを示せば十分だろうか？　それでは簡単すぎるし、すでに立証されていることでもある。たとえば、民主党支持者の一六パーセントが気候変動を深刻な問題と考えていない、あるいは三三パーセントが進化論を疑っていることを示すだけで、リベラルによる科学否定が（一部）存在することを立証するには十分だ。[*14] だが、シャーマーの念頭にあったのはこうしたことではないようだ。[*15]

もっと極端な例を考えてみてはどうか？　つまり、リベラルだけが科学的事実や証拠を否定しているトピックをさがしてみるわけだ。これは反対に条件が厳しすぎるだろう。気候変動を否定する者のなかに左派が間違いなくいるからといって、その科学否定が第一に右派による現象だという結論が覆らないのと同様、リベラルによる科学否定を指摘するために、否定派の一〇〇パーセントが左派であるような分野を見つける必要はない。

では、どんなものをさがすべきだろうか？

否定派の過半数をリベラルが占めるという基準はどうか？　あるいは、リベラルをリベラルたらしめる信念そのものが、科学的コンセンサスを否定する議論を突き動かしている分野はどうか？

この問題に取り組み続けてきたクリス・ムーニーは、左派による科学否定を考える際に陥りやすい危険について説明している。[*16]　ムーニーの最大の懸念は、**偽りの等価性**である。それはつまり、たとえ左派の割合が多数を占める科学否定の分野があったとしても、それだけでは今まで右派が生みだしてきた科学否定の激しい流れを相殺することにはならない、ということだ。[*17]　したがって、たとえば「反ワクチンや反ＧＭＯはリベラルによる科学否定の事例だ」と主張したいのなら、リベラルの割合が多いだけでなく、その議論がリベラル特有の言説によって推し進められている、という視点が必要になるだろう。

これは、気候変動否定には右派が多いだけでなく、その議論の動機が保守らしい世界観――政府によるコントロールへの懐疑、自由市場による解決への揺るがぬ信頼――に支えられているのと同じことだ。[*18]　ムーニーは自著『共和党の科学戦争』や『共和党の考え方』のなかで、科学否定の天秤は保守側に大きく傾いたままだと主張している。[*19]　だが、たとえそうだとしても、リベラル寄りの科学否定もいくつか存在しているのではないか？

候補1——反ワクチン派

反ワクチンはその有力な候補だ。ムーニーは、二〇一一年のエッセイ「科学否定の科学」でこの問題を取り上げている。

では、政治的左派が多数を占める科学否定の事例はあるだろうか？　答えはイエスである——小児期のワクチン接種が自閉症の流行を引き起こすという主張だ。この主張は、環境保護主義者（ロバート・F・ケネディ・ジュニア）や多くのハリウッドセレブ（ジェニー・マッカーシーとジム・キャリーが有名）によって支持されている。ハフィントン・ポスト〔アメリカのリベラル系メディア〕は、この主張を広める巨大な拡声器となっている。またセス・ムヌーキンは、最新刊『パニック・ウイルス』で次のように指摘している。「ワクチン否定論者を見つけたいなら、ホールフーズ〔自然食品を多数扱うスーパー〕をぶらついてみるがいい」[*20]

とはいえ左派びいきのムーニーは、早くも次の段落で「（科学否定は）政治的右派により顕著に見られ」、「反ワクチンを表明する者は、今日の民主党議員にはほぼ見られない」と主張し、自分の心を慰めている。自分の支持する政党の政治家が否定に関与していないのなら、その否定は政治的と言えるだろうか、と問いたいのだろう。ムーニーは、その後の仕事でさらに意見を後退させ、「リベラルの科学戦争などというものは存在しない」、「リベラルが保守と同様の反科学だと装うのはやめよう」のようなタイトルの記事を書いている。[*21] どうやら彼は、「偽りの等価性」を求める人々を手助けし、安心させてしまったかもしれないという考えに青ざめてしまったようだ。

もしムーニーが正しいとしたらどうだろう？　反ワクチンが左派に顕著な科学否定の事例である一方で、そのことがリベラルは保守と同じくらい反科学的だという結論を導かなかったとしたら？それでも反ワクチンは、リベラルの科学否定と言えるのだろうか？[*22]

答えは状況によって変わるだろう。近年の世論調査によると、ムーニーの二〇一一年の記事からは少し情勢が変わってきているようだ。二〇一四年のピュー調査では、「共和党支持者の三四パーセント、無党派層の三三パーセント、民主党支持者の二二パーセントが、子供がワクチンを接種するかどうかを最終的に決めるのは親であるべきだ」と答えている。[*23] とはいえ、これはワクチンへの態度をはかる指標の一つにすぎない。翌一五年のピュー調査では、リベラルの一二パーセント、保守の一〇パーセントが、ワクチンは安全ではないと回答している。[*24]

反ワクチン感情を測定する正しい方法とはどのようなものだろうか？　また、そこに見える支持政党による違いは大騒ぎするほど顕著なものだろうか？　このところの反ワクチン運動は、政党による違いがないどころか、そもそも政治と無関係に見える。[*25] おそらくこの問題はまったく政治化されてこなかったのだ。実際、近年の研究からは、ワクチンに反対しているのは、リベラルでも保守でも特に極端な層が主体であることがわかっている。[*26] ある有識者が述べたように、「どちらの政党を支持するかではなく、党派性が強くなるほど、ワクチンが有害だと強く思うようになる」。[*27] また他の調査も、たとえリベラルと保守の双方がワクチンに懐疑的だとしても、その理由は異なっている可能性があることを示唆している。[28] こうしたことから、反ワクチンをリベラルの科学否定の一例とみなすことについてなにが言えるだろうか？

反ワクチンは魅力的なトピックで、科学否定について書こうと思っている者にとっては格好の題材である。だが、その政治面はひどく曖昧であり、今日のコロナ時代では、その傾向はさらに強まっている。[29] そして先述したように、このトピックはここ数年で大々的に取り上げられるようになり、優れた本が何冊も出ている。いくつか例を挙げれば、先に紹介したセス・ムヌーキン『パニック・ウイルス』は、ポール・オフィット『反ワクチン運動の真実』と並んで、この問題を理解する入口としてお勧めできる。もっと新しいものがよければ、ジョナサン・バーマン『反ワクチン』はどうだろう。[30] この本では、ワクチンへの反発の起源、ここまでどのような議論がなされてきたかが詳しく解説されている。ワクチンの話題についてはこれらの本にまかせて、本書ではそれ以外のトピックをさがしてみることにしよう。

必要なのは、誰が見ても同意できる完璧な事例である。明白な事実があり、科学的コンセンサスもあるが、リベラルのイデオロギーに基づいて否定されているような事例、否定派の多数がリベラルであり、その否定の根拠が左派的な世界観に根ざしているような事例が必要だ。

では、この条件にあてはまる科学否定とはなにか？　ここで私は、恥ずべきことにこれまで見逃されてきたが、この条件に完璧に適合する候補を一つ提案したい。それは反ワクチンではない。**反GMO**である。そこでこれ以降は、この問題について学び、何人かの話を聞くことにして、その後、次章の後半で再び政治的な疑問に立ち戻ることにしよう。

候補2――GMO＝遺伝子組み換え作物（生物）

GMOに対する反発は、科学否定の分野ではこれまであまり取り上げられてこなかったトピックだ。その点でフラットアースに似ていると言えるが、語られなかった理由は異なる。フラットアースの場合、信じている人がごく一部で、主張内容も荒唐無稽なものだったため、誰も真剣に受け止めなかったことが大きな理由だ。GMOの場合は、むしろその逆と言っていい。一見すると魅力的に思える誤情報が広く流布し、それに対し批判の声も大して上がらなかったので、多くの人が本当に信じてしまったのだ。GMOに反対する人の大半は、その根拠となる科学を学びもせず、それがもたらす結果は不透明だと主張する。専門家は信用できないし、もっとデータも必要だ、というわけだ――このセリフ、どこかで聞いたことはないだろうか？

この章でGMOを取り上げるのが望ましい理由はもう一つある。誰にでもGMOに反対している知人が一人や二人はいるにちがいない。その点で、科学否定論者と対話をしたいと思っている人にとって、このトピックはもっとも容易に実現できるテストケースとなるはずだ。私自身の友人や親戚のなかにも、「食べ物をもてあそぶ」という考えに顔を真っ赤にして怒り、世間の抗議がなければ食品の安全性は保てないと信じている人がいる。殺虫剤、除草剤、人工着色料、抗生物質、成長ホルモンについての心配なら、私にも理解できる。潜在的な危険があることを示す、まっとうな科学研究があるからだ。[*31] だが、**GMOを食べることの危険性を示した信頼できる研究は、今のところ**

存在していない。[32]

「でも、GMOに関する調査がすべて終わったわけじゃない」と言う人もいるだろう。「サリドマイドを覚えてるかい？　科学検査をすり抜けて、ずっとあとになってから安全じゃないとわかったじゃないか」。このセリフは、本書ではもうおなじみのものである。だが、ここで私が指摘したいのは、GMOに対する警戒や懐疑が不合理だということではない。その問題が今では、たんなるリスク回避にとどまらず、本格的な科学否定の域に達していることを懸念しているのだ。[33]

「GMO以外の選択肢もあるのに、なぜわざわざ冒険しなくてはならないのか」と述べることと、「GMOの生産は、私たちに毒を与えて利益を上げようとする企業の邪悪な試み以外のなにものでもない」と述べることは、まったく別のことだ（とはいえ、前者の主張は反ワクチン派も言っていた点は指摘しておきたい）。[34] GMOを食べることにはなんの利点もないという考えと、GMOは悪意をもって意図的に生みだされたという考えは、根本的に違うのである。[35]

ゴールデンライス、グリーンピース、モンサント

そもそもGMOとはなんなのか？　それは、栄養価、サイズ、成長速度、病気や害虫といった脅威への耐性などを改善するために、分子レベルで改変を加えられた作物のことだ。[36] 最初に商用栽培されたのは一九九四年、フレーバー・セーバーという品種のトマトで、これには腐りにくくなる改変が施されていた[37]（だが品質に問題があったため、一九九七年に栽培が中止されている）。

今日、私たちの食卓にのぼる食品の多くは遺伝子組み換えがなされているが、それに気がついている人はあまりいない。[*38] たとえば、一八世紀に食べられていたトウモロコシと、現代の私たちが食べているトウモロコシはまったく違う見かけをしている。現代のトウモロコシの八五パーセントは、人為的な選択と遺伝子改変の結果生まれたものだ。[*39] そうしたトウモロコシのなかには、害虫に耐性をもった系統もあり、そのおかげで農家は殺虫剤の量を減らすことができる。遺伝子改変は、苦境にあえぐパパイヤ産業も救った。[*40] 大豆、トウモロコシ、綿花は遺伝子組み換えがもっともよくおこなわれる作物である。[*41] だが、GMO史上最高の成功例はなにかと聞かれれば、その答えは「イネ(米)」ということになるだろう。

一九九〇年代、学術分野の研究者は、ビタミン欠乏症や食料不足の解決を支援するために「ゴールデンライス」という品種を開発した。[*42] 米は世界人口の半分が日常的に消費している食品だが、世界中でおよそ二億五〇〇〇万人の子供がビタミンA欠乏症――最悪の場合は失明や死に至る――に苦しんでいると見積もられている。[*43] 研究者は、ラッパスイセンがもつ遺伝子をイネに導入し、その結果できた米に、ビタミンAの優れた供給源であるベータカロチンが非常に豊富に含まれていることを発見した(このかけ合わせによって米の色が白から黄色へと変わり、これが名前の由来となった)。ゴールデンライスは乾燥にも強い。この特徴は、農業の持続可能性にとって大きな進歩であり、気候変動によって干ばつや熱波が増えている地域においては特にそれが言える。

にもかかわらず、ゴールデンライスを含む遺伝子組み換え作物には、悪意に満ちた抗議が組織的に浴びせられてきた。たとえば、環境保護団体のグリーンピースは、これまで一貫してゴールデンライス批判を続けてきた[44]（受け入れてしまえば、それ以外のGMOも容認しなければならないと恐れているのだろう）。また、他のGMOの研究のかなりの部分が、モンサント社〔現バイエル〕を筆頭とする巨大な農業関連企業に牽引されていることに憤慨している人もいる。

モンサント社の名前は聞いたことがあるだろう。二〇一八年にバイエルに買収され、モンサントという企業名こそ使われなくなったが、その負の遺産はまだ人々の記憶に残っている――エージェント・オレンジ〔ベトナム戦争で使用された枯葉剤〕、PCB、そして長いあいだ発がん性が疑われていた除草剤のラウンドアップなどだ。[45]

一部の人にとって特に腹立たしかったのは、モンサント社の主要なGMO製品の一つに、除草剤に耐性をもつ種子が含まれていたことだった。ラウンドアップを散布すれば周囲の雑草は死ぬが、その苗は生き残るというわけだ。この製品によって、農家は条〔作物を植えつけた列〕の間隔を狭めることが可能になったが、もちろん、①モンサント社のすることはなに一つ信用できず、②口に入るものに除草剤をかけてほしくない人たちの不安は募るばかりだった。その不満は、二〇一三年の反モンサント大行進として表面化することになる。

しかしながら、大行進では、「GMOの摂取は安全ではない」ということと、「GMOのなかには従来より多くの殺虫剤と除草剤を使用できるものがあり、それを食べるのは安全ではない」ということが混同されており、それらを隔てる重要な区別にはほとんど注意が向けられなかった。

歴史を考慮すれば、モンサント社を信頼できない気持ちも、ある程度は仕方ないのかもしれない。[46]だが、それゆえすべてのGMOが疑わしい技術で作られているとまで言ってしまえば、それは議論の飛躍だ（そもそもゴールデンライスを開発したのは大学の研究者であり、モンサントなどの企業ではなかったことを思い出してほしい）[*47]。こうした飛躍は、ある識者が指摘しているとおり、「マイクロソフトＯｆｆｉｃｅの独占状況が不満だからといって、すべてのソフトウェアに反対するようなもの」なのである[*48]。ＧＭＯの研究をおこなっている企業の多くが農業関連企業なのは事実だが、それがどこで作られたものであれ、ＧＭＯ製品が安全ではないという科学的証拠は存在しない[*49]。ＡＡＡＳ（米国科学振興協会）は最近、次のような声明を出した。

科学は次のことを明確に示している。バイオテクノロジーの分子技術を用いた作物の改良は安全である……世界保健機構、米国医師会、米国科学アカデミー、英国王立協会など、証拠を調査した権威ある組織は、例外なく同じ結論に達している。遺伝子組み換え作物に由来する原材料を含む食品を摂取することは、従来の技術を使って改良された作物に由来する原材料を含む食品を摂取することと、安全面においてなんら変わりはない[*50]。

だがそれでも、ＧＭＯに対する反発はいまだ根強く残っている。たとえばヨーロッパでは、ＧＭＯを含む食品に表示義務が課せられている[*51]。アメリカとカナダでは、（消費者の好みに寄り添って）ＧＭＯを含まない食品の任意表示が広がっているが、およそ馬鹿ばかしいと言わざるをえない[*52]。私は一度、食塩のパッケージに「これはＧＭＯではありません」と表示されているのを目撃したことがある。もちろん塩は無機物であって、ＤＮＡとは関係がない[*53]。もしかしたらこの種のマーケティングは、消費者の無知をあてこんで、不安に訴えかけるのが目的なのかもしれない。

二〇一八年のピュー調査を見てみると、GMOが人間の健康にとって大きな脅威だと感じている人は、回答者全体の半分にのぼっていることがわかる。[*54] ここで、GMOを気候変動などの他のトピックと比較してみるのも面白いだろう。どちらも、世間一般の受け止めと、科学界のコンセンサスのあいだに大きなギャップがあるように思えるからだ。

少し前になるが、二〇一五年のピュー調査では、GMOは食べても安全だと考えている人の割合は、AAASの会員では八八パーセントだったが、一般人では三七パーセントにとどまった。[*55] ある解説によると、「この五一ポイントの差は、科学者と一般市民の意見の相違のなかでも最大のものだ」という。[*56] そうした意見の相違には気候変動に関するものも含まれている。[*57]

なぜ人々はそれほどまでにGMOを恐れるのだろうか？　もちろん、誰もがその理由をいつも意識しているわけではないだろう。食品に「自然ではないもの」が含まれているという考えが、私たちの脳にある敏感なトリガーを引いて、それを忌避させるのかもしれない。[*58]

研究者はこれまでに、科学知識が少ない人ほどGMOに対して抵抗を感じる傾向にあり、遺伝子組み換えの仕組みに対する完全な無知が、そもそもの強い抵抗感につながっている可能性があることを発見している。[*59] オクラホマ州立大学がおこなったある研究によると、アメリカ人の八〇パーセントがDNAを含む食品の表示義務に賛成しているという[*60]——言うまでもなく、無機物を除くあらゆる食品にはDNAが含まれているのだが！

こうした「化学製品恐怖症[*61]」は、二〇一二年に科学者のジル＝エリック・セラリーニが、モンサント社のラウンドアップに耐性をもつトウモロコシで育てたラットに多くの腫瘍が現れ、寿命も短かったという研究成果を発表すると、さらに決定的なものになった。[*62] セラリーニの研究は、手法の欠陥、利害の対立、標本数の少なさ、加齢とともに腫瘍が自然に発生するラットを選んだことなどを理由に、すでに撤回されている。だがそれでも、一度発表された論文が世間に与えた影響は決して小さくない。[*63]

マーク・ライナスの「転向」

他の科学否定と同様、ＧＭＯの否定もまた、科学的証拠とはほとんど関係のない陰謀論を土台とした思考にかなりの部分を負っている。この点について、かつて反ＧＭＯの活動家だった歴史家のマーク・ライナスが述べた主張はとても興味深い。ライナスは、現在では立場を変え、反ＧＭＯの闘士たちに呼びかける講演をおこなっている。

彼は次のように書いている。

ＧＭＯをめぐる論争は、過去五〇年間における科学コミュニケーションの歴史のなかで、最大級の失敗に思える。何百万、ひょっとしたら何十億という人たちが、本質的には陰謀論であるものを信じるようになり、前例のない規模で、ある分野の技術全体に対する恐怖と誤解を生みだしている。[*64]

ライナスは自著『科学の種』のなかで、自分が意見を変えるに至った経緯を、裏づけとなる証拠とともに詳細に説明している。[*65] それによると、彼は反GMO活動を数年間続けたのち、地球温暖化の科学文献調査に取り組み、その成果は二冊の書籍として結実した（どちらも高い評価を受け、うち一冊は権威ある賞まで受賞した）。その過程でライナスの科学に対する敬意は増し、一方で科学否定論者への落胆も大きくなっていった。GMOに関する過去の仕事を見直す機会が訪れたとき、彼は自分の結論を支持する証拠がほとんど見つからないことを知り愕然とした。ライナスは過去の自分の見解を正当化してくれるものを必死にさがしたが、見つけることができず、認知的不協和は耐えがたいものになっていった。

彼はこう説明している。

今日の遺伝子組み換え食品が健康上のリスクを引き起こす証拠はゼロである。……遺伝子工学の安全で有益な利用に関する科学的コンセンサスを一方で否定しておきながら、気候に関するコンセンサスを否定しているといって地球温暖化に対する懐疑を批判することはできない。[*66]

ライナスは著作や講演などで、自分がかつて、食料不足問題に取り組む科学者の仕事を過小評価し、間接的に傷つけてしまったことに対して、深い罪の意識と後悔を感じていると語っている。自分の行為によって、本来なら予防できたかもしれない何千という栄養失調による死が引き起こされたかもしれないというのだ。ライナスは二〇一三年にスピーチをおこない、反GMO活動を続けていたときに損害を与えた作物があることについて農業従事者に全面的に謝罪した（この様子はインターネットで拡散され世界中に波紋を広げることになった）[*67]。

ライナスのケースは、科学否定論者の「転向」としてはかなり衝撃的な例だが、その経緯もまた同じくらい注目に値する。今回のケースでは、GMOに関する事実を根気強く説くために、「あちら側」の誰かがライナスと信頼関係を結んだわけではない。ライナス自身が指摘しているとおり、彼は地球温暖化に対する自分自身の仕事を通じて人が変わり、科学者と深く共鳴したのである。ライナス自身が指摘しているとおり、彼の転向の主な要因は、彼が「科学を発見した」ことにある。

ライナスは次のように振り返っている。

GMOに対する考えが変わろうとしていたのは、忠誠心を向ける先が環境活動家から科学者へと移りつつあったからにほかならない。私は二〇〇八年に王立協会科学書賞を受賞した。よくも悪くも自分は科学コミュニティからお墨付きをもらったのだな、私はそう受けとった。首狩り族だったら、敵対する部族の長（おさ）の頭を持ち帰ったようなものだったろう。一方で、私の評判は脅かされていた。なぜなら、今では仲間だと思っている人たちから見れば、GMOに対する私の主張は危険なまでに非科学的だったからだ。このときになって初めて、私は自分の立場を真剣に見直す必要に迫られることになった。つまり、おそらくは心の奥底で、私は実際の真実よりも、科学界という新しい部族内での自分の評価――私がなにを真実と見ているか――を気にしていたのだ。……言い換えれば、私は意見を変えたというより、むしろ部族を変えたのである。[68]

ライナスはそこで、大半の人は、合理的な言葉でいかに飾り立てようとも、自分の「道徳的」根拠に基づいて信念を形成しているとする、ジョナサン・ハイトの主張を好意的に引用している。第2章で見たように、事実に基づいて人の意見を変えることがこれほど難しいのは、おそらくそれが理由だ。そもそも信念とは事実にまつわるものではない。ハイトはこう書いている。

人は、自分の直感に逆らうことを信じるように言われると、脱出口を見つけよう、つまり、相手の論拠や結論を疑う理由をさがしだそうと躍起になるものだ。そしてたいてい、その試みは成功する。[69]

ライナスは、このハイトの主張が反GMO活動家だったときの自分にあてはまることを認め、自分の転向のあとに起きた話について次のように書いた。あるときライナスは、オックスフォード大学の遺伝学の教授に、「当時、あなたを説得するために他にできることはあっただろうかと聞かれた。それに対し私は、なにもできなかったと思うと答えた。彼らの［科学的な］議論にその力がなかったからではない。彼らの誤りは、自分たちの議論が重要だと信じて疑わなかったことだった」。[70]『科学の種』のなかで、ライナスはGMO否定の起源について、よく知られた話を紹介している。

容易に想像できるとおり、そのはじまりは科学ではなくイデオロギーだった。一九七〇年代に動植物を対象にして遺伝子工学が発展しはじめたとき、ごく一般的な懸念を表明する科学者たちがいた。とはいえ、その懸念は実験で得られた証拠に基づくものではなく、優生学や、天使も踏むを恐れる場所に科学者が足を踏み入れることに対する、倫理的な側面をもつものだった。やがて時の経過とともに、こうした懸念が新しく得られた経験的結果を前に沈静化すると、GMOに対する反発はイデオロギーの領域に手を伸ばすようになった。[*71] ライナスは、「アースファースト！」という環境保護団体のメンバーがBBCに語った言葉を引用している。

バークリーの企業が私の住む地域でこうしたもの［GMO製品］を販売すると聞いたときは、文字どおり体にナイフを突き立てられた気分になりました。……ここでもまた、お金のために、科学、テクノロジー、企業が、これまで地球に存在すらしていなかった新しい細菌を使って、私の体を侵略しようとしているのです。これまでだって、スモッグ、放射線、食品に含まれる有害な化学物質によって、すでに侵略されてきたのです。もうこれ以上は我慢できませんでした。[*72]

全面禁止が実現したら？

こうした道徳的確信に背中を押されたGMO反対派は、科学研究がさらに進展することは求めず、ただＧＭＯの全面禁止だけを望んだ。そのための手段は、訴訟、広報、そして直接行動だ。最後の直接行動とはつまり、ＧＭＯがまだ畑にあるうちに破壊するというもので、活動家時代のライナスがやったのもこれである。

それ以外にも、「グローバリゼーションの危険性を警告し、進みすぎたテクノロジーを批判し、作物バイオテクノロジーの『遺伝子ルーレット』を糾弾する」新聞広告を主要メディアに掲載するなど、全面的な広報キャンペーンに取り組む活動家もいた。[*73] このキャンペーンは目を見張るような効果を発揮した。特に一九九〇年代のヨーロッパに与えた影響は大きく、もともとＧＭＯには好意的か、あるいは関心がなかった人が多数を占めていたにもかかわらず、この不安をあおる戦術が広まる頃には、「ＧＭＯ食品に反対する人の割合は二〇ポイントも上昇し……反対にＧＭＯを支持する人は西ヨーロッパでは全体の五分の一にとどまった」。[*74] この状況は、**ＧＭＯ食品が安全ではないことを示唆する科学的証拠がなんらない時代に生まれたもの**だった。[*75]

反ＧＭＯ活動家は疑わしい科学的発見に便乗していたわけではない。それどころか、ＧＭＯに対する最初の反対運動は経験的証拠が手に入る前に生じており、ＧＭＯが有害だという証拠は依然として見つかっていないにもかかわらず、それが今日まで続いてきた。一方でライナスは、食の安全性の問題には、それを足がかりにして遺伝子工学全体に「道徳的に」[*76] 反論したいという側面が常にあり、そのせいで科学的事実が捻じ曲げられていると主張している。[*76] ライナスは、反ＧＭＯ活動家時代の仲間との会話のなかで、同じく活動家であるジョージ・モンビオが「ＧＭＯが安全だという科学的コンセンサスがあるのは間違いないが、私にとっては、企業の権力、特許、支配、規模の大きさ、収奪がすべてだった」と認めたことを報告している。[*77]

このようにGMOへの反発が、科学的というより、イデオロギー的、道徳的、仮説的なものであったとしても、GMO否定が現実世界にもたらした影響は破壊的だった。「二〇年近く経った今でも……［ヨーロッパでは］遺伝子組み換え作物の栽培は一つも承認されていない」のである。[*78]

他方、GMOが市場に出まわっているアメリカをはじめとする国々では、環境保護活動家が憂慮する問題にGMOによる好影響が顕著に現れている。たとえば、ある科学研究によれば、GMO技術によって殺虫剤の使用量は約三七パーセント減少したという。また別の科学研究は、GMOを導入することで温室効果ガスの排出量が二六〇〇万トン減ったと推定している。[*79]

では、グリーンピースの目標である「GMOの全面禁止」が実現されたとしたら、なにが起こるだろうか？　想像するのも恐ろしいが、まず言えるのは、今より多くの農地が必要になるということだ。そうなれば、農地を増やすために森林が伐採され、結果として、より多くの炭素が排出されるようになるだろう。[*80]ライナスが指摘しているように、伝統的な（一九六〇年頃の）自然農法以外の技術を否定した場合、食料をまかなうためには、南米大陸二つ分の土地が追加で必要になると考えられている。[*81]また、人的な影響も甚大になる可能性がある。ライナスが訴えるのは、グリーンピースによるゴールデンライス反対キャンペーンが飢えに苦しむ子供に与えたかもしれない悪影響だ。

彼は次のような痛烈な批判をしている。

反GMOキャンペーンが、本来なら起こりえなかった死につながったことは間違いない。その最たる例は、ザンビア政府が、二〇〇二年に深刻な飢饉に見舞われた際、飢えた国民に輸入GMOトウモロコシを与えることを拒否した出来事だろう。世界食糧計画から提供された遺伝子組み換えトウモロコシは有毒だという、西側の環境団体の嘘をザンビアの大統領が信じたがために、数千人の死者が出たのである。[*82]

ライナスのような熱心な転向者の言葉は割り引いて聞くべきだ、という意見はわかる。だが、彼の指摘は他の研究者によっても裏づけられている。反GMOのイデオロギーは、GMOは実際に人間の健康にとって危険だ――科学なんて知ったことか――という考えに深く根ざしている。[*83]「GMOの研究者はデータを隠蔽している」、「GMOは食料不足を引き起こす目的で発明された」、「モンサント社がラウンドアップの売上を増やすために、害虫に弱い作物を意図的に作った」といった、まことしやかに囁かれる主張を聞いていると、フラットアーサーや反ワクチン派による陰謀論を思い出さずにはいられない。[*84]

反GMOの五つの類型

これまで見てきたように、科学否定は、①情報の少なさ、②陰謀論への親和性、③信頼の欠如、という条件下で勢力を増していく。それとは反対の科学的コンセンサスがあるにもかかわらず、G

MOの危険性を強く主張しているのは、いま挙げた条件をすべて満たしている人たちだ。そして、驚くことではないかもしれないが、反GMO活動家がよく持ちだす議論は、本書で何度も紹介してきた科学否定の五つの類型にぴったりあてはまる。

証拠のチェリーピッキング

GMO否定論者が好んで使うテクニックに、科学的コンセンサスの存在を疑わせるというものがある。意見を表明している大勢の人のなかから、反対している人だけをチェリーピッキングしてリストを作るというのも、その一つである（その人に専門知識があるかどうかは問われない）。

［こうした主張をするには］極端な選択バイアスが必要だ。これは究極のチェリーピッキングである。グリーンピースは、小さな団体が表明した反対意見を強調する反面、米国科学アカデミー、米国科学振興協会、英国王立協会、アフリカ科学アカデミー、ヨーロッパ科学アカデミー諮問委員会、フランス科学アカデミー、米国医師会、ドイツ自然科学・人文科学アカデミー連合などの数多くの団体の意見を無視している。[*85]

陰謀論への傾倒

スティーブン・ルワンドウスキーの研究で見たように、陰謀論への接近は科学否定につきものであり、それがGMO否定にも現れることになんの不思議もない。ルワンドウスキーも指摘しているとおり、「GMOに対する陰謀論は普通、モンサント社というバイオテクノロジー企業が有害な食品を用いて農産業に攻撃を企てている」というかたちで語られることが多い。[*86] ライナスは自身の著作で、反GMO運動そのものが「一つの巨大な陰謀論」にすぎないと述べている。[*87]

偽物の専門家への依存

これについては慎重に扱う必要があるだろう。まず当然ながら、GMO食品が安全だというコンセンサスに賛同しない科学者すべてが「偽物」であるとか、そうした科学者の研究に「信憑性がない」と主張したいわけではない。だが一方で、たとえばジル＝エリック・セラリーニの研究が、ずっと以前に撤回されているにもかかわらず、いまだにGMO食品の毒性を示す優れた証拠であるかのように扱われている理由を説明する必要もある。セラリーニの研究が、ワクチンと自閉症に関するアンドルー・ウェイクフィールドの研究を想起させるのは仕方のないことだ。セラリーニの研究には不正の証拠は見つからなかったが、誤りは非常に多かった。[*88] それでも一部の反GMO活動家は、セラリーニが論文を撤回することになったのは、GMOの真実を隠蔽するための陰謀ではないかと疑っている。

非論理的な推論

多くの場合、GMO否定論者の議論には少なからぬ論理的欠陥が見つかる。ここでは二つの例を検討してみよう。一つ目は、もしモンサント社が腐敗しているのなら、GMOを生産する他の企業もまた同様に腐敗しているはずだ、というものだ。これは「合成の誤謬（ごびゅう）」と呼ばれるもので、非形式論理学の最初の授業で教えられることが多い。二つ目の誤りは「滑りやすい坂」という論法で、相手に一センチ譲ったら、次は一キロ奪われるだろう、という考え方だ。たとえば、憲法修正第二条〔武器の保有を認める条項〕の支持者は、あらゆる種類の銃規制に反対するためにこの論法を用いている。「もしAR－15アサルトライフルの禁止を認めたら、次はショットガンを取り上げられてしまう」というわけだ。これをGMOにあてはめれば次のようになる。「もしゴールデンライスの生産を認めたら、すぐに他のGMO食品にも手を広げるだろう。これは罠だ[*89]！」

科学への現実離れした期待

この類型はわかりやすい。「決定的な実験がまだおこなわれていない」あるいは「もっと証拠が必要だ」という声は、フラットアーサーや気候変動否定論者から常に聞かされてきたことだ。自分が信じたくないことに対して、それを「証明」せよと言い張るのは、科学否定のお家芸である。反GMO（そして反ワクチン）の場合によく耳にするのは、「これまでの研究結果がどうであれ、将来なにか悪いことが起こる可能性はある。それが安全だとは証明されていないのだから」という主張だ。だがこの主張は、科学という営みの歪んだ誇張化（カリカチュア）でしかない。

有罪の証明、無罪の証明

このようにGMOもまた科学否定の類型によって説明することができる。だが、そのことをもって、GMOの科学に疑問をもつ者は否定論者だと即座に判断していいのだろうか？　そうはならないはずだ。GMOの議論における科学の問題についてさらに知りたい向きにうってつけの文献に、シェルドン・クリムスキー『解読されたGMO』という、すばらしい（そしてわかりやすい）書籍がある。[*90] GMOにまつわる政治、世論調査、文化的議論の話題を一切排して、査読付き科学論文のみを扱った本だ。クリムスキーはそこで、遺伝子組み換え食品が安全だという科学的コンセンサスがあるか否かという問いに対して、前もって「ある」と答えている。

本書は、アメリカの科学者は今日栽培、消費されているGMOに関して概ね肯定的である、という認識を出発点としている。専門家の団体から出された声明や科学論文によると、この新世代の農産物が人間の健康や環境に与える影響が、伝統的な方法で品種改良された作物による影響を上回ることはない。[*91]

とはいえ、クリムスキーも指摘しているとおり、問題はこれだけではない。それ以外にも、GMOの方法論、基準、規制に関するさまざまな懸念を考慮に入れなくてはならないからだ。たとえば、技術的には、分子育種によって生まれた食品と結びつきうる有害な事象がないとは言い切れない。だが、実際に問われているのは（少なくともアメリカでは）、そうした食品が従来の食品と比べて安全かどうかだ。[*92] この問いの答えが「イエス」であれば、GMOは安全だと推論していいだろう。

では、私たちはGMO食品の一つひとつについてその種の問いを立て、それに確実な答えを返すことができるだろうか？　できるわけがない。科学では、どんな問いであっても、絶対の確実性をもって答えることはできないからだ。だがもしGMO食品が、全体として従来の食品と同じくらい安全なものならば、なぜ特別な検査を受けなければならないのか？

問題は、意図せぬ結果を予測して潜在的なリスクを評価することに、私たちがどこまで慣れているか、ということになる。アメリカにおけるGMOの管理は、国連とWHOが定めたガイドラインに従っている。その中心に置かれているのは、分子育種による作物由来の食品が、従来の品種改良による作物由来の食品と少なくとも同程度には安全か、という問いである。もしGMO食品が「従来の食品と同程度に安全」だと認められるのなら、拠って立つ化学は違うにせよ、「実質的に同等」とみなせるだろう。[*93]だが、ヨーロッパでは基準はもっと厳しく、さらなる検査が必要になる場合もある。

クリムスキーは次のように書いている。

リスク評価の出発点は、アメリカとEUで大きく異なっている。アメリカのFDAが、外来遺伝子を付加することで改良した作物は、安全でないことが証明されないかぎり「一般に安全とみなされる（generally regarded as safe＝GRAS）」と想定しているのに対し、ヨーロッパでは、検査に通過しなければGRASの認証は受けられない。[*94]

つまり、扱う食品は同じであっても、その根底にある不確実性やリスク評価をどう扱うかについては、理念が異なるということだ。クリムスキーが書いているように、アメリカではGMO食品は有罪が証明されないかぎり無罪だが、ヨーロッパでは（実質的に）無罪と証明されないかぎり有罪とみなされる。またアメリカでは、政府が義務づけているリスク研究はなく、そうしたものは食品生産者の手に委ねられている。一方ヨーロッパでは、組成分析によってなんらかの懸念が生じた場合は、動物実験が義務づけられている。さらには、こうした試験を経て問題がないと判断された場合でも、すべてのGMO製品には表示義務が課せられている。

利益とリスク

GMO食品の取り扱い（少なくともアメリカ国内での取り扱い）に懐疑的な見方があるのは、ある意味当然かもしれない。だが、そうした見方そのものは、「GMO食品が従来の作物由来の食品よりも危険だとする科学研究は存在しない」という主張とはなんの関係もない。だとすればその前提に従って批判をすればいいと思うのだが、懐疑的な人たちはなぜか、食の安全に関する否定論者の主張に頼ってしまう。危険を示す証拠があるわけでなく、ただ警戒しているという話なのであれば、陰謀論を唱えたり、科学者の動機を疑ったりする必要はないだろう。アメリカ国内でのGMOの検査と規制について高い基準を求めたいのなら、科学を無視することがあってはならない。

クリムスキーは、「GMO否定論者」とは結局なにを指すのか、という疑問を投げかけ、次のように述べている。

科学に従うグループとイデオロギーに従うグループの違いというのは、あまりに安易すぎる答えだろう。ここからは、遺伝子組み換え食品に対する非合理的な（根拠のない）敵対心のために科学を置き去りにしてしまう人を指して「GMO否定論者」と呼ぶ、という考え方が生まれる。しかしその一方で、GMOに対する素直な懐疑を支持するような科学研究もある。また、ヨーロッパとアメリカの科学者では、GMOに関する問題意識とリスクの受けとり方が異なっており、それが規制システムの違いにも現れている。*95

これは妥当な意見だろう。この問題について、クリムスキーはどちらかの陣営に偏ることなく、公正に分析をおこなっている。彼は自著のなかで、GMO食品が危険だという仮説を支持する科学的証拠がないことを何度も指摘した。だがそれと同時に、意図しない影響に対する不安や、さまざまなリスク分析の手法が併存する現状に対する懸念も考慮に入れ、一部の研究者がGMOに対してとっている懐疑的な態度にも理解を示している。*96

だが、それは具体的になにに対する懐疑なのだろうか？　GMO摂取の安全性に対する懐疑なのか？　懐疑論が否定論へと転じはじめるのは、どうやらこのあたりのようだ。「長期的な影響の不確実性、緩すぎる検査、産業界に有利な規制に対する懸念は、警戒を呼び起こす十分な理由となりうる」という主張は理解できる。だが、そうした懸念がGMOの全面禁止にまでつながってしまうのなら、否定論に対する批判が生まれるのも無理はない。

ここで比較のために、ワクチン否定論のことを思い出してみよう。ワクチン反対派で、自分は理論の面からもワクチンに懸念をもっているのだと主張する人は珍しくない。ワクチンの科学はあまりに不確かであり、自分たちがまだ知らない予期せぬ影響やリスクもあまりに多いため、義務的なワクチン接種を支持することはできないというのだ。

問題は、こうした懸念が科学的に妥当であり、否定ではなく懐疑として扱われるには、証拠による裏づけが必要だということだ。では、GMOの場合、その証拠はどこにあるのか？

ワクチンの場合には、**ワクチン有害事象報告システム（VAERS）**というものがあり、それを通じて、過去に起きた「好ましくない」事象が記録、分類されている（その種の事象はごく少数だが、それがあるおかげで検証が可能になっている）。だが、統計をかじったことがある人なら知っているとおり、相関関係はかならずしも因果関係を意味しない。ワクチンを接種した時期に体調に変化が生じたからといって、ワクチンが原因だとは言えないのだ。だからこそ、VAERSを利用する研究者には検証が求められる。そして、検証によって有害事象がワクチンに端を発している可能性が示されたなら、そこで初めてその対策を立てることになる。ただし、こうした場合であっても、その事象が大きな現象の一部なのか、あるいは独立した現象なのかについては、よくよく考えてみなくてはならない。

公衆衛生の維持という重要な目的があるときに、一人の子供がワクチンを接種して有害な副反応を示した場合、すべてのワクチン接種を中止すべきだろうか？　VAERSに報告が上げられるたびに国内のワクチン接種を中止したとしたら、いったいどれほどの子供が麻疹(はしか)や百日咳で死ぬことになるだろうか？ **リスクは利益とセットで評価する必要がある。**

ＧＭＯの場合も、同様の基準があてはまるかもしれない。すでに見たように、世界ではおよそ二億五〇〇〇万人の子供がビタミンＡ欠乏症になる恐れがあり、最悪の場合は命を落とすことさえある。飢餓で亡くなる人は毎年九〇〇万人にものぼっている。[*97] 一方で、ゴールデンライスの処遇は過去二〇年にわたり宙に浮いたままだ。これはＧＭＯに対する理論的な懸念のせいであり、また、あらゆるＧＭＯの禁止を求める、非営利環境保護団体の「勝利」のたまものでもある。[*98] そのリスク便益分析は今、どうなっているのか？

ＧＭＯの摂取が有害だとする証拠はなにか？ クリムスキーも認めているとおり、そうした証拠は存在していない。ＧＭＯにはＶＡＥＲＳのようなシステムはないが、集団ベースの証拠は豊富にあり、そのどれもがＧＭＯが安全であることを示している。

何億もの人々が二〇年以上にわたりＧＭＯを食べ続けてきたが、それが悪影響を及ぼしたという証拠はなく、訴訟大国であるアメリカにおいてすらＧＭＯ関連企業に対する訴訟は一件も起きていない。もしＧＭＯが健康を脅かすものならば、そのニュースは私たちの耳にとっくに届いているはずだ。[*99]

反ＧＭＯ活動が理屈の上での懸念にのみ基づき、有害である証拠もないまま二〇年間も続いた結果、懐疑が否定へとじりじりと近づいていった、ということはあるかもしれない。ただ、そういう状況だったとしても、私たちはこれまでと同様、GMOによる有害事象に目を光らせておくことはできる（また、そうすべきだろう）。しかし、ここである疑問が生じる――その有害事象をさがしているあいだ、私たちはなにをすればいいのか？　GMO否定論者は、安全だと「証明」されるまで、そうした製品は禁止するべきだと考えている。だが、そんなことは可能なのか？　科学者は、ワクチンが絶対に安全だと「証明」できないのと同様、GMOの安全性についても「証明」することはできない。アスピリンですらそうなのだ。そして、こうしているあいだにも子供たちは飢えていくのである。

GMOが危険だという証拠はない

科学では証明や確実性を手にすることはできない。したがって、経験的なトピックに対して合理的な信念をもつための基準として、そうしたものを採用するのは、馬鹿げた考えと言わざるをえない。[*100] 科学的コンセンサスというものは、ある結果が証明されているか否かではなく、それが証拠によって十分に保証されているか否かに基づくものだ。だとすれば、GMOは完全に安全だと考えてしまっていいのだろうか？　そうはいかない。これまで見てきたように、科学理論は覆される可能性を常にはらんでいるからだ。

現時点でもっとも優れているとされる理論であっても、それと矛盾する新しい証拠が出れば、修正が必要になる――それこそが科学を科学たらしめる特徴である。だがこのことは、「私たちは疑っているのであって否定しているのではない」とか、「すべての証拠が出そろうまで判断を保留するのは合理的だ」といった主張を正当化しない。気候変動否定や反ワクチンで見たように、それをしてしまうと、健全な懐疑が否定へと転じることになる。

合理的な信念をもつにあたって、ゴールドスタンダード、つまり**もっとも信頼できる基準となるのは、科学的コンセンサス**である。[*101] そしてＧＭＯの場合、コンセンサスはすでに形成されている。クリムスキーが指摘するように、ＮＡＳＥＭ（全米アカデミーズ）は、一九八五年から二〇一六年のあいだにバイオテクノロジーに関する報告書を九件発表したが、そのすべてが同じ結論に達している。「遺伝子組み換え作物由来の食品が、従来の育種法による作物由来の食品と比較して、質的に異なるリスクをもたらすという証拠はない。また、遺伝子組み換え作物やそれに由来する食品の摂取が安全ではないことを示す証拠もない[*102]」

それでもＧＭＯの安全性を疑う人は、たとえばＧＭＯとがんの関連といった長期的リスクに対する懸念は払拭できないのではないか、と考えるかもしれない。もっともな指摘だ。だが、ＮＡＳＥＭからは、その心配をやわらげる研究データが示されている。ＧＭＯ食品が珍しいイギリスと、ＧＭＯ食品が普及しているアメリカでは、がんの発生率はほとんど変わらないのだ。ＮＡＳＥＭはまた、「ＧＭＯが出まわりはじめた一九九六年以降、アメリカでの特定の種類のがんの発生率に目立った上昇は見られない」とも報告している。[*103]

ＧＭＯとがんに関連があるかもしれないと心配する気持ちはよくわかる。だが、どれだけ研究を積み重ねても、関連性を示す証拠は見つかっていない。ここで比較のため、MMRワクチンと自閉症には関連があるとしたアンドルー・ウェイクフィールドの仮説を思い出してもらうのもいいだろう。あのインチキな仮説は何度も否定されてきた。にもかかわらず、それをきっかけに、ワクチン「懐疑派」はワクチン「否定派」になってしまったのだった。

GMOの検査や規制を疑う気持ちには一定の根拠があるとするクリムスキーの意見は、おそらく正しい。だがこれは、GMOには懐疑論者だけがいて否定論者はいないという意味なのだろうか？もしそうならば、その懐疑論者を納得させるには、あとどれくらいの証拠があれば事足りるのか？GMOに関してあくまで証明と確実性にこだわるのなら、なぜワクチンに対してはそうしないのか？ 進化論や気候変動にも証明を求めるのだろうか？ 科学的証拠がどうであれGMOは危険で油断ならないと強硬に主張する人が否定論者でないのであれば、そもそも否定論者などというものが存在するのだろうか？

第7章

信頼と対話

本章を執筆するにあたり、私はこれまでのパターンを踏襲して、GMO（遺伝子組み換え作物）に疑いをもつ人たちとの対話を収録したいと考えていた。そのためには、できれば筋金入りの否定論者と膝を交えて話をしたい。

当初の計画では、地元ボストン郊外にある「ホールフーズ」という自然食品スーパーを訪ねるつもりだった。そこでよく買物をする人で、自然食品へのこだわりがほとんど強迫観念のようになっている知り合いを何人も知っていたからだ。ホールフーズはGMOを完全に排除しているわけではない。[*1] だが、食の安全に気を配っている人をさがすなら、これ以上の場所はないだろう。「自然の（ナチュラル）ものはもっとよい（イズ・ベター）」という哲学からも察せられるとおり、ホールフーズの自然への傾倒ぶりは、疑似科学の域に達しているという人もいるほどだ。[*2] そうした点からも、GMO否定論者、特にリベラルの否定論者を見つけたければ、この店がもっとも成功の確率が高いと思われた。「リベラルの進歩主義者とGMOについて話をすれば、まず間違いなく、『モンサント』と『利益』という言葉が三段論法の爆弾として投下されることになる」とはマイケル・シャーマーの言葉である。[*3]

私は待ちきれなかった。モルディブの取材では地球を半周することになったが、ホールフーズまでなら歩いて行ける。追い出されないかぎりは、本書のために実施するもっとも手軽な調査になることだろう。

ところが、新型コロナウイルス感染症のパンデミックが起こり、私の計画は水泡に帰した。たとえマスクをしていたとしても、コロナ禍の食料品店で見ず知らずの人に近づいて、食の安全だろうがなんだろうが、いきなり話を聞かせてほしいなどと言えるものではない。

だが、それでも私は、自然食品の信奉者との一対一の対話にこだわっていた。そう考えたのは、一つにはフラットアース国際会議での反省がある。あのときの取材には満足していなかったし、アプローチにも思うところがあった。私はやたらと敵対的で、交わす会話は当て逃げのようだった。私は軌道修正をしたかった。そのときすでに、ボゴジアンとリンゼイの『話が通じない相手と話をする方法』を読んでいたので、そこに書かれている説得のテクニックをぜひ試したい気持ちもあった。もっと共感し、心から耳を傾けなくてはならない。しかも、ただ話を聞くだけでなく、私がちゃんと話を聞いていることを意識してもらう。信頼を育むにはそれが最善の方法だ。そのあとに質問をすれば、疑いの種をまくことができるかもしれない。もしかしたら考えを変えてくれる可能性だってある。でも、いったい誰と話せばいいのか？

私の頭に浮かんだのは、ロックダウンを逆に利用しようということだった。みんなが家に閉じこもっているこの状況をチャンスに変えるのだ。すでに知っている人が相手なら一歩先からスタートできるのに、わざわざ見ず知らずの人をさがして、個人的な関係を一から築き上げる必要があるだろうか？　考えを変えさせるのに信頼が不可欠だとすれば、すでに私を信頼している人や、否定主義に関する私のこれまでの仕事に興味をもってくれそうな人と話せばいいのではないか？

リンダ——理性と直感の歯車をもつ人

リンダ・フォックスのことなら三〇年以上前から知っている。共通の友人を通じて知り合い、コネチカットの友人宅で開かれる感謝祭の集まりで毎年顔を合わせてきた。頻繁に会う間柄ではないものの、敬意と信頼に根ざした関係を長年にわたり結んできたことは間違いない。リンダは私の子供たちのことを赤ん坊の頃から知っている。彼女は私の妻が好きで、私は彼の夫と仲がよい。リンダと私は多くの点で正反対に見えるかもしれないが、実際は互いに楽しく付き合い、さまざまな話題について何年も意見を交わしてきた。

以前、感謝祭の前日に友人宅に泊まっていて、頭痛に悩まされたことがある。居合わせたリンダや友人たちは、頭痛になるのは私のチャクラのバランスが崩れているからだと説明した。私に本当に必要なのは、イブプロフェンではなくダウジング〔振り子などを使って病気の原因などを探索する手法〕であり、自分はそれが得意だし霊的な力もあるから助けになれると思う、とリンダは言った。私はすでにイブプロフェンを飲んでいたが、友情と新しい経験のために提案を受け入れることにした。彼女がなにをしてくれたのか、はっきりとは覚えていない。だが、気分はすぐによくなった。リンダは満面の笑みを浮かべて、「ほら、効いたでしょ」と言った。

「たぶんね」と私は応えた。

「気分はよくなった?」

「うーん、なったような……」

「でしょ」と彼女は言った。「言ったとおりじゃない」

「そうかもね。でも三〇分前に頭痛薬も飲んでたから」

するとと彼女は私に近づいてこう言った。「大切なのは、あなたの気分がよくなったこと……なんでも科学テストが必要なわけじゃないのよ」

彼女は私のことをよく知っているのだ。

私には歯車は一つしかないかもしれないが、リンダには二つある。長い付き合いが残したリンダの印象は、理性と直感の両方をフル活用して人生を生き、他者とつながりたい、常に正しいことをしたいという深い思いに導かれた人、というものだ。他者が必要としているものにこれほど聡く、手を差し伸べて助けたいと願っている人には、まずお目にかかれない。

二〇二〇年の夏、GMOについてリンダに電話取材をしようと決めた時点で、私はすでに彼女の傾向をつかんでいた。彼女は私と同じリベラルだった。気候変動否定には、それがどんなものであれ断固反対だった。また彼女が、一〇年前からバーモント州の田舎にある自宅で、手作り食品を販売する「サンプチュアス・シロップス」という会社をはじめたことも知っていた。毎年、感謝祭の集まりで新しいシロップがもらえることになっていて、私たち夫婦はそれを家に持ち帰り、翌年のシロップができあがるまで大切に味わうのだった。

取材の電話をかける前に、私は冷蔵庫に入っていたそのシロップのボトルを見て、ウェブサイトを確認した。そこにはこう書かれていた。「農家からあなたのもとへ――オーガニック・自然栽培――濃縮タイプ――グルテンフリー――送料無料」――そして、「NON‐GMO」。

さあ、これで準備万端だ。

個人として、経営者として

実はリンダにはその一週間前に電話をしていた。GMOの件ではなく、たんなる近況報告である。彼女は私が新しい本の執筆中なのを知っていたので、電話を切る前に「今ちょっとした調査をしているのだけど、来週にでも協力してくれないかな」と尋ねてみた。彼女は新しい本で扱うのがGMOだと知って、自分は専門家ではないと躊躇したが、私は彼女には彼女の見解があり、それこそが私の知りたいことだと説明した。今から無理に知識を増やそうとしなくていい。一般人として、また経営者として、どう考えているかをありのまま電話取材させてもらいたい。彼女は快諾してくれた。

そして、あっという間に一週間が過ぎた。

電話に出た瞬間、彼女はもうGMOについて話す準備ができているようだった。その日の朝、「自分の見解がとてもよくまとまっている」記事が彼女からメールで送られてきていた。私はもちろん前もって読んでおいたが、いちばん知りたいのはリンダ自身がなにを考えているかだという点は、もう一度念を押しておくことにした。誰かの意見に頼る必要はない。私たちは、さっそく取材を開始した。

リンダの話によると、彼女は自然食品の分野に五〇年も携わってきたという。GMOに関する文献も、多くはないが興味をもって読んできた。彼女いわく、この種の話題に対する人々の反応は、たいていの場合、理性的か感情的かのどちらかに偏る。だが、彼女自身はその両方を持ち合わせているという。それは、自分が半分てんびん座で、半分かに座だからだろう、というのが彼女の説明だった。正直、話がどこに向かうか見当もつかなかったが、私は質問リストをいったん脇に置き、ともかく耳を傾けることにした。私はリンダが思慮深く、知的で、並外れて親切な人だと知っていた。彼女は彼女で、私がなにをしようとしているかを知っていた。きっと私が知るべきことを大いに語ってくれるはずだ。

リンダは、遺伝子組み換えという考え方そのものよりも、人々が手を加えようとしている「形質」に関心をもっていると言った。なぜわざわざそんなことをするのか？　なんのために？　それで誰がお金を儲けているのか？　環境問題への懸念は、彼女の関心リストのトップに置かれているようだった。

こうした疑問を口にしたあと、リンダは自分が信念をもっているだけでなく、それを実践する人間でもあることを示すかのように、これまで聞いたことのなかった身の上話をしてくれた。

彼女はかつて原子力発電を憂うあまり、最初の夫とともに、電気も水道も通っていない場所で八年間暮らしたことがあるという。折しも時は一九七〇年代、アメリカでは原子力産業に対する懸念が高まっていた時期で、彼女は原子力に頼らずに生活ができるか確かめてみたかったのである。私はいたく感銘を受けた。自分はこれほど強い信念をもったことがあるだろうか？　気候変動には一家言ある私だが、それでも自家用車は所有しているし、エアコンも使っている。彼女の話を聞いていると、信念だけでなく、行動も重要だということを考えずにはいられない。

リンダは、ＧＭＯに対する自分の見解は、個人的な視点とビジネスの視点の二つに集約されると言った。個人として特に懸念しているのは、環境への影響だ。ＧＭＯが栄養価の高い食品を作るためのものであれば、自分としては問題はないと思う。だが、人間の利益と企業の利益はまったくの別問題だ。ＧＭＯがたんなる金儲けの手段であれば、それは許されない。彼女は、モンサント社とその商品であるラウンドアップが好きではないという。だから、モンサント社がラウンドアップの売上増加を目論んで作っているＧＭＯには断固反対だった。その一方で、ゴールデンライスにはなんの問題もないと考えていた。

ＧＭＯは食べても安全だろうか、と私は聞いた。彼女の答えは、安全かどうかわからないので自分は買い控えている、というものだった。ＧＭＯにはわからないことが多すぎるので、慎重に対応しているのだ。「ＧＭＯを食べるのはかまわないけど、あえてそれを選ぶ必要はある？」。じゃあ、一度も食べたことがないのかと聞くと、彼女は「あるわよ」と答えた。

第二の視点は、経営者としてのものだった。バーモント州を拠点にした食品会社の経営者である彼女は、自社製品にＧＭＯフリーのラベルを貼りたいと考えていた。そこで問題となるのは市場だ。彼女の顧客は誰か？　なにを求めているのか？　「ＧＭＯが安全だと彼らを教育するのは私の仕事かしら?」と彼女は尋ねた。おそらくそうではないだろう。市場を形成する人々は、知識のレベルも信頼のレベルもそれぞれに異なっている。彼女はできるだけ多くの人にシロップを買ってほしい。だとすれば、GMOフリーのラベルを貼った方がその可能性は高まるだろう。これはビジネスにとって正しいだけでなく、顧客の希望を尊重しているという意味でも正しいことだ。

次に私は、彼女がGMOフリーのラベルにこだわるのは、ホールフーズでシロップを販売することも関係しているのかと尋ねた。「関係ないわね。だって、ホールフーズでは売っていないもの」と彼女。ただし、販売をしていないのはGMO云々が理由ではなく、たんにホールフーズで扱うには許可が必要で、その条件がとても厳しいからだそうだ。彼女は、それよりもオンラインで販売する方が好きだという。

では、ホールフーズで買い物はするのかと聞くと、めったにしないという答えだった(店舗が家から一時間半もかかる場所にあるからだ)。彼女は地元の店で満足していると言った。品目によっては、オーガニックを選んで買う。大豆とトウモロコシは買わない。GMOの可能性がもっとも高いと知っているからだ。リンダは、自分のことを「意識の高い」買い物客だと考えていた。なかでも意識しているのがGMOなのだという。

「GMOを食べたとしても死ぬわけじゃないけどね」と彼女は言って、私を笑わせた。

リンダは地産の食品が好きで、地元の酪農家は乳牛に成長ホルモンを使用しないよう協定を結んでいるという話を教えてくれた。この問題は地元かつ個人的なものなので、彼女もそれを気にかけ、応援したいと言っていた。彼女はその酪農家たちと面識があった。「でも、リンダは他の酪農家が作った牛乳も飲むし、ＧＭＯ食品も食べるんだろ？」と私は聞いた。彼女は先ほどの答えを繰り返した。「そうね。だけど、**あえてそれを選ぶ必要がある？**」

議論の核心をつく実にすばらしい返答だった。私は手早くメモをとり、こうした個人的な選択は彼女の地元の外（ゴールデンライスがなく飢えに苦しむ子供たちが暮らす場所など）にも波及効果を及ぼすだろうかと考えた。だが、これについては後日彼女に尋ねてみることにしよう。[*4]

その**研究**にお**金**を**払**っているのは**誰**か？

次に私は、モンサント社について少し意見を聞かせてほしいと頼んだ。

「世界でいちばん邪悪な企業のことを聞きたいの？」と彼女は言った。

そして、モンサント社という企業がいかに世界中の食品をコントロールしようとしているかを滔々（とうとう）と語った。リンダによると、モンサント社は利益にしか興味がなく、自社所有の畑からＧＭＯの花粉が有機栽培農場に飛んでいったことで、訴訟問題にもなっているそうだ。彼女はまた、ラウンドアップが使用されることにも大きな懸念を抱いていた。隣人が畑にラウンドアップをまいているため、なおさら敏感になっているという。土は汚染されないか？　自分の土地に流れ込む水に影響はないか？　まだ知られていない悪影響があるのでは？

私は、モンサント社のＧＭＯは食べても安全だろうかと聞いてみた。

リンダはその質問に直接は答えず、こう言った。「リーだったら、どれくらい食べてみたいと思う？　どうして食べたいと思う？」
　こういったことに関して自分は「中道」をいく傾向があり、慎重に行動していると彼女は説明した。レストランなどでも特にこだわらない。料理にＧＭＯが入っているかどうか店員に聞くこともなければ、モンサント社の話題も持ちださない。ただし、素性のわからない食品を食べる頻度については気にしているという。
　続けてリンダが教えてくれた話は初耳だった。一部の農家では、収穫一週間前の小麦にラウンドアップを散布しているのだという。「どうしてそんなことをするのかしら？」と彼女は言った。食の安全性に問題が生じることを心配しているのだ。彼女はまた、グルテンアレルギーの人が、グルテン以外のものに反応していないと本当に言えるのかを疑っていた。「グルテンを食べられないんじゃない。ラウンドアップを食べられない可能性だってあるのよ」。そしてさらに、モンサント社はグルテンフリー食品で利益を上げようとしているのじゃないかしら、と疑問を口にした。リンダは、自分の言っていることにはなんの証拠もないと認めた。それは彼女の「ひねくれた考え」にすぎず、彼女はそこを起点に、食品がどのように栽培され、加工されているか疑問を抱くようになったのだと語った。[*5]
　ここまでで、だいたい聞きたいと思っていたことは確認できた。リンダが否定論者だという印象は受けなかった。彼女の考え方は、総じて慎重で思慮深いものだった。科学的コンセンサスについてはまだ話しておらず、それについての反応も知りたかったが、その前に、いくつかの科学的トピックに対する見解を少し聞いておくことにした。

リンダはワクチンに賛成だった。自分は「ワクチン推進派」だとまで明言した。原子力に反対していることはすでに知っていたので、その理由を聞いてみた。すると、①廃棄物を処理する方法がない、②燃料となるウランの採掘は地球に有害なだけでなく、産出国の先住民にも害をなしている、との答えだった。気候変動については、科学的な意味ばかりではなく、ネイティブ・アメリカン居留地で過ごした経験のある霊能者（サイキック）として、よくないことだと認識しているという。問題は悪化する一方だと彼女は言った。

私たちの対話もそろそろ終わりに近づいていた。なので私は、リンダの意見に影響を与える心配をせずに、自分の本について詳しく話をすることができた。今回の彼女との対話は、「リベラルによる科学否定はあるか?」という疑問を論じる章で使うつもりだと私は言った。科学否定の多くは、気候変動や進化論の否定など右派から生まれたものだが、左派由来の科学否定もあるのではないか、と伝えたのである。彼女から返ってきたのは大笑いだった。「当たり前じゃない。ヒッピーなんか一九六〇年代から科学否定よ」

リンダと私は、これほど多くの人が誤情報キャンペーンに翻弄されながら自分の考えを決めている今日の危うい状況について語り合った。そのとき彼女が漏らした言葉が核心をついているように思えたので、正確に書きとめられるよう繰り返してもらった。彼女はこう言った。「**信頼できるものがなにもないとき、私たちは陰謀論に引き寄せられていく**」

少し間を置いて、私はわかりきった質問をした。「じゃあ、リンダは科学者を信頼するかい?」

「信頼している科学者もいるわね」と彼女。

リンダはいつも自分に次のように問いかけているという。「その研究にお金を払っているのは誰か?」。もっともな疑問だ。また次の週に話をする約束をして、私たちは電話を切った。[*6]

テッド――リフキンを読む環境生物学者

リンダはたしかにGMOを嫌っていたが、彼女は否定論者ではなかった。それに気づいたとき、科学否定論者を見つけて意見を変えさせたいという当初の願望が、急速に目的を失いつつあるのがわかった。

先の見通しが怪しくなった私は、環境生物学者であり、また子供の頃からの親友でもある人物にアドバイスを求めることにした。彼のことを仮にテッドと呼ぶことにしよう。

私はテッドに電話をかけ、GMOについて少し話をしてみた。そして即座に、彼こそが最高の取材相手だと直感した。私はこれまで数多くの人と信頼関係を築いてきた。その関係を信頼度の高い順から並べていくとしたら、テッドはかなり上位にランクインすることだろう。

私は正直に、いま書いている本のために取材をしたいと申し出た。取材をするからには、彼には自己検閲をしないで、GMOに対する本心を話してもらいたかった(といっても、この時点では、彼がGMOに対してどんな見解をもっているのかはわからなかったのだが)。テッドは逡巡し、私は本では仮名を使うことを約束した。結論は数分で出た。ともかくやってみて、どんな結果になるか見てみよう。本にするかどうかは終わってから決めればいい。彼はそれだけ私のことを信頼してくれていたのだ。

リンダのときとは異なり、議論はかなり白熱したものになった。テッドは、自分は以前読んだジェレミー・リフキンの本に影響を受けていると告白し、その本を私に送ると言った。「リフキンだよ、知ってるだろ?」。そう、たしかに私はその名前を知っていた。リフキンは、反GMO運動を開始し、グリーンピースをその大義名分に引き込んだ張本人だ。マーク・ライナスは著書のなかでリフキンを痛烈に批判している。だが今は、そのことは伏せておくことにしよう。私は「ああ、知ってるよ」とだけ答えた。

テッドがなにより心配していたのは、GMOがもたらす意図しない結果だった。「テクノロジーとはそういうものなんだ」と彼は言った。「原子力。石油。最初のうちはうまくいくと思っていても、何年かすればその危険性がわかって、後戻りできないことだってある」。テッドはさらに続けて、耳を疑うようなことまで口走った。こうした考えをもつようになって以来、反ワクチン派に若干の共感すら覚えている、と言ったのだ(四〇年前からこの男を知っているが、こんな話を聞くのは初めてだった!)。

だが、すぐにテッドは自分が科学者であることを思い出したようだ。自分は進化を理解しているし、ゲノムがなぜ今のような状態になったのかも知っている、と彼は言った。それは長い歳月をかけて積み重ねられた自然選択のたまものだ。進化の各ステップにはそうなった理由がちゃんとあり、その帰結として生物は環境に適応する。ところが、遺伝子工学はそれをめちゃくちゃにしようとしている。環境に悪影響を及ぼし、安全ではない作物が生まれる可能性がある。「過去にラウンドアップを使っていた地域がある。なにが起きたと思う? トウワタの群生地が全滅したんだ。オオカバマダラの生息地がなくなったんだよ」

テッドは、ＧＭＯそのものが意図しない結果をもたらすのではないかと懸念していた。「細菌の遺伝子をいじって、それがのちのち恐ろしい病気を引き起こすことになったらどうする？」と彼は言った。規制当局は、十分な安全性試験もせずに、問題が疑われる農薬や化学物質が大量に市場に流通するのを長年放置してきた。危険性が科学的に裏づけられたのに対策を取らなかったこともある。そんなものを本当に信用できるのか？　テッドは再びモンサント社の話題に戻り、あの企業がいかに短期的な利益ばかりを追求してきたかを語った。長期的な影響など知ったことではないのだ。

この時点で、私はテッドの話にかなり夢中になっていた。流れを中断したくはなかったが、ぜひ聞いておきたいこともある。ここまでの話をまとめれば、テッドの主な懸念は、①ＧＭＯがもたらす意図しない結果、②環境への影響にあるようだ。では、食べることについてはどうだろう。彼はＧＭＯを食べても安全だと考えているのだろうか？

ＧＭＯの問題については、おそらく科学が多くの情報をもっていて、安全だと言っているのだろうが、それが正しいかは自分にはわからない、とテッドは答えた。政府には食品の安全性に関する基準がある。それは確かだ。だが、自分の食べているものがその基準によって本当に安全だと言い切れるとは思わない。**未来のことに確信などもてるわけがない。**一〇年後になって、政府がなにか問題を発見することだってあるかもしれない。現在売っている作物が安全だとされても、将来もそうだとは限らない。だとすれば、なぜその扉を開けようとするのか？　いま導入されようとしているのは、将来別の用途に使われる可能性のある新しいテクノロジーだ。そんなものが安全なわけがない。

話が別の方向に逸れてきたので、もう一度、現在のＧＭＯの安全性に話題を戻した。テッドは、自分は倫理的、原理的な理由からＧＭＯは食べないと断言した。いくら科学がＧＭＯは安全だと言っても関係ない。どのみち自分は食べないのだから。そう思うようになったのは、環境が気にかかったこともあるし、哲学面で抵抗があったのも理由だ。「自然のプロセスに介入しようというのが、自分にはしっくりこないんだ」と彼は言った。

テッドはそこで、成長ホルモンを与えられた乳牛の話をアナロジーとして持ちだした。「これは遺伝子工学じゃない」と彼は言った。「だけど、自然のプロセスに対する一種の介入ではある。この介入は将来に悪影響を及ぼす可能性がある。そんな牛乳を本当に飲みたいかね？」

私は質問には答えず、かわりに本格的に対話に参入することにした。この対話をどうしても今度の本に使いたくなっていた。

「テッド、君は科学者だよな。でも、今の話は科学の見解からはずいぶん遠い。ＧＭＯは食べても安全だというのが、科学界の確固としたコンセンサスだよ」

私のこの反撃にテッドはすぐに撤退を決めたようだった。自分はイエスともノーとも答えるつもりはない、と彼は言った。「ＧＭＯは安全ではないと思う」と言ってくれる人が必要だとしても、それは彼の役割ではなかった。テッドの答えは、よくわからないというものだったからだ。いずれにせよ、彼はＧＭＯを食べないだろう。だとすれば、私の質問に現実的な意味はなくなる。テッドは、基本的に自分はＧＭＯ食品という考えそのものに居心地の悪さを感じる、と告白した。少なくとも現在はそうだし、たぶんこの先一〇年くらいはそうだろう。それまで、ＧＭＯを食べることはない。

私はふとひらめいて、ホールフーズで買い物をするかと聞いてみた。

少し間を置いて、テッドはこう返した。「え、なんだって？」

テッドがリベラルなのは知っていた。当然、科学者であることも知っている。テッドは大学を出たあと、環境問題について直接見聞を広めるために世界中を旅し、帰国してから大学院で学位を取った。現在は、妻とともに環境保護調査をおこなう団体を運営している。在来種とその生息地の保全を専門とした団体だ。私がモルディブから帰ってきたときは、カーボンオフセットのためにテッドの植林プロジェクトに小切手を送った。[*7] 気候変動に関しては、彼の信念は科学の主流に沿っていた。だがＧＭＯに関してはどうか？

テッドとの一回目の対話が終わりに近づいていた。私は、いま交わした議論を本に使わせてほしいので、一日考えてからまた連絡をくれないかと頼んだ。

「でも」と私は警告した。「もし次に議論する機会があれば、そのときは君を説得するつもりだ」

「説得するのは俺の方だと思うよ、たぶん」とテッド。

その夜遅くにテッドからメールが来た。申し出を受けるという。再開は明日だ。

正直に告白すれば、対話の再開を前に私は少し緊張していた。テッドとは四〇年来の付き合いだが、どういうわけか、これまで経験してきた見ず知らずの人たちとの対話に比べても、高い賭けであるように思えた。私たちは軽い冗談を言い合い、やがて本題に入った。今回使う戦略は、ボゴジアンとリンゼイの本で学んだものだ。

「OK、テッド。僕を説得してみてくれ」

今日のやり方はちょっと違う。友人との駆け足の雑談のなかでGMOについてどう思うかを聞くアプローチではなく、科学者みたいに冷静に対話を進めていくつもりだ。

「まあ、そりゃどんな質問が来るかによるね」とテッド。「俺がGMOを食べるかとか、食べても安全だと思うかとか」。テッドは昨日のトピックを再び取り上げ、自分はGMOが好きではないと言った。なぜなら、食品の遺伝子に手を加えることは、それ以外の事柄にも影響を与える可能性があるからだ。長期的な安全性に確証はない。彼はこんなアナロジーを用意していた。

「外来種みたいなもんだよ。なにかを導入するとき、最初はいつもそれがうまい考えのように思える。そもそも解決したい問題が先にあるわけだから。だけど、そのあとでコントロールが効かなくなる。いつだって予想もしていないことが起こる。マングースがいい例だな。ネズミを駆除するためにハワイに持ち込まれたけれど、なんでも食べてしまう。おかげで地元の生態系はめちゃくちゃになって、今ではマングースが支配している。未来になにが起こるなんて、わかりっこないんだよ」

「それでだ」とテッドは続けた。「微生物の遺伝子をいじったらなにが起こる？　食の安全性は今のところ大丈夫だろう、たぶんね。でもだからといって、この先問題が起きないとはかぎらない」

まっとうな指摘だった。けれど私はなにも言わず、テッドが話を続けるがままにした。彼は次にラウンドアップの話題を再度持ちだし、その農薬が他の生物種に及ぼす副作用について語った。ラウンドアップの恩恵は、ごく一部の限られた人だけが手にし、富も集中する。食の安全性に関する潜在的な悪影響もたくさんある。彼によると、そもそも規制システム自体が腐敗しているのだという。あまりにも産業界に有利にできているのだ。こんな状態でなにか問題が起こったときに、規制側はしっかり対処できるのだろうか？　彼はこうまとめた。「たとえＧＭＯの安全性が示されたとしても、それを食べたがらないまっとうな理由があると思うね」

私はここで初めて質問らしい質問をした。「ところで、これまでＧＭＯを食べたことはあるの？」たぶんある、レストランで使われてる食材がＧＭＯかどうかなんてわかりっこないだろう、とテッドは答えた。彼はＧＭＯ業界を支持していない。業界にはＧＭＯが安全だと示すことはできないからだ。

私は間髪入れずに質問した。「テッドの今の主張は、反ワクチン派とまったく同じじゃないかね？　彼らも、ワクチンは『自然ではない』とか『安全だと証明されていない』と言っているからね。これについてはどう思う？」。私の狙いは、反ワクチン派に「若干の共感」を覚えたという昨日の話をもっと詳しく聞くことだった。

それはよい質問だな、とテッド。でも、われわれは常に利益とリスクを天秤にかける必要がある。ワクチンには個人のリスクがある。つまり、接種しないと病気になるかもしれない。一方で、公共のリスクもある。他人に病気をうつしてしまうリスクだ。もしワクチンになんの利益もなければ、誰もそんなものを打とうとは思わないだろう。だが、ワクチンには実際に利益があり、それはリスクを上回る。「だけど」とテッドは力を込めた。「GMOを食べなくても、俺にはなんのリスクもない。オーガニック食品を買う程度には余裕があるからね。もし金がなくて、生きるためにGMOを食べなければならないのなら、そうするさ。でも、今の自分にはGMOを食べないことのマイナス面はない」

「いや、テッド」私は食らいついた。「それはものすごく特権的な立場からの物言いじゃないかな。東アジアにはお腹を空かせた子供たちがいて、そのなかにはビタミンA欠乏症で失明してしまう子供もいる。それもこれもゴールデンライスがないせいだ。この米はモンサント社が作ったわけじゃない。作ったのは大学の研究者だ。でも、グリーンピースはゴールデンライスにいまだ反対している。じゃあここで、君と子供の関係をはっきりさせておこう。テッドがGMOを支持しないのは、まあけっこうなことだ。でももし君みたいに、オーガニック食品だけを買って、グリーンピースに募金をする人が大勢いたらどうだろう。きっとアジアの子供たちは飢えて失明してしまうだろう。つまり、GMOへの反対にはマイナス面もある。ただ君にはそれが及ばないというだけの話だ。これはいま君が持ちだした反ワクチンの問題と似ていないかな？　君はGMOを支持しないことで、公共に害をなしているんだよ」

ここまで言えるのは、信頼関係がしっかりと築かれているからだ。彼を侮辱する気など毛頭ない。テッドと私は、内容はそのつど異なるが、こうした議論を何度も繰り返してきたのである。

「それと同じことはあらゆる技術革新に言えると思うね」とテッドは落ち着いて返した。彼が挙げたのは化石燃料の例だ。自分が化石燃料に反対すれば、誰かが職を失うかもしれない。だからといって、化石燃料産業を支持すべきという結論がかならず導かれるわけではないだろう。どんなテクノロジーにも利点と欠点がある。もちろん、ゴールデンライスにも明確な利点はあるが……。

とまで言ったところで、私はすかさず尋ねた。

「ということは、ゴールデンライスに賛成?」

テッドは、自問というかたちで反撃に出た。「炭鉱労働者の雇用を守るためだったら、俺は石炭産業に賛成するだろうか?」。もちろん、その答えはノーだと言っているのである。これはGMOでも同じだ。意図しない結果というものは常に存在する。食料増産は一見すばらしいことのように思えるが、結局は人口過剰を招き、多くの環境破壊を呼び寄せる。そして、さらなる飢餓が生まれる。

「こんなことは誰も言いたがらないが、事実だ」とテッド。「地球の収容能力が限界に近づいている。たしかにテクノロジーによって、その限界を拡張することはできるだろう。だけど、みんな本当にそれを望んでいるのかね?　人口過剰こそが本物の環境危機なんだ。そして、GMOはその後押しをしている」

「ちょっと待ってくれ、マルサス君」と私はあわてて言った。「つまり、ゴールデンライスが手に入らない子供たちは、死ぬのをただ待つしかないということ?」

一部はそうなるかもしれない、とテッドは答えた。だが、真の問題は未来にある。もしわれわれが環境を破壊し続け、資源を使い果たしてしまえば、長期的にはもっと多くの人が死ぬだろう。GMOはそれに加担している、とテッドは考えていた。

この話題を締めくくるにあたって、私はテッドにこう言った。「それを君が言うのはさぞかし簡単だろう。金があり、飢えに苦しむ心配もないんだから」。彼を傷つけようというのではない。ただ問題の所在をはっきりさせたかった。私は、テッドがホームレスに金を渡すために財布をひっくり返している姿をこの目で目撃している。万引き犯を捕まえているのを暴行事件と勘違いして、駆け寄って仲裁に入ったこともある。持続可能な農業に人生を捧げてきたのは、できるだけ多くの人を救いたかったからだ。だがここで、私たちの対話は行き詰まってしまった。

完璧なお膳立て

私たちはいったん仕切り直し、環境に対する懸念と、食の安全性に対する懸念をしっかりと分けて議論することにした。はたしてテッドは、GMOに反対しているのは環境が主な理由であって、食べると危ないと考えているからではない、と主張するのだろうか?

テッドはまず環境問題の方に手をつけた。彼の考えでは、GMOは環境に長期的な悪影響を及ぼすのだという。これは、GMOを食べるのが危険だという意味ではかならずしもないが、GMO産業を支持してしまえば、将来、他の（おそらくもっと悪い）問題を引き起こすことになるだろう。

次は食の安全性の問題だ。私は科学的コンセンサスの話を持ちだしてみた。昨日この話が出たときに、テッドは不意をつかれたような反応を見せたのだった。GMOは食べても安全だと考えている人の割合は、AAAS（米国科学振興協会）会員では八八パーセントだが、一般人では三七パーセントまで下がることを私は説明した。この意見の隔たりは、気候変動の場合よりも大きい。GMOが健康にとって有害だと示した信頼に足る研究は存在しない。ではなぜ、テッドはその結果を信用しないのか？

「世間がGMOに懐疑的になるのは理解できる」とテッドは言った。GMOは「不自然」で、人間が食料供給に干渉しているに等しいと考えているからだ。続いてテッドは「予防原則」について語り、昨日からの一連の主張に区切りをつけた。細菌やウイルスの遺伝子を改変したと想像してほしい。悪夢になる可能性だって大いにあるだろう。*8 だが今、それと同じことが食べ物に対しておこなわれている。作物の進化に不自然な手を加えようとしているのだ。

「今やっているのは前例のないことだ」とテッド。「そもそも進化とは、何千年もの時間をかけて起きるものだ。環境の要求に応じてね。だけど今は、遺伝子はたった一日で入れ替えられる。そんなことがどうして安全だとわかる？」。そして再び、GMOは安全かもしれないが、自分にはよくわからないと言った。政府はこの種の研究をおこなう企業を監督しているが、自分はそれを信用していない。

とっておきの質問をしようと待ち構えていた私にとって、これは完璧なお膳立てだった。「テッドがいま説明した立場は、気候変動否定論者と変わらないと思うね。彼らはいつだって、『もっと多くの研究が必要だ』とか『まだ証明されたわけじゃない』と主張する。でも、科学はなにかを証明するわけじゃない。そのことはテッドもわかってるだろ？　手に入るのは科学的証拠だけだ。ところが否定論者は、『それでは不十分だ』と結論する始末だ。じゃあ聞くけど、君はＧＭＯが安全だという証拠がどれくらいあれば満足なの？」

テッドはこの質問が気に入ったようで、真正面から受けて立った。

すべては文脈次第だよ、と彼は言った。ＧＭＯの場合、これまで自然がしてこなかったことがおこなわれている。そして、自分が口にする食べ物に新たな操作を施すというアイデアを受け入れるよう人々に求めている。一方、気候変動で求められているのは止めることだ。現在の活動を中止してくれと言っているわけだ。順番が逆ではあるけれど、これも一つの予防原則だろう。気候変動が事実だとは（起きていない確率が一〇〇万分の一であっても）誰も証明できない。だが、環境汚染を止めることは、どの点から見ても予防となりうる。そしてＧＭＯでの予防原則は、自分たちの食べ物に手を出すな、ということに尽きる。

もうちょっと考えてみるよ

電話の向こうが見えるわけではないが、テッドが満足しているのはその声から伝わってきた。たしかに会心の回答である。

対話も終わりに近づいてきたので、最後にもう一つ質問をしてみることにした。フラットアース会議以来戦果をあげ続けている、あの質問だ。「テッド、**君の考えを変えるにはなにが必要だろうか？**」

「考えって具体的には？　ＧＭＯを食べるかどうか？　それとも、安全だと思うかどうかかい？」

「今回表明した立場ならなんでもいいよ。この二日間の対話で明かした信念のどんなものでもいい。いったいどんな証拠があったら、それを放棄できると思う？」

テッドは、この質問を聞いて、環境保護活動における原子力発電所の議論をちょっと思い出したと言った。彼によると、環境保護のコミュニティでは今まさに、温室効果ガスを出さない原子力発電を支持すべきか否かについて、大きな議論が起きているという。自分もこれを支持すべきなのか？　その答えは、リスク評価と、短期的、長期的影響をどう考えるかで変わってくるだろう。

「気候変動の解決につながるという理由で、自宅の近くに原子炉を建設する計画が持ち上がったら、俺はそれに反対するだろうね」とテッド。

無理もないと思いながらも、その理由を尋ねてみた。

原子力産業は、これまで原子力がいかに安全かをアピールし続けてきたし、たぶん、たいていの場合は本当に安全なのだろう、とテッドは言った。だが、もしなにか問題が起きたら？　たとえリスクがごく小さなものだったとしても、実際に起きてしまったときの結果が恐ろしいものになりかねない場合、合理的なのは、それを支持しないことだ。ＧＭＯに対する自分の態度もこれと同じだ。

あらゆる研究は、それを安全だと言うかもしれない。だが、悪いことはあとになって判明するものだ。結局のところ、ここまで挙げた理由から、科学がどれほど優れていたとしても、ＧＭＯを支持するように自分を説得するのは難しい、とテッドは結論づけた。

そろそろ潮時だった。私は礼を述べ、今後このテーマで参考になりそうな本のタイトルをあとで知らせると伝えた。テッドはリフキンの著作を一冊送ってくれると言った。お返しに、こちらからはライナスの著作を送ることにした。しばらく雑談をしていると、テッドが、彼の立場と気候変動否定論者の立場が似ているという私の指摘を振り返った。「あれはいい指摘だったな」と彼。「そのことについて、もうちょっと考えてみるよ」

私は、それはよかったと思い、この対話も無事終わったと安堵した。

だが、本当は終わってなどいないのだ。私の本が出版されたあとも、二人のあいだでこのトピックが何度も話題にのぼることを私はすでに理解していた。

テッドは世界をよりよくしたいと望み、私も同じ希望をもっている。私たちは二人とも、科学を信じている。だが、一方は「自然」を信頼し、もう一方は「理性」を信頼しているという点で、根本的な意見の相違を抱えてきた。これは、知り合った当初から続く不一致だ。

ＧＭＯに関する対話では、私は彼を説得できなかったし、彼も私を説得できなかった。

だが、次のことは証明できたのではないか。つまり、共感、敬意、傾聴は、互いの信念を変える可能性をもつ唯一の方法だということだ。信頼と互いへの敬意という文脈があって初めて、この対話は成立したのである。「テッドの指摘についても考えてみるよ」と約束し、私は電話を切った。

結局のところ、テッドはGMO否定論者だったのだろうか？　どれほど考えてみても、そうは思えない。私たちの意見の相違は信念に関してだったのか？　それとも、価値観のような、もっと深いところに溝があったのか？　私はテッドのアイデンティティを変えたいとは思っていなかった。変えてほしかったのは、彼の「関心の輪」だ。将来起こりうる、より大きな問題について理屈で心配するよりも、いま苦しんでいる子供のことを気にかけてほしかった。一方で彼にしてみれば、私にもっと懐疑的になり、人間の発明の才という思い上がりに関心を払ってほしかったのだろう。

だから、この対話はまだ終わっていない。

それでいいのだと思う。

「関心の輪」を広げること

GMO否定論者とは何者なのか？　GMOは食べても安全だという科学的コンセンサスを拒絶すれば、それだけでGMO否定論者とみなせるのだろうか？　私にはそう思える。では、その安全性が未来にもあてはまるとはかぎらないという重要な懸念についてはどうか？　これについては、証拠が説得力をもち、こうした理屈の上での懸念が――反証されないまでも――不合理とみなされるときが将来やってくるはずだ。より一般的には、おそらく次のような結論が言えるだろう――どんな科学的トピックであれ、コンセンサスに疑問をもつだけでは否定論者とは呼べない。だが、**科学的コンセンサスを信じることを頭から拒否し、どんな証拠があれば考えを改めるのに十分かについ**

てロをつぐむ者は、やはり否定論者である。[*9] 反ワクチン派、気候変動否定論者、フラットアーサーは証明にこだわる。これは間違いなく不合理だ。経験的な研究はそのようなものではない。

この一般的な結論を踏まえたうえで、ＧＭＯをどう考えるべきだろう。ＧＭＯ食品は食べても安全だという立場は、圧倒的な科学的証拠によって支持されており、それ以外の結果を示す信頼できる研究は存在していない。では、将来のある時点で、危険なＧＭＯ食品が生まれる可能性はあるのか？　それはある。だが、それを言ってしまえば、殺人ワクチンや自己破壊する飛行機が登場する可能性だってあるだろう。あらゆる科学革新、技術革新を忌避したいのでもなければ、証拠ではなく疑念に基づいて対象を選り好みをするのは不合理の誹(そし)りを免れない。「ワクチンや飛行機は必要だが、飢餓に苦しむ子供たちの食事を確保する必要はない」とは言えないはずだ。

気候変動をめぐる「論争」で見たように、信頼を得られるポイントというものがある。これ以上疑うのは無理があるというポイントだ。それと同じで、懐疑にも最低限のたしなみは必要だ。懐疑とは、疑えるからという単純な理由ですべてに疑念をもつことでも、未知への恐怖によって身動きがとれなくなることでもない。否定論者でなく懐疑論者でありたいのなら、申し分ない証拠があるときには、それを信頼をしなくてはならない。可謬(かびゅう)論が告げるように、たとえそれがあとで間違っているとわかる可能性があるとしてもだ。

「保証(ワラント)」は「証明」ではないが、それでも科学が提供できる最善のものである。この考えに賛同できない人は、次の問いについてもう一度考えてみてほしい。いったいなにがあればＧＭＯが危険だという信念を捨てられるだろうか？　その立場は、気候変動やワクチンを否定する人の立場とどう違っているだろうか？

ハミルトンの研究とその欠点

ではここで、今日のGMO食品を食の安全性の面から拒絶することは科学否定にあたるという考えを受け入れたと仮定しよう。だがそれでも依然として次の疑問が残る。それはリベラルによる科学否定の事例と言えるのか、という疑問だ。私はGMOに強い関心をもつリベラルと二度対話をおこなったが、どちらもGMOを真っ向から否定しているわけではなかった。二人とも正真正銘のGMO否定論者とは言えなかった。しかし、たとえそうであっても、先の疑問が解消されたわけではない。そこでここからは科学文献の助けを借りて、その疑問を詳しく検討してみることにしよう。

スティーブン・ルワンドウスキーが「左翼による科学否定の証拠はほとんどない」[*10]、科学不信は「主に政治的右派に集中しているようだ」[*11]と主張していたことを覚えているだろうか？　もしこれが正しかった場合、GMO否定（および反ワクチン）も、リベラルによる科学否定の事例から除かれることになる。さまざまなトピックにおいて、左派の否定論者がいくぶん（あるいはごく少数）いたとしても、それだけではリベラルの科学否定とは呼べない。なぜなら、その程度では否定派の多数を占めるには至らず、否定の背後にあるイデオロギーも左派的な思考から生まれたとは言えないからだ。だが、それはどう判定されるのか？

その一つの方法がローレンス・ハミルトンの論文に見つかる。[*12]ルワンドウスキーも好んで引用する論文だ。ハミルトンはある実験をおこない、そこでリベラルの科学否定とされる三つの分野（原子力発電所、ワクチン、GMO）と、保守の科学否定とされる二つの分野（気候変動、進化）を取り上げた。そして一〇〇〇人の被験者を対象に、これらの分野で発信される情報に関して、科学者をどれほど信頼しているかを尋ねた。すると、気候変動と進化に関して、リベラルは保守よりも科学者を信頼していることがわかった。予想どおりである。だが、次の結果には誰もが驚いた。リベラルは、原発とワクチンとGMOに関しても、科学者を信頼している割合が保守より高かったのだ。ハミルトンは、これをもってリベラルによる科学否定が存在しない証拠と考えた。*13

だが、この結果からはそうした結論は導かれない。

まず問題なのは、リベラルによる科学否定が存在する分野があるかを確かめるために、リベラルと保守に着目している点だ。それよりもここでは、**科学否定論者そのものに焦点を合わせるべき**ではないのか？　ハミルトンがおこなったのは、各政党支持者に聞き取り調査をして、さまざまなトピックに関して科学者を信頼するかどうかを尋ねることだった。科学否定論者を対象にしてリベラルの割合を調べるのではなく、リベラルと保守を対象にして科学者の信頼度を測定し、それを否定の指標としたわけだ。

科学者への信頼度が科学否定の指標になるというハミルトンの考えが正しかったとしよう（このあとすぐ見るように実際は正しくないのだが）。では、そこからわかることはなにか？　それは、さまざまなトピックにおいて、リベラルにおける否定論者の割合が保守に比べて低いということだけだ。そしてこのことは、否定論者におけるリベラルの割合が低いことをかならずしも意味しない。要するに、たとえハミルトンが正しかったとしても、ちょうど気候変動の否定論者の大半が保守であるように、ＧＭＯなどの任意のトピックにおいて、リベラルが否定派のかなりの割合、あるいは過半数を占める可能性は残っているということだ。

もっと深刻な問題もある。ハミルトンは「ＧＭＯの情報に関して科学者を信頼しますか？」という質問を使って、否定論者であるか否かを判定した。だが、このやり方には欠陥がある。ＧＭＯに対する科学的コンセンサスを事前に提示していないのだ。コンセンサスも知らないのに、科学者を信頼しているかどうかを判断できるわけがない。前章で見たとおり、ＧＭＯに対する世間の知識レベルは驚くほど低い。それを考えれば、科学者を「信頼している」と答えた人が、科学者の実際の意見を知っていたとは、とても言えないはずだ。実際、近年のピュー調査で明らかになったように、ほぼすべての科学者がＧＭＯを安全だと考えていることを知っていたのは、一般市民のわずか一四パーセントにすぎない。[*14]

したがって、被験者が科学否定論者かどうかを判定するには、「ＧＭＯは安全だと思いますか？」や「科学者はＧＭＯが安全だということに同意していると思いますか？」といった質問の方がまだ適切だったはずである。ハミルトンのように「ＧＭＯの情報に関して科学者を信頼しますか？」と非専門家に尋ねても、彼らは、「科学者はとても頭がよいから、ＧＭＯの摂取が人間にとって安全ではない証拠をすべて知っているにちがいない」と考えて、往々にして「イエス」と答えてしまうのだ。

それを検証するために補足質問をしていたら面白かっただろう。たとえば、「科学者を信頼しますか?」と尋ねた直後に「GMOは安全だと思いますか?」と聞いてもいい。この二つの質問の答えが異なるケースは多いように思う。ハミルトンは信頼に関する質問を否定論者の指標として使った。だが、被験者の知識レベルを調整しなければ、それは無意味である。

この欠点はその前の問題を覆い隠すほど大きい。すなわち、たとえハミルトンが(実際の実験でおこなったように)否定論者ではなく各政党支持者を対象としたとしても、科学者を信じるかではなく、GMOを安全だと思うかと単刀直入に質問していたら、GMO否定は右派の現象だとは結論しなかっただろう。なぜそう言えるのか? それは、まさにこの問題に関する独立した(より最近の)調査データがあるからだ。

二〇一五年のピュー調査によると、リベラルの五六パーセント、保守の五七パーセントが、GMOを食べるのは安全ではないと回答している。その差はわずか一ポイントだ。たったこれだけの差で、すべての科学否定が右派に傾いていると言えるだろうか? ここで注目したいのは、同調査ではリベラルの一二パーセント、保守の一〇パーセントがワクチンは安全ではないと回答していたことだ。したがって、この調査を見て、GMO否定は右派のものかという質問に「イエス」と答えるのなら、ワクチン否定については「ノー」と答えなければならない。二パーセントの差は一パーセントの差よりも大きいのだから、そうしなければ一貫性がない。

とはいえ、これはちょっと馬鹿げた話である。これらの問題に支持政党が影響を与えていると結論するには、どちらの調査結果も数字が近すぎるからだ。だがそれでも、リベラルの過半数がGMOを安全ではないと回答した事実は残る。では、それを踏まえたうえで、「リベラルによる科学否定など存在しない」という主張をどう考えればいいだろうか[15]？

ルワンドウスキーの**結論**

ルワンドウスキーは、リベラルの科学否定は存在しないとする自身の見解を裏づける材料としてハミルトンの仕事を好意的に引用しているばかりか、科学への信頼の問題を、科学否定に関する彼自身の結論の一部を代弁するものとして利用してもいる。このことはたしかに残念だ。だが他方、ルワンドウスキーの仕事がすばらしく厳密であり、科学否定とはなにか、それはどこから来たものでで、どう戦えばいいか、という問いを大いに前進させることになったのは間違いない。実際、以下に説明するように、科学否定を政治的信念の観点から説明できるかという疑問を彼が取り上げ、実証研究をおこなってくれたことは、私たちの当面の問題にとって僥倖（ぎょうこう）だったと言える。

ルワンドウスキーは、ジル・ジニャック、クラウス・オバラーとともにおこなった実験で、気候変動、ワクチン、ＧＭＯに関する科学的コンセンサスの否定は、その人の「世界観」によって予測できるか、という興味深い疑問を取り上げた。ここでいう世界観とは、リベラルか保守かという政治的アイデンティティ、あるいは自由市場を是とするか否かという社会経済観（自由市場イデオロギー）のいずれかを含むものである[16]。

実験の結果は驚くべきものだった。政治的アイデンティティや自由市場イデオロギーは、気候変動否定とは強く、ワクチン否定とは弱く相関していたが、**ＧＭＯ否定についてはまったく予測でき**

なかったのだ。[*17] ここから導かれるのは、たとえGMO否定論者に多くの左派がいたとしても、それをリベラルによる科学否定と言うのは正しくないということだ。なぜなら、彼らがGMOを否定するようになったのは、リベラルの思想のせいではないからだ。[*18]

このルワンドウスキーらの研究は広範なものだが、ここでは、リベラルの科学否定という問題に関連する部分についてだけ、いくつか取り上げてみることにしよう。まず確認しておきたいのは、政治的アイデンティティが気候変動否定と強い相関をもっていたのはなんの驚きでもないことだ。一般に、保守は気候変動を否定し、リベラルは否定しない。したがって、これは予想できた結果である。だが、この世界観はGMO否定を予測できず、ワクチン否定については多少できたものの、そこには弱い相関しかなかった。これはなぜだろうか?

おそらく、否定派のなかには、ワクチン接種の強制によって政府が個人の生活に介入することに抵抗するリバタリアン（保守とみなされる）もいたが、製薬会社への不信からワクチンに反対するリベラルもいたということなのだろう。ここまで見てきたとおり、たとえ同じ意見を表明していても、その理由はさまざまなのである。ルワンドウスキーもそれを考慮して、反ワクチンをリベラルの科学否定の候補から外しているが、それは正しかった。

一方、GMO否定の場合、状況はそれほど明快ではない。世界観に関する質問では、GMOに対する立場をまったく予測できなかった。つまり、保守というラベルを受け入れるか否かは、GMOに対する意見に差を生みださなかった。これは自由主義イデオロギーに関しても同様である。大手製薬会社に対する不信感といってもこの程度のものなのだ。ルワンドウスキーが、気候変動否定と保守主義が相関しているのとは対照的に、ＧＭＯ否定とリベラリズムが相関しているという見解に「あまり証拠はない」と主張したのは、これが根拠である。要するに、政治的アイデンティティ（保守主義への傾倒の有無）も政治的イデオロギー（自由市場の尊重の有無）も、ＧＭＯ否定を予測しないのだ。

四つの方法論的懸念

では、これで一件落着だろうか？　そうは問屋が卸さない。ルワンドウスキーの結果は、リベラルによる科学否定が存在する（あるいは、ＧＭＯ否定はその具体的な事例である）という仮説を支持する証拠が現時点ではあまりないことは示していても、その仮説を反証するところまではいっていない。また、すべての科学否定が右派からのものであることも示していない。ここで、先に私たちが「リベラルによる科学否定が存在する」とはどういう意味かに頭を悩ませたことを思い出してほしい。リベラルによる科学否定が少なくとも一つ存在する（すべてが保守によるものではない）ということなのか？　それとも、リベラルのイデオロギーが優勢な否定の分野があるということなのか？　ルワンドウスキーの結果は、第二の疑問について、「そうした事例は認められていない」と示唆している。だがこれは、リベラルによる科学否定が存在しないという意味ではないし、方法論的な懸念を考慮に入れれば、ＧＭＯがその事例ではないと示すものでもない。

実験方法に関する懸念はいくつかある。第一に、ルワンドウスキーが選んだ世界観が反科学的信念と相関する要素として適切だったのかと問うことができる。気候変動の場合、問題は政治化されているので、政治的立場を尋ねる質問でも十分に用をなしただろう。だが、GMO（さらに言えばワクチン）の問題がまだ政治利用されていないのであれば、政治的立場をオンラインで尋ねるのは有意義とは言えないのではないか？「主要な国内メディアは左派に偏りすぎている」、「社会主義には資本主義よりも多くの利点がある」といった言説の賛否を被験者に尋ねることが、GMO問題に関するアイデンティティ保護認知を刺激するとはかならずしも思えない。

一方、自由市場に対する立場を問う質問は、イデオロギー的信念が科学に対する見解を予測するかという問題に近づいているかもしれないが、だとすればなおさら、適切な世界観を選ぶ必要がある。いったいどこをどう見たら、自由市場に対する考えとGMOへの態度が関連しているというのか。自由市場に不信感をもつ人がモンサント社のような巨大な資本主義企業に懐疑的で、それが反GMO感情につながる、ということはあるかもしれない。だが合理的と言うには、ちょっと苦しい理屈だ。「自由市場というシステムは、持続可能ではない消費を促進する可能性が高い」といった言説への賛否を問うことが、はたしてGMOに関係するだろうか？　別の世界観に関する質問、たとえば「自分たちの健康と安全をまかせるには巨大企業は信頼できないと思うか」というものであれば、調査結果は変わっていたかもしれない。

第二の懸念は、ルワンドウスキー自身も認めているものだ。

今回のサンプルは代表的なものだったが、イデオロギースペクトルの端に位置する参加者が十分に拾われていないことも考えられる。それゆえ「左翼」とされるスポークスマンの公的な発言が示唆するように、実は政治的左派の特定の小集団が科学的発見（ＧＭＯやワクチンなど）を否定している可能性はある。*[19]

すでに見たように、反ワクチン派は、こうしたイデオロギースペクトルの端にいる人々が多くを占めている。*[20] ＧＭＯにも同じことが言えるのだろうか？*[21]

第三に、ルワンドウスキーが別の場所で述べている問題がある。

［このような結果に落ち着いたのには］社会で論争となる科学的発見がリベラルよりも保守の世界観に対立するケースが多いという、現在の歴史的、政治的背景がある。この考えに従えば、もし科学がリベラルの世界観に対立する証拠を発見したならば、反対のパターンが観察されると考えるのが自然だ。*[22]

言い換えれば、仮に反ワクチンと反ＧＭＯがリベラルの科学否定の要件を満たさなかったとしても、それはたんに歴史的な偶然によるもので、自分の核となる世界観に反する発見があれば、リベラルも保守と同じように科学否定の動機をもつと考えられる、ということだ。*[23]

最後の懸念は、実験結果がどうであれ、ＧＭＯを禁じようとする活動と世論が左派から生じていることは否定できないという点だ。ルワンドウスキーはこう書いている。

反GMO運動に与するアメリカの科学者や団体は、依然として多くが左派とつながっていて……この運動は左派が強い州で最大の勝利を収めている（たとえば、バーモント州ではGMO表示を支持する法案が可決されている）。[*24]

このような懸念はあるが、それによって実験結果が否定されるわけではない。ルワンドウスキーが指摘したとおり、これまでのところ、GMO否定の大部分が左派から生じているとする考えを支持する証拠はほとんどない。相関が見つからないのだ。[*25]

では、なにと相関しているのか？　ルワンドウスキーは同じ研究で、反科学的信念を予測するものとして、政治に関する世界観よりも役立つものがあったことを報告している。それは**陰謀論を信じるか否か**だ。ルワンドウスキーはこう書いている。「［政治的立場と自由市場の尊重という］二つの世界観はGMOへの反対を予測しない。それに対し、陰謀論への親和性は、程度の差はあるものの三つすべての科学否定を予測する。さまざまな陰謀論を受け入れやすい人ほど、GMO、ワクチン、気候変動を否定する可能性が高くなる」。[*26]リベラル、保守を問わず、陰謀論にのめりこんでいる人ほど、科学否定論者である確率はずっと高くなる。これは科学的にも明らかだ。

リベラルによる**科学否定**は**本当**にあるのか？

どうやら私たちは議論を一周して、政治的イデオロギーで科学否定を説明できるかという考察から、慣れ親しんだ科学否定の五つの類型へと、いつの間にか戻ってきてしまったようだ。科学に抵抗する人がいる理由をさぐることは重要である。だがある意味、私たちにとってより差し迫っているのは、そうした人が**自分の考えをどう正当化しているのか**という問題ではなかったか？　シュミットとベッチュは、科学否定論者に対する反論が有益であることを示した。一方、説得を困難にしているものの一つにアイデンティティ保護認知の問題があった。自分のアイデンティティを脅かす考えに直面すると、私たちはその考えに反するものなら、なんにでもすがりつこうとする。それを克服する唯一の方法が、あらんかぎりの共感、温かさ、人間理解をもって、相手と対話を交わすことなのだ。

この章をここまで余裕の表情で眺めてきたリベラルや進歩派（プログレッシブ）は、ここできっぱりと、そのうぬぼれた認識を捨て去っておくべきだ。というのも、今日の認知科学が示すように、私たちはみな同じ認知バイアスの影響下にあり、科学をはじめ、さまざまな信念に脅威を感じると、誰であってもそれを否定したくなるものだからだ。[*27]

では、陰謀論に関してはどうだろうか？　陰謀論には、「モンサント社は世界支配を企んでいる」といった右派的なものもあれば、「政府の科学者は真実を隠している」といった左派的なものもある。繰り返すが、私たちは誰もが心理的な影響を受けやすく、ときには不合理な不信感を抱いてしまうこともある。科学否定は他人事ではないのだ。考えてもみてほしい。もし反科学的信念が政治的立場によって説明しきれないのであれば、その意味するところは、政治的立場がどうであれ、科学否定からは逃れられないということではないか？ リベラルであれ保守であれ、アイデンティティ保護認知の問題を抱えており、守りたいアイデンティティは政治以外にもいくらもあるのだから。

それに加えて、先の疑問の第一の解釈（リベラルによる科学否定が少なくとも一つ存在するのか？）が未解決のまま残されていることを忘れてはならない。タラ・ヘイルは、ニュースメディア「ポリティコ」で次のように述べている。

「偽りの等価性」について騒ぎ立てるのは見当違いだ。問題は、民主党の反科学が共和党の狂気のような反科学に匹敵するかどうかではない。重要なのは、左派に科学否定主義が存在するかどうかかなのだ。[*28]

ここでリベラルによる科学否定が存在するかという疑問を扱ったのは、論争を呼び起こして問題を政治化しようと思ったからでも、ある種の偽りの等価性を提起しようと思ったからでもない。私はただ、事実や真実に対する問題はすべて政治的であるという、最近よく見かける誤解を真剣に受けとめ、それを払拭したかったのだ。そうした問題はかならずしも政治的ではない。このポスト真実（トゥルース）の時代——経済、環境、移民、犯罪、コロナなどに関する事実、証明、証拠、嘘について、毎日テレビで喧々諤々の議論が交わされる時代——には、**懐疑や否定は政治的アイデンティティだけで説明できると結論したくなるが、それは単純に間違いなのだ。**

アイデンティティには、政治的なもの以外にもさまざまな種類がある。アイデンティティ保護認知を考慮に入れることが、フラットアース、気候変動、ワクチン、GMOの否定派に有効に反撃するための鍵だったとしても、そのなかで政治利用されていたのが気候変動ただ一つだったことは注目に値する。いったん政治化されてしまえば、問題は悪質になりうる。だが、自分がどのチームを支持するかを決めるのは、かならずしも政治的立場だけではない。

もちろん、一般的な事実の否定（大統領就任式に集まった群衆の数、グリーンランドが購入可能か否か、新型コロナがある日「奇跡のように消えてしまう」か否か）と、科学否定の特定の事例の類似点については、興味深い疑問がここでいくつも思い浮かぶ。私は『ポストトゥルース』のなかで、ポスト真実を「政治に対する現実の従属」と定義し、その特に重要なルーツを六〇年にわたり顧みられることのなかった科学否定に置いた。この科学否定は、トランプ時代に見られた政治的動機に基づく事実否定の青写真になったかもしれない。しかし、だからといって、科学否定が政治によって説明されるわけでもなければ、選挙で候補者を落とすように科学否定をきっぱりと捨て去れるわけでもない。残念ながら、科学否定は、ホワイトハウスにおける「もう一つの真実（オルタナティブ・ファクト）」の時代が終焉を迎えたあとでも、この国にとどまり続けることだろう。そう考える理由はいくつかあるが、外国からの影響もその一つだ。たとえば、科学「論争」に関する偽情報の多くは、西側諸国における民衆の分断と政府の信頼低下を目論む、ロシアのプロパガンダ活動を通じて生みだされている。*29

どんな科学的トピックであれ、信念は政治化する可能性を常にはらんでいる。実際、私たちは新型コロナウイルス感染症でそれを目撃したところだ。たとえその信念が最初から政治的なものではなかったとしても、ちょっとした党派的演出（または外国による介入）さえあれば、パンデミックにおけるマスク着用が政治的意思表示へと様変わりする世界に私たちは生きている。そのような世界では、「チームを選ぶ」ことを続けるかぎり、経験的なトピックに関する信念でさえ、アイデンティティを形成するための格好の材料となるだろう。そして残念ながら、こうした動きは、科学否定の最新の事例である**新型コロナ否定論**でも見られる。

第8章

新型コロナウイルスと私たちのこれから

二〇〇〇年初頭、南アフリカ共和国のタボ・ムベキ大統領は、エイズ対策を講じるための専門家会議を招集した。この会議はきわめて重要なものだった。というのも、当時の南アフリカ共和国はＨＩＶ感染率が世界一高く、成人の二〇パーセント近くが感染している状態だったからだ。会議終了後、ムベキ大統領は次のような談話を発表した。「エイズの原因はウイルスではなく免疫力の低さであり、ニンニク、ビーツ、レモンジュースの摂取により治療できるようだ」。これに対し、国内外の何百人もの科学者が大統領に再考を求めたが、その願いは一顧だにされなかった。ムベキ大統領は、なぜそんな結論に至ったのか？　それは、「ＡＺＴのような抗ＨＩＶ薬はアフリカ人を毒殺しようとする西洋諸国の策略だ」という陰謀論を大統領本人が信じてしまったからだ。結果は誰もが予想していたとおりになった。

二〇〇五年、南アフリカ共和国では一日九〇〇人近くがエイズが原因で死亡した。ハーバード公衆衛生大学院の研究によると、ムベキ大統領の科学否定によって、二〇〇〇年から二〇〇五年にかけて生じた早期死亡は、三六万五〇〇〇人にのぼると見られている。*1

新型コロナの五つの類型

そう、科学の否定は人を殺す。特にそれが政府によって肯定されるとき、否定論者の信念は桁違いに危険なものになる。実のところ、これこそが今日のアメリカにおける新型コロナウイルス感染症の現状なのだ。[*2] **今回のパンデミックは科学否定の最新の事例である。**新型コロナの否定は、二〇二〇年初頭に忽然と姿を現し、わずか数か月で一人前の否定論に成長した。そのため私たちは、新型コロナ否定論を分析して、「すべての科学否定は基本的に同じである」という仮説をリアルタイムで検証できるようになった。

実際、新聞やテレビを見れば、科学否定の五つの類型が毎日嫌でも目に入ってくる。否定論者の主張の内容は日々変化しているかもしれないが、その全体的な効果は火を見るより明らかだ。新型コロナ否定論者であるトランプ大統領によって、何百万人という支持者がその信念に感染してしまったのである。

以下、新型コロナ否定論における五つの類型を見ていくことにしよう。

証拠のチェリーピッキング

新型コロナ否定論者は、「インフルエンザと変わらない」、「ほとんどの人は回復する」、「必要以上に騒ぎすぎ」と異口同音に語る。そして、比較的軽症のケースにわざと着目することで、重篤なつながった。

合併症や死亡のリスクを軽く見る。この態度は、ウイルスと戦う計画を立てる際の致命的な遅れに

陰謀論への傾倒

新型コロナにまつわる陰謀論は、「本当の原因は別にある」、「そこから利益を得ている人がいる」というものから、「実は存在すらしていない」というものまでさまざまだ。[*3]

いくつか具体例を見てみよう。SARS-CoV-2（新型コロナウイルス感染症を引き起こすウイルス）は、アメリカに対する生物兵器攻撃の一環として某国政府の研究所で生みだされた。パンデミックは、トランプの再選を阻むために「ディープ・ステート」が仕組んだ経済破壊計画の一部だ。いや、それは、人口を減らし、人々の行動を追跡するチップを埋め込もうとするビル・ゲイツの企てである。コロナ禍は、巨大製薬企業がワクチンで儲けるための謀略だ。医者や科学者はコロナ危機を過剰にあおり、自分の業績に注目を集めようとしている。原因は5G携帯電話の基地局鉄塔である。[*4] CDC（疾病予防管理センター）は統計をいじり、死者の数をごまかしてる。政府の科学顧問であるアンソニー・ファウチは、パンデミックからなんらかの利益を得ている。すべてはでっちあげで、病院には患者は一人もいない……。

最後に挙げた陰謀論からは、#FilmYourHospital というハッシュタグが生まれ、スマートフォン片手に地元の病院に押しかけた「市民調査員」が、待合室に病人がいないことを示して、すべては茶番だと主張するケースが数多く見られた（ところで、病人はいつから待合室で治療を受けるようになったの

だろうか?・)。新型コロナに関する陰謀論は他にも大量に存在し、なかには互いに矛盾する主張もあるが、**多くの人が少なくとも一つの陰謀論を信じている**という。[*5] 容易に想像できるように、陰謀論は危機的状況に陥ったときに出現する傾向があり、過去のパンデミックでもなかったわけではない。つまり、パンデミックに特有の現象ではないが、その特色だとは言えるだろう。

偽物の専門家への依存

二〇二〇年四月二三日に開かれた記者会見で、トランプ大統領は、究極の偽物専門家である自分自身の考えに従い、こう提案した――新型コロナは、「体の内部」に光か熱をあてるか、漂白剤や消毒剤を注射することでおそらく治療できるだろう。[*6] トランプにはそれ以前にも、臨床効果がまったく見られないと判明しているにもかかわらず、ヒドロキシクロロキン〔抗マラリヤ薬〕が治療に有効かもしれないと吹聴した前科があった。[*7] ヒドロキシクロロキンを勧める者は医師のなかにもいる。トランプは、そうした医師の一人であり、マスク不要論を唱えるステラ・イマニュエルの仕事についても「非常に感銘を受けた」、「見事だ」と称賛したことがある。[*8] その後わかったことだが、イマニュエルの主張には、「卵巣嚢胞や子宮内膜症といった婦人科の病気は、夢のなかで悪魔や魔女とまぐわることで引き起こされる」、「医者は異星人のDNAを治療に利用し、科学者は人々が宗教的になるのを防ぐためにワクチンを作っている」といったものも含まれていた。[*9]

非論理的な推論

二〇二〇年二月二七日、トランプ大統領は新型コロナについて、「消えつつある。ある日、奇跡のように消えてしまうだろう」と恥ずかしげもなく述べた。[10] トランプはまた、二〇二〇年の夏には、「アメリカで感染者が増加したのは、たんに検査数が増加したからだ」という主張を好んで口にするようになっていた。これは明らかに間違っている。もし本当であれば、陽性率がこれほど上昇しているはずはないからだ。[11]

科学への現実離れした期待

次のような質問があったとしよう。「なぜ科学者はマスクに対する見解を変えたのか?」、「ワクチンがまだできない理由は?」、「公衆衛生当局はどうしてコロナ対策に関する提言をころころ変えるのか?」。言うまでもなく、その答えは、**科学者が時間とともに学習し、新しい知識に応じて見解を変えてきた**からだ。科学の営みは、仮説に証拠を照らし合わせて検証をおこなうという骨の折れるプロセスを土台にしている。こうして不確実性を減らしているわけだ。したがって、より多くを知れば、科学者の信念も変わりうる。だが、否定論者の目から見れば、この不確実性は自分たちの見解の正しさを裏づける根拠にしかならない。

アメリカ**政治**におなじみのもの

誤情報や偽情報がこれほど多く出まわり、しかも急速に広まったのを目のあたりにするのは、たしかに気が滅入る。だが、もっと衝撃的なこともある。そうした情報の多くが、我が国の政治的リーダーやその協力者から発せられていたという事実だ。[*12] 新型コロナに対するトランプ政権の対応には、たとえば以下のようなものがあった。

・オバマ時代のパンデミック対策案（プレイブック）を破棄し、パンデミック対策室を閉鎖。[*13]
・ウイルスが最初に確認されたとき、その重要度を軽視。
・全国的な検査と追跡をおこなうべきという科学界からの提言を無視。
・有効性が検証されていない医学的助言や治療法を奨励。
・マスク着用については個人で判断すべきと主張。
・各州はロックダウンから「解放」されるべきと強弁。
・ＣＤＣの基準を満たしていないにもかかわらず、活動を再開するよう各州に要請。
・学校を再開するよう奨励（しない場合は政府補助金を停止）。
・最終試験が終わらないうちに、ＦＤＡを通じてワクチン承認を前倒しするよう要求。[*14]

なぜこんなことになってしまったのか？　他の科学否定と同様、新型コロナの否定もまた、科学者が正しければ不利益をこうむる人たちの都合に合うようにでっちあげられた。トランプ大統領によるウイルスの否定は、パンデミックによって多くの命が失われるリスクがあるにもかかわらず、経済活動を変わらず維持することで、選挙で勝つ可能性を高めようとした共和党の計画の一部だった。

見方によっては、これはなんら驚くことではない。新型コロナが浮き彫りにした断絶とは、パンデミックの前から存在していた、アメリカの政治におなじみのものだったからだ。具体的には、反製薬会社、反政府、エリートを拒絶する一般大衆、個人の自由と政府による制限の対立、資本主義における経済的利害の優位性などだ。政治的利害関係者がパンデミックを利用できる素地は、すでにできあがっていたのである。だが、たとえそうだったとしても、科学否定キャンペーンの一部がホワイトハウスによって推進されたのは、さすがに衝撃だった。気候変動の否定など以前のケースでは、まずは特定の利害関係者がいて、それがのちに政治化された。ところが新型コロナ否定の場合は、**最初から政治利用ありきだった**のである。

もちろん、アメリカの政治以外の場所にも自分の計画のためにパンデミックを利用している者たちがおり、それを指摘するのは重要なことだろう。そうした利害関係者には、たとえば他の科学否定論者のように、すぐに目につくケースもある。だがその反面、現在も続く外国からの影響に気づいている人はあまりいない。

外部からの干渉

ロックダウンに対する抗議集会が各地で起きはじめた当初から、新型コロナ否定には明らかに反ワクチン派の利益が絡んでいた。きっかけとなったのは、政府による公衆衛生対策の強制だったかもしれない。だが、反ワクチン派がここまで深く関与した背景には、専門家に対する不信感、陰謀論の広がり、個人の選択の重視という側面もあった。こうした状況は、「複数のイデオローグが交流することで各主張が異種交配する」ことにつながり、新型コロナ否定は勢力を増しているのではないかという懸念も生まれた。[*15] また、反ワクチン派が自身の主張の「ペンキを塗り直し」、現代性をもたせるために、抗議運動を利用しているのではないかという別の懸念もある。[*16]

今後風向きがどう変わるかはまったくわからない。世界中で何百万という人々がワクチンを切望している状況では、反ワクチン派の立場が弱まるのではないかという推測もある。実際、コロナ禍に直面して考えを変え、ワクチンが入手可能になれば接種すると表明した反ワクチン派も報告されている。[*17] その一方で、開発を急がせたあまり、あらゆるワクチンの安全性に疑念が生じ、事態がいったん落ち着いたあとに、ますます反ワクチン派が勢いづくという反対の結果を心配する向きもある。

二〇二〇年八月、ロシアはワクチン接種を前倒しして一〇月に実施すると発表した。これは、第Ⅲ相臨床試験をしっかりやろうと思えば、まず実現できないはずのスケジュールである。[*18] また、トランプ大統領は、選挙前にワクチン接種ができるよう圧力をかけた(これは失敗した)。こうした動きは、世間の警戒心を呼び起こし、それまでは信用されていなかった反ワクチン派の主張になんらかの信憑性を与える恐れもある。

ＡＰ通信が二〇二〇年春におこなった世論調査によると、コロナワクチンが承認されれば接種すると回答したアメリカ人は、全体のわずか五〇パーセントにとどまったという。[*19] ＡＢＣニュースとワシントン・ポスト紙の合同調査でも同様の数字が出ており、絶対にワクチンを接種しないという回答が成人の二七パーセント、ワクチンそのものを信頼していないという回答が半数にのぼった。[*20] ワクチンを拒否する人の数が十分に多ければ、集団免疫が獲得できず、コロナ禍がいつまでも長引く可能性がある。[*21]

新型コロナ否定は、他のイデオロギーからも影響を受けている。たとえば、ロックダウンの抗議集会に極右的な主張をもつ集団が参加しているという報告もある。[*22] アイデンティティが危機に瀕し、反抗的な空気が醸成されれば、奇妙な味方を引き寄せる場合もあるということだろう。ある意味、新型コロナ否定は、科学の政治利用を食い止めることができなければ未来になにが起きるかを示す、究極の先行事例と言えよう。苛立ちを抱えている人は、その不満を手近にある科学論争にぶつける。不信感は伝染する。次のターゲットは気候変動だろうか？

だが、これまでのところ、新型コロナ否定の背後にある原動力はやはり右と左に分かれた政治である。アメリカでは、「マスク着用派」と「マスク反対派」が支持政党によってくっきりと分かれている。

ＮＢＣニュースとウォール・ストリート・ジャーナル紙の合同調査によると、公共の場でマスクを着用するかどうかは、二〇二〇年の大統領選でどちらの候補者を支持するかと大いに関係があったという。具体的には、公共の場で「常にマスクをする」と答えたのは全体の六三パーセントだったが、その内訳はバイデン支持者がトランプ支持者を四〇ポイント上回り、「ときどきマスクをする」と回答した二一パーセントでは、反対にトランプ支持者が三二ポイント上回った。そして、誰もが予想するように、「マスクをしない」と回答した一五パーセントでは、トランプ支持者がバイデン支持者を七六ポイント上回っていた。[*23] 商業施設が客にマスク着用を義務づけたことをめぐって、一部の地域で暴力事件が起きたのも不思議ではないかもしれない。[*24] 科学否定と政治的アイデンティティが、マスクという一枚の布切れの上で邂逅を果たしたのだ。

新型コロナの政治利用でもう一つ忘れてはならないのは、**国外からの影響**である。ロシアが気候変動、[*25]ワクチン、[*26]GMO[*27]を否定するプロパガンダを絶えず発信してきたことは、過去の研究によってすでに明らかにされている。同じことが新型コロナに言えたとしても、今さらなんの驚きもないだろう。[*28] カーネギーメロン大学の研究者によると、新型コロナに関する誤った情報を拡散しているツイッターアカウントの半数近くはボットと推測されるという。また、ロックダウンの解除や新型コロナに関するさまざまな陰謀論をリツイートした、もっとも影響力のある五〇のアカウントの約八二パーセントもボットだった。[*29] この調査結果は、既存の溝を悪用してアメリカにさらなる不和と分断を招こうとする、ロシアの偽情報工作と完全に一致する。

こうした工作にはロシア軍の情報機関が直接手を下しているものもあり、その機関は、たとえば、パンデミックに際して「虚偽の言説を拡散して、混乱を引き起こそうとする継続的かつ執拗な試みの一環として」三つの英語ウェブサイトを運営してきた。[*30] 中国もまた同様の作戦に乗りだし、アメリカにパニックをもたらそうとしているようだ。[*31] 科学否定と偽情報と政治の結びつきは、国境を越えることをよく覚えておく必要があるだろう。

ソーシャルメディアによる科学否定の流布

新型コロナに関する偽情報の拡散に関しては、フェイスブック、ツイッター、ユーチューブなどのソーシャルメディア企業にも一定の責任がある。これらのプラットフォームは、新型コロナに関する外国のプロパガンダを垂れ流す場所として好んで利用されてきただけでなく、他の科学的トピックについても、否定論者の誤情報を長年にわたり拡散する役割を果たしてきた。ブラウン大学が二〇二〇年二月に発表した研究結果によると、気候変動を否定するツイートの約二五パーセントがボットによる投稿だった。[*32] フラットアーサーや反ワクチン派の多くがユーチューブ経由で宗旨替えをしたことは、すでに見たとおりである。

だが、このパンデミック中に、新型コロナに関する誤情報や陰謀論との戦いを強化したソーシャルメディア企業もある。たとえば、フェイスブックCEOのマーク・ザッカーバーグは、自社サイト上で共有される偽情報を取り締まるべきかどうかに以前から頭を悩ませていた。[*33] 二〇一九年に、真実が侵食されるのを懸念しつつも、「テック企業が一〇〇パーセント正しいと判断したことしか発言できない社会に住みたい人がいるとは思えない」と発言したのは有名な話だ。[*34] そのときザッカーバーグの念頭にあったのは、誤解を招くような政治広告だった（結局、彼はこれを容認した）。[*35]

その後パンデミックが起きると、少なくとも新型コロナに関しては方針を変えることにしたようだ。新型コロナに関する誤情報の大半がフェイスブック経由だという非難にさらされたとき、同社は、「誤った治療法、ソーシャルディスタンスは無意味だ、5Gがコロナの原因だといった主張など、差し迫った脅威につながり」かねない「何十万もの誤情報」を削除することで対応した。[*36] 二〇二〇年八月五日には、トランプが「(子供はコロナに対して) ほぼ免疫をもっている」と虚偽の主張をする動画投稿も削除している。[*37] これと同じことを気候変動否定や反ワクチン派の誤情報になぜやらないのかとは思うが、それでも、こうした動きが正しい方向への一歩であることは間違いない。[*38]

フェイスブック以外の企業も取り組みを強化している。ツイッターは、二〇二〇年五月、新型コロナの誤情報を含む投稿にラベルを付し、正しい情報へと導くようにした。[*39] また、子供に関するトランプ陣営の投稿にペナルティを与えたり、コロナに関する誤情報を含むトランプ個人の投稿に警告をおこなった。ユーチューブは、信頼できる情報源に視聴者を誘導する取り組みをはじめている。[*40] 科学否定を深刻化させるうえでソーシャルメディアが果たした役割に関心をもつ人は、ここでもまた、これらの企業が偽情報や誤情報に積極的に対処してこなかったことに苛立ちを覚えるかもしれない。今回のパンデミックを契機に、新型コロナ以外の否定論に対しても同様の取り組みがなされることを期待したい。

コロナ禍からの教訓

新型コロナのパンデミックにも役に立つ側面はある。なかでも特に魅力的なのは、否定論者の活動をリアルタイムで観察できる点、そして、そこから他の科学否定に対抗する手段を学べる点だろう。たとえば、新型コロナ否定と気候変動否定のあいだに驚くべき類似点があることは、すでに多くの人が指摘しているとおりだ。[*41] 今回のパンデミックは、地球温暖化の脅威の縮図だとも言える。どちらも人類の存続を脅かす現象であり、深刻な経済的影響をともなう。また、どちらも対処するには各国の協力が不可欠だ。ということは、世界がパンデミックをどう扱っているかをさぐれば、気候変動への対応のヒントも手に入るのではないか？

この考えがもし正しいのなら、そこから得られる教訓は決して明るいものではない。すでに誰が気づいているように、なにかが現実に起きているという考えだけでなく、それに対してなにかを犠牲にして行動を起こすという考えに抵抗し、足を引っ張る人は驚くほど多い。新型コロナのように、今まさに自分の生命を脅かしている危機に対してすらそうなのだ。差し迫った脅威が自分に向けられているこの状況でさえ、人々を団結させて行動を促すことができないのに、おそらく数十年後に、自分とは関係ない場所で起こるだろうと（間違って）認識されている脅威に対して、どうしたら行動してもらえるというのか？

コロナ危機はまた、この社会にとって経済問題がどれほど重要かを見間違えようもないかたちで明らかにした。公衆衛生にとって、今回のパンデミックがこの一〇〇年で最大の脅威であることは言うまでもないが、経済的配慮がその対策に与えた影響は嘆かわしいほど甚大だった。経済活動を減退させることが、避けられるはずの何十万の死よりも悪いかのように、「治療が病気そのものより害悪であってはならない」というスローガンが何度も叫ばれた。

トランプ大統領がしきりに「アメリカを再開する」ことにこだわるのは、ステイホームが長期間続いて経済が停滞すれば、自分の政治的立場に、あるいは自身が代表する富裕層の利益に悪影響が出ることを恐れての、見え透いた対応のように思える。トランプの盟友であるテキサス州のダン・パトリック副知事は、経済を救うために高齢者がみずから率先して死んでくれてもかまわないとまで発言した。[*42] 私たちがこの発言を受け入れ、雇用喪失やGDP低下といった経済的苦痛を避けるために何十万もの人々の生命を犠牲にすることに抵抗を覚えないのであれば、少なくともアメリカ人が、IPCCの一・五度目標のためにライフスタイルや消費行動を犠牲にするとは、とても思えない。[*43]

新型コロナと気候変動は進行速度が大きく異なるにもかかわらず、その否定の動きには明らかな類似点が見られる。[*44] 新型コロナ否定も気候変動否定も、以下のような思考過程をたどっているのだ。

・それは起きていない。
・それは私たちの責任ではない。
・皆が言うほど深刻ではない。
・解決するにはコストがかかりすぎる。
・いずれにせよ、私たちにはなにもできない。[*45]

こうした現状を見ると暗澹たる気持ちにもなるが、努めて明るい面に目を向けてみれば、今回のパンデミックから、これから先、気候変動否定論者と効果的に戦うための教訓が得られる可能性もある。イェールE360誌の記事はこう述べている。

このウイルスは、影響が現れるのを見てから行動するのでは、もう手遅れであることを示した。……あなたは、現状とは不釣り合いに見えるやり方で行動しなければならない。なぜなら、加速度的に変化する状況に対処する必要があるからだ。……新型コロナは、異常な速度（ワープスピード）で展開する気候変動なのだ。*46

前もって計画することや科学者の話を聞くことの重要性を知らない私たちは、同じ場所にずっと立ち止まったままのように見える。科学否定と戦うためには、それがどんなトピックであれ、長期的な戦略が必要だ。だが、どうすればそれを実現できるのか？

科学否定論者と直接会って対話することの大切さを説く本の執筆中に、新型コロナによって家に閉じ込められ、パンデミックから生まれた最新版の科学否定を目のあたりにするのは、なんとも皮肉な話だ。タコツボ化したネットからは、気が遠くなるほど大量の誤情報や党派的偏向が垂れ流され、しかもその流れはすさまじい勢いで加速している。

だが、それでも人々は、あらゆるメディアと手段を通じて、自分が正しい情報に飢えていることを訴えてきた。そして実際、パンデミックという空前絶後の困難のさなかでも、新型コロナ否定との戦いに有効な手段をいくつか見つけだしている。他の科学否定にうまく対処する方法を考えるうえでも、これらの手段について検討することには意義があるはずだ。

四つの戦略

ここからは、本書で見てきた知見と合致する四つの戦略を見ていくことにしよう。

グラフや図表は有効である

マスク着用、ソーシャルディスタンス、手洗いなどの公衆衛生対策が説得力をもつようになったのは、ジョンズホプキンズ大学やCDCによる統計が広く利用できるようになったことが大きい。アメリカでは、その種の統計がほぼすべてのニュース番組の右上に大きく表示されている（FOXニュースも例外ではない）。数字やグラフを見て、私たちは自分の行動が自分にどう跳ね返ってきたのかを理解するわけだ。医師や公衆衛生当局がさまざまな対策に従うよう要請することにも、一定の効果はある。だが、もっと真剣に受け止めさせる方法もある。アメリカの地図を見てもらい、自分が住む州、郡、都市が汚染区域（ホットゾーン）かどうかを確認してもらえばいいのだ。

パンデミックが起きた当初、テキサス州やフロリダ州の共和党の知事は、新型コロナを「青いインフルエンザ」としてあっさり片づけられると思ったかもしれない。というのも、初期の感染例は、主にニューヨーク州やニュージャージー州といった民主党の州、すなわち「青い」州で見つかっていたからだ。実際、これを一つの理由として、トランプ政権が全国的な検査開始を渋ったという証拠もある。[*47]

南部および中西部の共和党の州で、最初のロックダウンに対する不満の声がささやかれ、マスクを外し、密になり、経済を活性化させるための「個人の自由」が強く求められるようになると、それらの州は、時期尚早にもかかわらずトランプの「再開計画」を受け入れる決定を下した。この「再開計画」は、公衆衛生対策――ニューヨーク州などが「流行の曲線を平らに」して、ウイルスの蔓延を遅らせることを可能にしたもの――を一部無視するものだった。

結果は、悲劇的なまでに予想どおりだった。フロリダ州とテキサス州では、「再開」から数週間たらずで感染者数が急増し、やがて国内有数のホットゾーンとなった。両知事は、その事実をなかなか認めようとしなかったが、グラフや数値を否定できず、人々に動揺が広がり、知事への支持も急落した。そして、ようやくこの段になって、公衆衛生基準を遵守しようという機運が復活したのである（多くの人にとっては遅すぎたのだが）。共和党の「赤い州」も新型コロナの攻撃対象であることが、あらゆるニュース番組のグラフではっきりと示されるようになると、トランプ大統領やペンス副大統領でさえマスクを着用するようになった。[*48]

科学的コンセンサスの強調は有効である

スティーブン・ルワンドウスキー、ジョン・クック、サンダー・ファン・デル・リンデンらによる実証研究からは、科学的コンセンサスに訴えかけることが、科学に関する誤った信念を改めさせるのに有効であるとわかっている。[*49] コンセンサスの存在を否定する人も当然いるだろう。だが、ルワンドウスキーらの研究は、否定論者、とりわけ保守の否定論者であっても、科学的コンセンサスを受け入れるケースがあることを示している。[*50] この研究はパンデミック以前のものであり、対象となったのは主に気候変動に関するコンセンサスだったが、それが新型コロナなどの他の科学否定に適応できないと考える理由はない。

実際、今回のパンデミックでは、特に重要な感染対策である「マスク着用」に対するトランプ大統領の意見の変遷を通じて、科学的コンセンサスの有効性をリアルタイムで目のあたりにできた。二〇二〇年四月三日、CDCは、外出する際は布マスクを着用するよう最初の勧告をおこなった。ところが、トランプはその後数か月にわたり勧告を無視した。これは国民にとって悪い見本となり、マスク着用に意味があるとするファウチやデボラ・バークスら公衆衛生当局の正しさに疑念を生じさせた。

同年六月二〇日、トランプ大統領はオクラホマ州タルサで大規模な政治集会を強行したが、マスク着用は任意とされた。数週間後の七月一一日、オクラホマ州の公衆衛生当局は、コロナ感染者が急増したと発表した。[*51] 翌一二日、トランプはウォルターリード病院を訪問する際に、公の場で初めてマスクを着用し、「適切な場でのマスク着用は大好きだ」と述べた。[*52]

その月の終わりには、トランプの有力な支持者であり、オクラホマの集会にも参加していたハーマン・ケインがコロナで亡くなったというニュースが飛び込んできた。[*53] のちにインターネットでは、マスク未着用のケインが、同じくマスクをしていない集会参加者たちに囲まれている写真が出まわった。公衆衛生当局の見解を総合すると、特定の個人がなにが原因で新型コロナに感染したのかを突き止めるのは難しいが、マスクが最善の感染対策なのは間違いないというものであった。トランプはその後、マスクの着用は「愛国的」行為だと語るようになった。

個人的なつながりは強力な武器となる

科学否定論者が、信頼している相手との親身な対話のあとに自分の考えを変えたという逸話には、大いに説得力がある。コロナ禍では、直接会って話す機会は少ないかもしれない。だが、個人的な体験が信頼を育む後押しとなるのは事実だ（個人的になればなるほどよい）。あけすけに言ってしまえば、新型コロナに感染した人を直接知っていれば、コロナ否定論を信じる可能性はずっと低くなるだろう。[*54] ましてや感染したのが本人であれば、その可能性はほとんどないはずだ。[*55]

もっとも衝撃的なケースを紹介しよう。オハイオ州に住む三七歳の男性リチャード・ローズは、コロナは茶番だという主張をフェイスブックで繰り返していた。たとえば、二〇二〇年四月二八日には、「はっきりさせておこう。クソマスクなんぞ買わない。そんなもの認めないでも、これまでやってこられたんでね」と投稿している。だが、七月二日にはその内容はすっかり変わっていた。「コロナってやつは最悪だ。ただすわってるだけで息が切れる」

彼が亡くなったのはその二日後のことだった。最後の投稿は「あの世で俺に会ってもションベンを漏らすなよ。批判ばかりのクソ野郎ども」というものだった。続く一週間、今回の出来事に驚き、ローズの死を悲しむ友人たちの追悼の言葉が相次いだ。そうしたなか、同月一〇日には次のような投稿も見られた。「ところで、彼はまだコロナを茶番だと思っているのだろうか？」[*56]

悲惨なケースは他にもある。ある日、ワシントン・ポスト紙に「知事よ、父はあなたのせいで死んだ」という見出しの投書が掲載された。投書の主は、クリスティン・ウルキザというアリゾナ州の女性だった。彼女の父マークは、熱心な共和党支持者かつＦＯＸニュースのファンであり、「びくびくしながら生きる必要はない」というダグラス・デューシー知事とトランプ大統領の言葉を信じていたという。

知事によって規制が解除され、父のマークが数か月ぶりに外出して仲間とカラオケに興じようとしたとき、クリスティンはそれを止めようとした。だが父は「知事が安全だって言ってるんだから大丈夫だよ……。もし危なかったら、そんなことは言わないだろ？」と取り合わなかった。投書はこう続いている。「数週間後、父は息をするのも苦しそうで、死ぬかもしれないと怯えていました。そして、まるで裏切られた気分だと私に言いました」[*57]

内容的反論と技術的反論は有効な手段となりうる

シュミットとベッチュの研究は、科学否定論者に情報を提示することで相手の考えを変えられる場合があることを示すものだった。では、新型コロナ否定の場合、それは具体的にどんな情報になるのだろうか？　内容的反論であれば、たとえば、マスク着用の有効性を示す研究がそれにあたるだろう。また技術的反論であれば、科学に関する誤情報に触れる直前あるいは直後に、陰謀論的な推論の問題を指摘すればいい。

それがうまくいかなければ、反対に彼らの陰謀論的思考を好む傾向を利用するのもいいかもしれない。想像してほしい。新型コロナ否定論者（すなわち陰謀論を信じる素地がある人）と話をするときに、ロシアと中国がソーシャルメディア上で大規模な偽情報キャンペーンを展開しているという事実を教えたとしたら……。その二国によって、「コロナ騒動はインチキ」や「アメリカ人はロックダウンからみずからを解放すべき」といった考えをあおる活動がおこなわれていると伝えるのだ。これは陰謀論ではない。本物の陰謀だ。根っからの陰謀好きの否定論者には魅力的に映らないだろうか？　本章ではすでに、プリントアウトして手渡せるような資料も紹介している。そのなかにはグラフや図表を含むものもある。アメリカの二極化と分断から利益を得ているのは誰かを考えてみるよう、相手に働きかけるのも妙案かもしれない。そうすれば彼らも少しは疑いはじめるのではないか？　もしそれも失敗したら、最後の手段は自分で調べるように促してみることだ。なんとも倒錯した手段だが、意外に奏功するかもしれない。

科学の不確実性

もちろん、本来ならば、こうした戦略など無用な世の中が望ましい。州レベルであれ全国レベルであれ、もっと優れた政治的リーダーがいたなら、科学否定がここまで問題になることもなかっただろう。だが、責任の一端は私たちにもあるはずだ。反対意見を述べる人を締め出し、頭が悪いと見下し、彼らの情報源は見るにたえないとチャンネルを変え、自分と同じ考えの人だけと話そうとすることの、なんと魅惑的なことか。私が本書で伝えたかったメッセージはいたってシンプルだ——**私たちは、他者、特に自分と意見と異なる相手ともう一度対話をはじめる必要がある。**それを実行するには頭を使わなくてはならない。
　これまで何度も見てきたとおり、たんに情報を共有するだけではうまくいかない。信念を理由に相手を侮辱したり、恥をかかせたりするのは、明らかな間違いだ。私たちの目標が、相手を説得して否定論を捨てさせることにあるのなら、あらんかぎりの共感と敬意をもって対話に臨む必要がある。そうすることで信頼と親密さが育まれ、自分の話を聞いてもらえる余地も生まれるからだ。

　私には基礎疾患があり、このパンデミック中はどうしても外出に慎重にならざるをえない。家にこもって本書の執筆を進めながらも、外に出て、反マスク派などの新型コロナ否定論者と直接対話できないことに忸怩（じくじ）たる思いを抱いていた。ちょうどそのとき、ニューヨーク・タイムズ紙に「反マスク派と実際に対話をする方法」という記事が掲載された。[*58] タイトルを一読して、誰かに心を見透かされているような気がした。

　この記事のなかで、チャーリー・ウォーゼルは次のような挑発的な主張をしている——恥をかかせたり、汚名を着せるようなやり方では、反マスク派や新型コロナ否定論者の考えや行動を改めさせることはできない。とりわけ不信の空気が蔓延している今日のような時代にはそれが言えるというのだ。このウォーゼルの主張は、（新型コロナのような）知識が急速に蓄積されていく問題に特によくあてはまるだろう。

　彼はエボラウイルスの例を挙げて、次のように述べている。

　二〇一四年、エボラ出血熱が猛威をふるうさなかにも、西アフリカ地域では公衆衛生当局の指導に逆らう人々がいた。自分の症状を隠す人もいれば、感染リスクがあるにもかかわらず埋葬の際の習慣（最愛の人の遺体を洗うなど）をやめようとしない人もいた。また、「エボラウイルスは西洋諸国が送り込んだ」、「この騒ぎはすべてデタラメだ」といった陰謀論を広める人もいた。……そこでWHOは、セネガルの医療人類学者シェイク・ニアンらのチームを派遣し、なにが起きているかを突き止めることにした。ニアン医師は六時間かけて現地の家々を訪問した。一方的に話をするためではない。住民は彼に自分たちの話を書き留めるよう求めた。それが終わったときに初めてニアン医師は口を開いたという。「私は『話は聞いたよ』と言いました」。セネガルからの電話で彼はこう語った。「私は続けて、『助けになりたい。でも、まだ伝染病が蔓延していて、あなた方の助けも必要だ。あなた方の体温を測って、ウイルスを追跡させてもらいたい』と言いました。彼らは私の意見を受け入れました。信頼してくれたのです」[*59]

ウォーゼルが指摘するように、西アフリカの人々はかならずしも利己的でもなければ、反科学的でもなかった。彼らはただ恐怖を感じ、尊厳を奪われた気持ちになっていただけなのだ。彼らは、敬意をもって自分の話を聞いてくれる人をさがしていた。そして、それが見つかると信頼で応えた。これをアメリカにおける新型コロナ否定論者をめぐる状況と比べてみてほしい。アメリカの政治的分断はちょっとやそっとで解決しそうにないが、本当にそう言い切れるだろうか？ ウォーゼルが述べているとおり、大半のアメリカ人は科学を信じていて、それは共和党支持者にもあてはまる。[*60]

では、なにが問題なのか？

おそらく問題は、新型コロナ否定論者自身だけでなく、私たちのこれまでのコミュニケーションにもあるのだろう。新型コロナは未知のウイルスだ。私たちは過去にそのウイルスを見たことがなく、すべてを知っているわけではない。だとすれば当然、科学者は時間が経つにつれ新しい知識を手にすることになり、それによって科学的な助言や勧告も（ときに劇的に）変わることがある。現実に、WHOをはじめとする専門家は、当初は人前でマスクをする必要はないと言っていたが、その後四月半ばに突如として態度を変えた。マスクをしたくないと主張していた人は、この瞬間に分別のない人間とみなされるべきだろうか？

問題は、こうした前言撤回が信頼の失墜につながることだ。よほどうまく伝えないかぎり、主張が突然変わったことを訝しむのは当然の反応だろう。科学の営みに通じている人ならば、科学の背後には常に不確実性が隠れていることをよく知っている。実際、科学の重要な特徴は、証拠を重んじ、時間をかけて新しい知識を仕入れていく点にある。その積み重ねによって理論は装いを変えていくのだ。ところが、世間がそれを理解しているかといえば、かならずしもそうとは言えない。科学者や公衆衛生当局は、今日の不信に満ちた空気のなかで、その事実を受け入れるのをためらい、謙虚さと透明性をもって新型コロナに取り組むことに及び腰になってしまったのだろう。

逆説的に聞こえるかもしれないが、**科学の不確実性を認めることは、結果的に信頼を高める**場合がある。現時点ではわからないと（その理由とともに）正直に伝えておけば、のちに情勢がはっきりしたときでも、疑念はやわらぎ、信頼感も生まれるだろう。反対に、「マスク着用は一〇〇パーセント有効だ」、「ワクチンはいつなんどきも絶対に安全だ」といった嘘をつくことは、完全に間違った戦略となる。その嘘は鎧の隙間のようなものだ。そんな弱点が見逃されることはなく、否定論者はそれを言い訳になにも信じようとしなくなってしまう。

コロナ禍でもこうしたことは起こったのだろうか？　ウォーゼルによると、まず間違いなく起こっているようだ。ウォーゼルは、ハーバード大学の医師で、エボラ危機の際にギニアの大統領のアドバイザーだったラヌ・ディロンの次の言葉を引用している。「すべての助言は、最終的に二者択一になってしまう。……グレーであるべきときでも、絶対に黒か、絶対に白かを決めることになるのだ。パンデミック初期にWHOが無症候性感染を否定したときがそうだった。マスクの場合もそうだったし、州の経済活動再開の場合もそうだった」

ウォーゼルはさらに次のように語っている。

これは新しいコロナウイルスであり、私たちはその場その場で学んでいる。したがって、昨日正しかったことを今日は修正しなければならないこともある。ディロン医師によると、公衆衛生の専門家は、権威を守りたいという願望から、不確実性について正確に伝えなかったこと、そして、理解が進んだときの記録訂正に固執したことによって、みずからの信頼を損なってきたという。……「私の認識では、公衆衛生当局は、屋外が安全だと声高に主張することをためらっていました」とディロン医師は言っている。これは、世間が過剰反応しないよう、あるいはその反対に反応が鈍くならないよう、専門家が言葉を濁した事例だと言える。だが、メッセージの受けとられ方をコントロールしようとするのは一種の賭けだ。ディロン医師はマスクでも同じことが起こったと主張した。パンデミックの初期、公衆衛生当局や医療機関は、サプライチェーンの問題を理由にマスクを奨励するのをためらった。専門家たちはのちに態度を変えたが、この変節こそが、今日われわれが経験している、顔を覆うマスクをめぐる文化戦争への扉を開いた可能性がある。*[61]

いったん自信満々に宣言してしまえば、あとから取り消したとしても、時すでに遅しだ。たとえ動機が純粋であっても、人々の安全をただ守りたいだけであっても、そうなれば信頼は消え去ってしまうだろう。だから私たちは、不確実な点があったり、条件が限定される場合は、最初からそう明言すべきなのだ。

新型コロナ対策のなにが間違っていたのか？

私はずっと以前から、**不確実性を科学の「弱み」ではなく「強み」として受け入れることが、科学否定に対抗する大きな武器になる**のではないかと考えてきた。*[62] 本当は知らないにもかかわらず、科学者が常に答えを知っているふりをするのであれば、否定論者が科学に疑念をもち、信頼しなくなるのも不思議ではない。ウォーゼルも記事で指摘しているように、「自分を信頼するよう相手に強いることはできない。信頼とは、謙虚で隠し事をしないこと、そして相手の話を聞くことで獲得するもの」なのだ。

おそらくこれこそが、新型コロナ否定との戦いにおいてなにが間違っていたかという問いの答えなのだろう。もちろん、科学情報を誇張あるいは軽視して伝えた（そして科学者自身に語らせなかった）メディアにも、偽情報を広め分断をあおった政治家にも非難すべき点は大いにある。

一般市民も例外ではない。彼らはあまりに騙されやすく、ひいきのメディアから進軍命令を受け、「信じることになっている」話を聞かされると、もう他の人の意見を聞くことも、チャンネルを変えることもしなくなるからだ。とはいえ、その責任の一部はやはり、科学者、医師、公衆衛生当局によるコミュニケーションの失敗にある。彼らは、なにをすべきかを専断的に指示するだけで、その背後にある証拠や推論プロセスの説明を怠った。古臭い権威と無謬性にすがってしまった。

科学者をはじめとする専門家にとって、すべきことを表面的に指示するだけで最低限の目標が達せられるときに、最新版の真実と正確な情報を誠実かつ謙虚に伝え続けようとすることは、想像以上に難しい。さらに悪いことに、今日の科学者は、誹謗中傷や政治的な情報操作（スピン）の対象として集中砲火を浴びせられ、党派対立を好んで取り上げるメディアによって炎上させられることも多い。こうした環境では、人々にはただ提言に従ってもらい、不確実性についてはあえて言及したくないと考える専門家が出てくるのも無理はないだろう。

だが、科学コミュニケーションを健全なものにするにはこの問題は避けて通れない。これは、科学者だけでなく、科学に関心をもつ私たち全員にとっての課題だ。私たちは、自分が戦いたい相手ではなく、実際に対峙している相手と戦わねばならないのだ。今この瞬間にも科学の正当性は脅かされている。こうなってしまったのはかならずしも科学者のせいではなく、メディア、政治、教育、そしてより広範な不信の文化が原因だ。しかし、もしここで科学者が科学のために立ち上がらなければ、いったい誰がその役を引き受けられるというのか？

今回のパンデミックに際してウォーゼルが到達した結論は、フラットアース、気候変動否定論、反ＧＭＯ、反ワクチンとの戦いに関して、本書がここまで推奨してきた結論と一致している。すなわち、否定論者との対話では、科学の営みの公開性と透明性を示しながら、敬意と謙虚さをもって直接膝を交え、信頼を育むことがもっとも重要だということだ。私たちは、人々に最新の公衆衛生対策を啓蒙することができる。科学のプロセスについてそれができない理由はないだろう。それどころか、その問題を放置してしまえば、次の危機は新型コロナワクチンへの信頼をめぐるものになりかねない。[*63]

ウォーゼルは、感染症の専門家でＣＤＣの元所長トム・フリーデンの次の言葉を引用している。

私が今もっとも心配しているのは、今日見られる不信がワクチンにも向けられるのではないかということだ。ワクチンに対する不信はすでに根強く存在している。それに加えて、「ワープスピード作戦」という恐ろしい名前のワクチン開発計画もある。こんなネーミングでは、誰だって自分の腕に針を刺そうという気にはならないだろう。この名前のせいで、今後よほどオープンで透明性の高い意思伝達に努めないかぎり、政府がワクチン製造に必要な工程を飛ばしたと受けとられるリスクが生じてしまった。[*64]

私は、新型コロナウイルスが消え去り（もちろん「奇跡のように」というわけにはいかないが）、それとともに新型コロナ否定論も消えてなくなる日が来ることを願っている。そして、それと同じことが、他のあらゆる科学否定、特に気候変動否定にも起これぱいいと思っている。今回のパンデミックが終息したあとでも、解明すべきことは数多く残るだろう。だが、本書をここまで読んでもらえたなら、科学否定論者に効果的に反撃するためのアプローチやツールについて、きっと何事かを学べたのではないかと期待している。*65

ポスト真実（トゥルース）を治療する

私は『ポストトゥルース』のなかで、今日の「政治に対する現実の従属」は、タバコ企業の策略から気候変動否定まで、およそ六〇年にわたり顧みられることのなかった科学否定に端を発していると主張した。だが、ここ数年に起きたことは、これまでとは様相が異なる。政治の二極化が科学否定の問題をさらに悪化させるようになったのだ。ポスト真実と科学否定は、いまや互いに焚（た）きつけ合うフィードバックループに陥ってしまったように見える。経験的事実に対する主張と政治的な価値観が混ざり合ってしまったケースもある。

このことはおそらく、科学否定の解決策と政治的な動機による現実否定の解決策が同じである可能性を示唆している。つまり、どちらの場合も私たちは対話を再開しなくてはならない。もし相手を説得して、政治的、イデオロギー的信念を変えさせようと願うなら、あなたはどんな行動をとるだろうか？　ここまでで十分理解したように、あなたは相手の情報不足を埋め合わせようとはしないはずだ。もちろん、怒鳴ることも侮辱することもない。事実を持ちだす場合があるかもしれないが、たいていは共通の価値観に訴えかけようとするだろう。お互いのアイデンティティを共有するのだ。そして、それを実践する唯一の方法は、個人的な関係を築いて信頼を育むことである。

科学でも同じことができない理由はない。そのためには、科学的事実だけではなく、科学の価値観、そしてその価値観が科学の営みをどう特徴づけているのかを広く伝えていく必要があるだろう。科学コミュニケーションにはさまざまな問題があるが、そのなかには**科学教育からはじまったものもある**。私が小学生だった頃、学校の授業では、科学者は決して間違いを犯さない天才であり、あらゆる真実が明らかになる時代に生きられて私たちは運がよいと教わったものだ（これは現在でも大差ないのかもしれない）。だがそのかわりに、科学者の発見だけでなく、その発見に必要だった仮説、失敗、不確実性、検証のプロセスを教えたら、なにが起こるだろうか？

科学者にも、もちろん間違いはある。だが科学者が他と異なるのは、真実を求める手段として証拠を参照するという精神（エートス）を受け入れている点だ。公開性、謙虚さ、不確実性の尊重、正直さ、透明性、自説を厳しく検証する勇気など、科学者の信条の重要性を示すことで、科学の価値について広く知ってもらうのはどうだろう？　科学否定を打破するにあたって、他のどんな手段よりも効果があるように私には思える。[*66]

こうした教育によって、子供は科学者の考え方や、「わからない」とはどういう意味かを学び、答えを見つけるための経験的証拠に目を向けるようになるだろう。そうすれば、自説に基づいて予測し、たとえその予測が間違っていたとしても、結果を受け入れる態度が身につくかもしれない。また、科学の不確実性や、失敗から学べることに早いうちから気づくかもしれない。その結果、科学的事実はより納得のいくものとなり、科学者に対する信頼も高まるはずだ。科学的価値観に共感する人が増えれば、状況改善にも一歩近づくのではないか。

では、政治的信念を分断する深い溝についてはどうだろう。私たちはそれを乗り越えられるだろうか？　科学について教えることが政治となにか関係があるのだろうか？　私が思うに、ポスト真実が科学否定からはじまったことを考えれば、科学否定を解決しようとすることで、ポスト真実に侵された政治を回復できるかもしれない。人々が科学の価値観を受け入れられるのならば、他の領域でも自分の価値観を変えることができるはずだ。関心の輪を広げ、直接は知らない人たちの生活にもっと関心を抱けるようになる。

外に出て、話をしよう

今のところ、私たちはそれぞれが科学否定の問題で手いっぱいだ。だとすれば、一人ひとりで対処するのではなく、全員で協力してみてはどうか？　科学を信じている人は多いし、気候変動を気にかけている人も大勢いる。そして今、シュミットとベッチュの研究に触れて、私たちは状況を改善する手段があることを理解した。科学否定論者のもとから立ち去ったり、関わりを拒絶するのは、最悪の選択肢だ。相手が誤った情報をもっているのなら、対話の継続こそがその相手の考えを変える最善の方法なのである。

そこまでわかっているのなら、外に出て、科学否定論者と話さない手はない。彼らのアイデンティティに変化を促し、もっと科学者のように考えるよう仕向けるのだ。私がフラットアースの会議に参加できたのだから、あなただって、自分の姪や義理の弟と反ワクチンについて話すことができるはずだ。

言うまでもなく、これは骨の折れる仕事で、やらないでいる方がずっと楽だ。人々がすでに科学者の考え方を身につけていて、ただ証拠を示すだけでよければ、どんなに簡単な仕事だったろうか！ しかし現実はそうではない。科学に信頼を寄せている人ですら、科学の背後にあるプロセスを知らない可能性は十分にある。だが、その点こそが真の理解への鍵であり、相手のアイデンティティを変える手助けをする鍵なのだ。

冷笑的な考え(シニシズム)に安らぎを覚え、私の提案などうまくいくはずがないと考える人は多いだろう。しかしながら、この提案はシュミットとベッチュの研究と完全に合致している。シュミットらは、内容的反論と技術的反論がいつも成功するとは言っていない。彼らが見つけたのは、なにかを変える可能性があるときに使えば、うまくいくかもしれない方法である。科学を否定する人を軽蔑の目で眺め、関わらないようにするのは、たしかに気が楽だ。科学否定論者との対話の旅を続けてきた私には、彼らと関わることのフラストレーションはよく理解できる。だがそれでも、彼らを放置してしまえば、損をするのは私たち全員なのだ。

その一方で、筋金入りの科学否定論者は今も外に出て誤った情報をばらまき、新しい仲間を勧誘している。自分の利益を得るのに余念のない人は、せっせと偽情報を拡散し、すでにある混乱や懐疑を徹底的に利用している。本来であれば、この動きに抗うのはさほど難しいことではない。経験的な事実は、それをさがそうという意志さえあれば、誰もが見つけられるものだからだ。だが、どれほど促しても、事実に目を向けようとしない人はかならずいる。彼らは、党派心、プロパガンダ、自分はすでに正しい答えを知っていると思い込む意図的な無知という毛布に、ぬくぬくと包まれていたいのだ。言い換えれば、彼らのなかには、真実が目の前にあっても、それを否定する準備が整っている者がいるということだ。科学否定論者と話をしていて苛立たしさを感じるのはそこだ。

科学否定論者と対話をするとき、彼らの信念ばかりでなく、反科学という価値観がコンクリートのように固まっているケースは多い。もちろん、彼ら自身はそう思っていない。自分が科学否定論者だと自認している者はいないだろう。むしろ、自分の方が科学者より科学的だと考えている場合すらある。あなたが相手に対して思っていることは、相手があなたに対して思っていることでもある。科学否定論者との対話に臨むときは、小説家ならば誰もが指針にしているルールを覚えておくといいだろう――**悪役（ヴィラン）は自分の物語では常に正義の味方（ヒーロー）である**。

私たちのやるべきことは、ある意味、想像しているよりも困難であり、また容易でもある。目的は、相手に特定の事実を受け入れてもらうことや、信念を変えてもらうことだけではない。科学者が、厳密な検証、協力しておこなう試験、不確実性の受容を通じて、どれほどの苦労を重ねて知識を獲得してきたかを理解し、評価してもらうことも必要だ。そうすることで、否定論者も、科学者の価値観（および推論プロセス）に共鳴しはじめるかもしれない。

こうした考えを次世代に伝えていくことはむろん大切だが、私たちに残された時間は長くはない。子供たちは、気候変動の問題を引き継ぎ、それを解決する能力をもっているかもしれない。だが、現時点でこの問題に責任を負っているのは私たち大人であり、そこには多くの科学否定論者が見つかる。しかも彼らは、この世界の未来に対して不当に大きな権限をもっている。だとすれば、否定論者の説得は、私たち大人全員が今すぐ取り組むべき課題になるはずだ。

相手の意思に反して信念を変えさせることはできないし、自分にはまだ知らないことがあると認めさせるのも難しい。価値観やアイデンティティに変化をもたらすのは、もっと難しいかもしれない。だが、科学否定論者を前にしたときに、それより簡単な道はないのだ。私たちは、彼らに理解してもらうよう働きかけなくてはならない。関心をもってもらうよう努めなくてはならない。だがそのためには、まずは外に出て、直接膝を交え、対話をはじめる必要がある。

エピローグ

この本を書いているとき、大統領はまだドナルド・トランプで、私たちはパンデミックのさなかにいた。やがていざ刊行というときになって、ジョー・バイデンが大統領に選出され〔二〇二一年一月〕、二種類の新型コロナワクチンが開発、承認された。

これで状況はよくなるだろうか？

そうだと思いたい。バイデン大統領はすでにパリ協定に復帰し、自動車排出基準の引き下げなどトランプ政権が進めた地球温暖化につながる規則の撤廃を約束した。それだけでなく、新型コロナをはじめ多くの課題について科学者の意見に耳を傾ける姿勢を見せている。

だが、安心するのはまだ早い。

現在私たちは、新型コロナワクチンが広く供給されるのを待っているところだが、供給体制が無事整ったとしても、それを接種するよう全国民を説得できるかは未知数だ。陰謀論までいかなくとも、疑いの気持ちは国民に相当深く根づいているからだ。新型コロナワクチンは本当に安全なのだろうか？　もちろん、ＦＤＡをはじめとした政府機関は、安全性が確認されないかぎりワクチンを承認しないだろう。だがこれは、科学だけでなく、科学政策の番人を信頼するかどうかの問題でもある。それら番人のなかには、トランプ政権下で政治的圧力に屈した者もいる。リベラルか保守かを問わず、トランプが政権を握った過去四年のあいだに、この種の信頼のかなりの部分が失われてしまった。

大統領は代わったが、トランプ主義はいまだ燻り続けている。二〇二一年一月六日に起きた議事堂襲撃事件は、「事実不在」のイデオロギーがどれほど深くこの国に浸透しているのか、それによってどんな悲惨な結果が生じうるかを示す象徴的な事例となった。首都を襲ったこの暴動の根源は、およそ七〇年前の出来事にさかのぼることができる。

一九五三年、ニューヨークのプラザホテルに数名の会社役員が集まり、彼らのビジネスにとって支障のある事実を潰すための偽情報キャンペーンを立案し、「科学と戦う」ことを決意した。彼らは意図していなかっただろうが、このキャンペーンは、自分の意にそぐわない事実を否定する運動の青写真として、現在に至るまで利用され続けている。

否定主義の問題は今、企業からイデオロギーへ、科学からより広い文化領域へと、活動の場を拡大しているように見える。それは気候変動のような科学的トピックでも、不正選挙のような政治的トピックでも同じことだ。その一方で、石油や石炭などの資源の周辺には依然として既得権が残り、疑念を生みだすことで利益を得ようとする人々が、その機会を虎視眈々とうかがっている。無知、認識バイアス、ソーシャルメディアでの誤情報の拡散といったものも、すぐにはなくなりそうもない。

科学否定をめぐる状況はトランプ大統領の登場によって間違いなく悪化したが、科学否定そのものは昔からあった。少なくともガリレオ以降、おそらくはそれ以前から、ずっと存在していたのである。科学否定がこれまでずっと続いてきたものならば、トランプ以降も存続すると考えるのが自然だ。もちろん、これは状況が決して改善しないという意味ではない。私たちが再び互いに話し合うようになり、道徳や価値観だけでなく経験的な問題に関してすら大きな分裂をもたらしてきた党派による溝を埋める努力をするとき、科学もまたその対話のなかで語られるようになる――私はそう期待している。

トランプ政権で悪化したとはいえ、第6章で見たように、科学否定は特定の政党や党派的見解の専売特許ではないことも忘れてはならない。科学的コンセンサスが指し示すもの以外を信じようとする人がいるところでは、五つの類型が常に暗躍している。これは科学と理性をめぐる長い戦いなのだ。その戦いに「勝った」と宣言して、科学否定を再び無視するようなことがあれば、かならずや将来に禍根を残すことになるだろう。認識規範を携えて、今後も警戒を怠らないようにする必要がある。

忘れてならないことは他にもある。科学否定はアメリカだけでなく、世界中に存在しているということだ。トランプが大統領でなくなったとはいえ、イデオロギーに基づく科学の拒絶は他国にも見られ、それぞれ独自の問題に苦しんでいる。

イタリアでは、反ワクチンが広がっている。イギリスでは、コロナ陰謀論を信じた人々によって5Gの基地局用鉄塔が破壊された。ブラジルでは、無視できない割合の国民がフラットアースを信じている。そしてロシアと中国は、プロパガンダ機関を通じて他国に誤情報を拡散し、科学否定を焚(た)きつける中心的な役割を果たしてきた。イデオロギーの分断をあおって、西側の民主主義を弱体化させようというのだ。

科学否定は、アメリカでもそれ以外の国でも尾を引いてきた問題である。これほど長く私たちに分断をもたらしたものを解決し、その傷を癒やす方法を見つけるのは、現実的に考えてかなり難しいだろう。では、どうすればいいのか？

私はやはり対話こそが解決策になりうると思う。本書が示した科学否定論者と話し合うための戦略は、党派的な信念と専門家の判断が対立する多くの分野で、理性、科学、論理に耳を傾けてもらうために利用できるものだ。相手の悪魔化をやめず、多くの人の意見を無視し続けるなら、私たちは二極化のリスクにまたしても直面することになるだろう。それよりも、科学否定論者を再び迎え入れて、科学がどれほど有用になりうるかを示した方がいいのではないか？　専門知識が再び意義あるものになれば、すばらしいと思わないだろうか？

ここまで見てきたとおり、科学否定のかなりの部分は、恐怖、疎外感、イデオロギー、アイデンティティを動機にしている。ホワイトハウスの主(あるじ)が誰になろうとも、私たちはそうした問題に取り組むことができるし、また取り組むべきだろう。現状に満足してはいけない。科学否定は他人事ではない。なかでも地球温暖化は喫緊の課題だ。過去四年間で無駄にしてしまった時間を悔やんでいる暇はない。アメリカのリーダーが代わったからといって、それですべてが好転するわけではないだろう。だが、本書で何度も繰り返してきたように、気候変動の否定はもっとも危険で差し迫った科学否定であり、それに対処するには、あらゆる手段を講じる必要がある。もし新型コロナを克服できたとしても、気候変動の問題にはこれからも悩み続けることだろう。残り時間はあとわずかしかない。

モルディブの若者のことを思い出してほしい。たとえ今、科学的事実や合理的議論が、公共政策においてこれまで以上に中心的な役割を果たすように感じられたとしても、私たちの目の前には、もう一つ大きな問題が変わらず立ちはだかっている。すなわち、私たちはどれほどの関心をもてるかという問題だ。その関心は、自分たちの消費を減らすくらい強いだろうか？　代替燃料に真剣に投資するくらい強いだろうか？　信念だけでなく、行動を変えるくらい強いだろうか？

科学を否定する人たちとの対話を重ねていく過程では、相手の信念を変えるという難題だけではなく、価値観の土台となる「関心の輪」を広げるという挑戦も待ち受けている。それを実現する唯一の手段は、人間としての共通点を認識することだ。そう、私たちは同じ人間なのである。自分と意見が異なる人であっても対話する価値があると考えることは、同胞たる人類に、その未来に、ともに投資をすることだ。私たちは、科学否定論者に関心の輪を広げてもらうよう働きかけながら、自身の関心の輪も広げるべきだろう。もちろん、その輪には科学否定論者も含まれている。

困難な対話に臨むには、相手に対する敬意が欠かせない。敬意がなければ、相手に自分が間違っていたと納得してもらうことはとてもできない。対話から逃げてはいけない。なぜなら、対話こそが新たな信頼と共感を育むための最良の方法であり、それが最終的には、認識の変化、社会の変化をもたらすと、私は信じているからだ。

対話という手段が優れているのは、反ワクチン派、進化論否定派、フラットアーサー、気候変動否定派に対して、科学を称揚するチームにも自分の居場所があると働きかけられる点だけではない。相手と話し合うことで、もし世界をよくしたいと願うなら、あなたたち全員の力が必要だと感じてもらうことができるのだ。よりよい未来のためには、モルディブの漁師もペンシルベニアの炭鉱労働者も必要だ。子供のワクチン接種を恐れる両親も、コロナ危機の最前線で働く医療従事者も必要だ。「誰も関心をもっていませんから」とモルディブの若者は私に言った。私はそうは思わない。新しい相手と積極的に話し合うことで信頼をいくばくかでも取り戻せれば、信念、関心、行動の問題を一挙に解決できるかもしれない。

乗り越えるべき障壁はあまりに高い。だがきっと、科学という創意にあふれた営みが未来の希望の灯をともしてくれるはずだ。そしてもう一つ大切なのは、人間としての共通点を認識することだ。次第に熱くなる地球、殺人ウイルスのパンデミックについて一つ言えるとすれば、それがもたらす結果は、私たち全員に関係しているということだ。突き詰めて考えてみれば、私たちはみな同じチームの一員なのである。

謝辞

今回もまたＭＩＴ大学出版局から本を出すことができ嬉しく思っている。これまで長年にわたり、刊行のために尽力してくれた出版局職員のみなさんに感謝申し上げる。なかでも、頼もしい助言で導いてくれた担当編集のフィル・ラフリン、制作のジュディス・フェルドマン、私のミスをいくつも拾ってくれた校正のレイチェル・ファッジには特別な感謝を捧げたい。

刺激的な会話や研究事例を通じて本書に豊かな実りをもたらしてくれた友人、同僚のクアシム・カッサム、アシュリー・ランドラム、スティーブン・ルワンドウスキー、マイケル・パトリック、リチャード・プライス、デレク・ロフ、マイケル・シャーマー、ブルース・シャーウッド、どうもありがとう。また、一度短い会話を交わしただけだが、コルネリア・ベッチュと彼女の同僚フィリップ・シュミットにも感謝したい。彼女たちは、その画期的な研究により、科学否定論者への反論に価値があることを経験的証拠とともに示してくれた。

本書の準備段階では多くの人に取材をおこなった。仮名で紹介せざるをえなかった人もいれば、リンダ・フォックス、アレックス・ミード、デイヴとエリンのナインハウザー夫妻のように名前を挙げられる人もいる。みなさんにお礼を伝えたい。友人のロビン・ローゼンフェルド、サム・シャプソンの励ましと助言には、精神的な面でこれ以上なく助けられた。アスペン研究所のアーロン・マーツは、科学否定の危険にもっと光を当てるべく尽力してきた。また、この二〇年にわたりボストン大学の科学哲学・科学史センターという知的拠点を与えてくれたアリサ・ボクリッチに心からの感謝を。

哲学の同僚のアンディ・ノーマンとジョン・ヘイバーからは、いつものように私の草稿にすばらしいコメントをいただくとともに、会話からも大いに得るところがあった。友人のルイス・クックニアには、フラットアース会議に参加していた私のもとを訪れてもらい、おかげで私は正気を保つことができた。また友人のローリー・プレンダーガストは索引を作成してくれた。みなさんに特別の感謝を捧げる。

最後に妻のジョセフィーヌに感謝を伝えたい。本書を執筆した年は私にとって文句なしに人生最悪の年だったのだが、彼女がいるところが私にとっての安らぎと励ましの場所となった。彼女が与えてくれたものすべてに感謝している。哲学、論理、理性、そして科学は、私の生涯でもっとも重要な仕事を描きだしてくれた。だが、そのどれもが愛には遠く及ばない。

解説　対立から対話へ——科学否定論者とのよりよい向き合い方

横路佳幸

本書『エビデンスを否定する人たち——科学否定論者は何を考え、どう説得できるのか？』（原著：*How to Talk to a Science Denier: Conversations with Flat Earthers, Climate Deniers, and Others Who Defy Reason*, The MIT Press, 2021）は、科学否定論について論じた本である。科学否定論とは読んで字のごとく、科学で広く支持されている事実や証拠、合意を否定する考えを指す。例えば、地球温暖化をはじめとする昨今の気候変動は人類の活動のせいではないだとか、ワクチンは有効どころかむしろ有害であるといった言説は、現代の代表的な科学否定論である。他には、怪しげな民間療法を信じ切るあまりに標準治療の効果を否定したり、二〇一九年末から世界中で猛威を振るった新型コロナウイルスをただの風邪と一笑に付す主張も同様と言える。極端なものになると、地球が球体ではなく平面だと主張する地球平面説（フラットアース）まである。

おそらく一連の科学否定論のおかしな点を暴き出すことはさほど難しくないだろう。また、そうした言説を信じ込む者がいかに偏見に満ちているかを示す心理学の文献も、探せばたくさん見つけることができる。しかし本書が目的としているのは、科学否定論者を論破することでもその不合理さを糾弾することでもない。まして、理解することを諦め「危うきに近寄らず」とばかりに彼らから遠ざかるわけでもない。その逆である。科学否定論者一人ひとりに会って共感し、敬意をもって傾聴・対話し、信頼関係を育む――こうした親身な姿勢が彼らとのよりよい向き合い方へと繋がる、というのが本書の要をなす主張だ。

もちろん、聞こえのいいスローガンをただ唱えるだけでは机上の空論で終わる可能性がある。そこで著者のマッキンタイアはまず、社会心理学の成果を用いて信頼関係に基づいた対話の有効性を理論的に補強する（第2・3章）。次いで、その「実践編」として様々な人々と実際に会って議論を交わし、ときには潜入取材まで敢行している（第1章、第4〜8章）。それゆえ本書は、豊富な知識と堅実な論証で裏打ちされた論考でありながら、科学否定論のリアルな実態に迫る重厚なノンフィクションでもある。この解説では、そんな地に足のついた本書の内容や教訓、課題について大摑みに述べることにしたい。

著者マッキンタイアについて

まずは著者について。リー・マッキンタイアは、一九六二年生まれの科学哲学者・科学史家である。現在、ボストン大学哲学・科学史センター研究員等を務めている。研究者としては、科学的方法を心理学といった社会科学分野に取り込むことに関する研究でキャリアをスタートさせた。また、一九九〇年代に躍進を遂げた「化学の哲学（philosophy of chemistry）」という分野の興隆にいち早く貢献したことでも知られている。しかし次第に、疑似科学や科学否定論と絡み合う現実の社会問題にも強い関心を抱くようになり、近年は科学哲学にあまり馴染みがない一般読者に向けた読み物を次々と上梓している。わが国では、『ポストトゥルース』（大橋完太郎監訳、人文書院、二〇二〇年）と『「科学的に正しい」とは何か』（網谷祐一監訳、ニュートンプレス、二〇二四年）がすでに刊行されており、本書は著者三冊目の邦訳書ということになる。一つ目の邦訳書では事実が政治によって捻じ曲げられる現象が、二つ目の邦訳書では科学と疑似科学の線引き問題が論じられている。どちらも科学否定論と切っても切り離せないテーマなので、本書とあわせて是非手に取ってみてほしい。

科学否定論者の五つの類型

科学否定論には長い歴史がある。その始まりは、かつてアメリカで取り沙汰されたタバコの有害性をめぐる疑惑にまで遡る。タバコは二〇世紀前半にはアメリカ全土で広く普及していたものの、当初から健康被害が問題視され、一九五〇年代に入ると、医学誌上で喫煙と肺がんの因果関係を示す証拠が相次いで報告された。肺がんによる死亡者数が実際に急増していた当時のアメリカ社会では、徐々にではあるが反タバコの機運が高まり始めていた。こうした状況に強い危機感を覚えたのがタバコ産業界である。当時の大手タバコ企業各社は巨額の資金をバックに大胆な戦略に打って出ることにした。医学誌に広告を掲載したり御用学者に研究資金を提供することで、喫煙と肺がんの因果関係に疑問を呈するキャンペーンを繰り広げたのである。キャンペーンの目的は、何もないところに「論争」を作り出すことにあった。

もちろん今では、喫煙習慣が肺がんのリスクを高めることは広く知られており、タバコにまつわる科学否定論に同調する人もあまり見かけなくなった。しかしすでに触れた通り、科学否定論という大きな枠組みそのものは、社会の変化に伴い形を変えながらも今なお衰える気配がない。本書で取り上げられているのは、地球平面説の他、気候変動・ワクチン・遺伝子組み換え作物・新型コロナウイルスをめぐる否定論である。もちろんこれらにはすべて異なる出自と動機があり、各立場内部も決して一枚岩ではない。しかし本書で何度も言及があるように、どの科学否定論にも特筆すべき共通項がある。それは次の五つである。

1　**証拠のチェリーピッキング**　自分に都合のよい証拠や文献だけを「つまみ食い」すること。例えば「気候変動の主な原因が人間の活動であることを否定する文献はたくさんある」という意見をしばしば耳にするが、人為的な気候変動を支持する文献は専門家による査読を経た論文だけに絞っても優にその倍はある。

2　**陰謀論への傾倒**　闇の勢力が世間には秘匿された陰謀を企てていると信じ込むこと。例えば「新型コロナウイルスは自社のワクチンを各国に売り込みたいビッグファーマ（世界の大手製薬会社）が人工的に作り出したもの」というのは陰謀論の一種だが、信じるにはあまりにも根拠薄弱である。

3　**偽物の専門家への依存**　専門家としての権威を持つように見せかけつつ、科学的合意と矛盾したことを述べる人物を信頼すること。例えば、循環器内科の医師がワクチン接種の危険性を様々なメディアで語るとき、彼らは疫学やウイルス学の専門家ではない。

4　**非論理的な推論**　藁人形論法や飛躍した結論等の誤った推論のこと。例えば「温室効果ガスが増加した原因は人間の活動だけではない」という意見が否定論者から出ることがあるが、それに異を唱える気候科学者はまずいない。重要なのは温室効果ガス増加の主な原因が人間の活動にあるかどうかであって、他の原因の存在が人為的な気候変動に対する反対意見になると考えるのは藁人形論法である。

5　**科学への現実離れした期待**　科学に「完璧な証明」を求め、不確実性がわずかでも残るような説や合意は信頼すべきでないと判断すること。例えば「遺伝子組み換え作物は一〇〇パーセント安全とは言えない」というのは、科学に「絶対確実」を期待する点で誤っている。

こうした五つの特徴は、相互に絡み合うことで科学否定論者の信念をより強固なものにする。その結果、科学否定論はときに社会に無視できない問題を引き起こすだろう。ひどい場合には、人命を奪うものにさえなりうる。

共感・敬意・傾聴

では、科学否定論者の考えを変えるにはどうしたらよいのか。最初に思い浮かぶのは、彼らに自分の無知な部分や不合理な点を自覚してもらうことかもしれない。客観的なデータを提供し、自分たちの証拠集めや推論方法がいかに不適切であるかを教えればきっとわかってくれるはず、というわけだ。

だがこうした提案には限界があると著者は指摘する。例えば、ワクチンの有効性に疑念を持ち始めて間もない人に対してなら、これは理にかなったアプローチかもしれない。しかし、ワクチンを打つと自閉症になる等の誤った情報を長年にわたって信じてきた筋金入りの反ワクチン派の人々には、私たちの言葉はほとんど届かない。なぜなら、データを提供する私たちのことを彼らはそもそも信頼してくれないからである。どれだけ正確なデータでも、信頼できない相手にまともに耳を貸す人はいない。また、筋金入りの科学否定論者になってくると、科学の否定が自分のアイデンティティになっている場合も多い。共通の価値観で繋がった仲間やコミュニティは居心地もいい。そうした状況では、自分に不利な証拠に触れることは、これまでの価値観やコミュニティへの帰属意識に脅威をもたらす。だからこそ彼らは、自分のアイデンティティを守ろうとして科学否定により一層のめり込んでいくのである（この心理的傾向は社会心理学で「アイデンティティ保護認知」として知られる）。つまり、彼らは証拠や知識が足りないから筋金入りの科学否定論者になっているというより、アイデンティティに組み込まれているからそうなっている可能性がある。十分な証拠があれば誰でも科学的判断を尊重するようになるというのは楽観論でしかない。

となると、筋金入りの科学否定論者を翻意させるのは不可能なのだろうか。著者によると、ここで打開策の鍵となるのが先に見た「共感・敬意・傾聴」に基づく対話である。情報不足を補ったり五つの誤りを指摘するだけでは不十分だったのは、そうした指摘をしてくる人を信頼していなかったからだ。裏返せば、信頼関係を構築し敬意を怠らなければ、対話と説得は可能かもしれない。どんな意見やアイデンティティも、信頼できる相手との個人的な繫がりから大きな影響を受けるだろう。したがって、まずは彼らと実際に会って膝を交えて話し合い、共感と敬意に基づいて個人的な繫がりを作る。そして信頼関係を築き上げた上で、質問をしてみたり客観的な証拠を見せるなどして疑いの種をまく。こうしたステップを踏めば、筋金入りの科学否定論者であっても意見とアイデンティティを変えるきっかけを作り出すことができる。彼らを説得するには、ただ証拠を提示すればよいというのではなく、「誰がどうやって証拠を提示するか」という視点が必要だったのだ。

「科学肯定論者」へのメッセージ

ここまで本書の基本的な主張を見てきたが、実を言えば、その主張自体は新しいものではない。多くの識者が指摘するように、共感や敬意といったオープンマインドな姿勢は、科学否定論者に限らず、陰謀論にのめり込んだ人や政治的に対立する思想を持つ相手と対話するのに必須の心構えである。しかし本書の特色は、その心構えを実行に移す積極的な行動力にある。例えば本書第7章では、著者の元来の友人で、遺伝子組み換え作物の安全性に懸念を持つ環境生物学者との対話が行われているが、それは一方的な主張の押し付け合いではない。相手の話に耳を傾けながら疑問を忌憚なくぶつけ合い、ときには相手の応答を称える。こうしたやり取りは、共感や傾聴の実践であると同時に、うまく分かり合えない者同士でも互いへの敬意を忘れなければ建設的な対話ができることの証左である。

もちろん、親身な対話が毎度実を結ぶわけではない。実際、著者は友人である環境生物学者の考えを変えることは最後までできなかった。しかし、科学否定論者と直接話し合うことを通じて、科学を否定する裏で彼らが抱えている一人ひとりの思いや不安を理解することはできる。また、今すぐに説得できなくとも、疑いの種をまくことは相手の凝り固まった思想をしなやかに解きほぐす端緒となる。そうした方針の下、様々な現場に足を運んで試行錯誤しながら対話を行う著者の様子は、科学否定論の分析で頭でっかちになりがちな他の類書では見られない、本書の見所の一つである。とりわけ、フラットアース国際会議へ潜入取材を試みた第1章は、地球平面説論者の等身大の姿を浮かび上がらせる丹念なルポタージュになっている。

こうした特色からもわかる通り、本書は科学否定論をテーマとしながらも、科学否定論者に向けて書かれた本ではない。あえて言えば、本書は「科学肯定論者」を戒めている本である。科学否定論者は確かに科学について無知だ。しかし科学肯定論者もまた科学否定論について無知だったのだ。科学否定論にはまり込む背景には往々にして、社会的な孤立感や疎外感があることは本書でも度々指摘されている。そこに拍車をかけるように私たちはしばしば彼らを馬鹿にするような態度をとる。反ワクチン派の人々を「反ワク」と呼ぶのはその一例だ。しかしこれでは彼らの思想をより先鋭化させ、対立を煽るだけだろう。科学の否定に対抗するには——やや逆説的に聞こえるが——科学を否定する人々に私たちの方から歩み寄らなくてはならない。科学否定論は、決して物分かりの悪い人々が抱える個人の問題というわけではなく、その心理的背景や影響の大きさを考えると、社会全体で対処すべき複雑な社会問題の一つである。本書はそうした示唆を他ならぬ「科学肯定論者」に対して与えているように読める。

私たちに残された宿題

本書は読者に学びを与えると同時に「宿題」もまた残している。一つは、これは邦訳書の宿命とも言えるものだが、わが国における科学否定論に言及がないことだ。本書の舞台であるアメリカでは、私たち日本人が想像する以上に、地球平面説を支持したり気候変動を否定する人が多くいる。特に巨大な利権や政治的思惑が渦巻く気候変動問題は、本書でも詳しい説明があるように、保守とリベラルという政治的対立の場外乱闘のような様相を呈している。翻って日本ではどうなっているかというと、幸いにも地球平面説はもちろん気候変動を否定する人は（ゼロではないが）ごくわずかだ。アメリカと比べるとワクチンを忌避する人の割合も低く、一般の人々による科学への信頼度も比較的高い。

すると日本は科学否定論から縁遠い国のように聞こえるが、もちろんそんなことはない。がん治療における標準治療の有効性、一部の食品添加物の安全性に対する疑義・否定は日本でもお馴染みの例だろう（その背景にはしばしば「スピリチュアル」や「オーガニック食品」への志向がある）。中には、日本独自と言える科学否定論が広がりを見せたケースもある。その一つが、二〇一〇年代の子宮頸がんワクチンをめぐる疑念だ。子宮頸がんワクチンの効果と安全性は以前から確立されていたものの、日本では接種直後から神経障害等の体の不調を訴える声が相次いだ。そうした副反応への懸念が新聞やテレビでセンセーショナルに報道された結果、接種率は大きく低迷することになった。現在、日本人女性の子宮頸がんの罹患率及び死亡率は、主要先進国の中で異例の上昇傾向にある。その後の調査で、報告された副反応とワクチンの間に有意な関連性はないと判明しているが、不安と恐怖が渦巻いた末に科学的知見が疑われ否定される一例となってしまった。

その他、わが国では3・11の原発事故以来、科学的根拠に基づく安全性に対して様々な懸念が飛び交っている。二〇二三年には、処理水（原発で発生した汚染水に含まれる放射性物質をほとんど取り除いた水）の海洋放出をめぐるニュースが日本中を駆け巡ったことも記憶に新しい。このように、日本でも様々な科学否定論／懐疑論が絶え間なく流布している。その社会心理的な背景を探り、五つの類型がどこまで当てはまるのか検証することは、本書がやり残している「応用編」となるだろう。

本書の「宿題」はもう一つある。それは読了後に浮かぶ疑問とでも言うべきものである。著者は「共感・敬意・傾聴」に基づく対話をせよと言うが、実際にはそのバランスを保つことは非常に難しい。科学否定論者に共感し傾聴すればするほど、その思想に触れる機会が増え、その結果説得するつもりが逆に「丸め込まれる」かもしれない。かといって共感し傾聴しているふりをしようものなら、それを相手に見抜かれた瞬間に対話は完全に失敗に終わるだろう。また、説得が功を奏して彼らが考えを改めたとしても、仲間との縁を断ち切れず、結局元のコミュニティに逆戻りしてしまうのならまさしく焼け石に水である。さらに、もっと根本的なことを言えば、科学否定論者と実際に対話にあたることができるのは一体誰なのだろうか。科学者や心理学者、科学哲学者が打って出れば対話は意味を持つかもしれない。しかし、そのどれにも当てはまらない素人（この解説を書いている、形而上学や倫理学が専門の研究者である私も含む）にできることは限られている。少なくとも先に見た五つの類型を知っているぐらいでは、科学否定論に対抗するにはあまりに無力ではないのか。となるとやはり「危うきに近寄らず」というのも一概には間違っていないのではないか。

しかし一連の疑問で本書の価値が下がることはまったくない。なぜなら、あなたがいま手にしているこの本は「なるほど勉強になった」という感想で終わる本では決してないからだ。著者の主張に納得して自分でも実践してみるなり、逆に反発して科学否定論者から遠ざかるなり、どのような形でもよいから「自分ならどうするか」を自問自答することが、本書が私たちに残している最大の「宿題」である。突き詰めれば対人関係のあり方に行き着く限り、おそらくそこに「正解」はない。だが、自分なりの答えを探し当てることはできる。科学否定論というレンズを通じて本書が提起しているのは、科学であれ政治であれ宗教であれ、自分とはまったく考えの相容れない人々とどのように向き合っていくかを、今一度真摯に見つめ直すことではないだろうか。

索　引

※原注は巻末からの逆ノンブルのため、索引のページ数をゴシックで表記した。

原　注

はじめに

＊1　Lee McIntyre, *Post-Truth*.

＊2　この話は、Naomi Oreskes and Erik Conway, *Merchants of Doubt* に詳しい。

＊3　Tara Palmeri, "Trump Fumes over Inaugural Crowd Size," *Politico*, January 22, 2017, https://www.politico.com/story/2017/01/donald-trump-protesters-inauguration-233986.

＊4　IPCC, "Special Report: Global Warming of 1.5 degree C" (2018), https://www.ipcc.ch/sr15/.

＊5　Chris Mooney and Brady Dennis, "The World Has Just over a Decade to Get Climate Change under Control, UN Scientist Says," *Washington Post*, October 7, 2018, https://www.washingtonpost.com/energy-environment/2018/10/08/world-has-only-years-get-climate-change-under-control-un-scientists-say/; "Arctic Ice Could Be Gone by 2030," *Telegraph*, September 16, 2010, https://www.telegraph.co.uk/news/earth/earthnews/8005620/Arctic-ice-could-be-gone-by-2030.html; Coral Davenport, "Major Climate Report Describes a Strong Risk of Crisis as Early as 2040," *New York Times*, October 7, 2018, https://www.nytimes.com/2018/10/07/climate/ipcc-climate-report-2040.html; Mark Fischetti, "Sea Level Could Rise 5 Feet in New York City by 2100," *Scientific American*, June 1, 2013, https://www.scientificamerican.com/article/fischetti-sea-level-could-rise-five-feet-new-york-city-nyc-2100/; Mary Caperton Morton, "With Nowhere to Hide from Rising Seas, Boston Prepares for a Wetter Future," *Science News*, August 6, 2019, https://www.sciencenews.org/article/boston-adapting-rising-sea-level-coastal-flooding.

＊6　Somini Sengupta, "U.N. Chief Warns of a Dangerous Tipping Point on Climate Change," *New York Times*, September 10, 2018, https://www.nytimes.com/2018/09/10/climate/united-nations-climate-change.html.

＊7　Lisa Friedman, "'I Don't Know That It's Man-Made,' Trump Says of Climate Change. It Is," *New York Times*, October 15, 2018, https://www.nytimes.com/2018/10/15/climate/trump-climate-change-fact-check.html.

＊8　Joe Keohane, "How Facts Backfire," *Boston.com*, July 11, 2010, http://archive.boston.com/news/science/articles/2010/07/11/how_facts_backfire/.

＊9　Julie Beck, "This Article Won't Change Your Mind," *Atlantic*, December 11, 2019, https://www.theatlantic.com/science/archive/2017/03/this-article-wont-change-your-mind/519093/; Elizabeth Kolbert, "Why Facts Don't Change Our Mind," *New Yorker*, February 27, 2017.

＊10　Alexios Mantzarlis, "Fact-Checking Doesn't 'Backfire,' New Study Suggests," *Poynter*, November 2, 2016, https://www.poynter.org/fact-checking/2016/fact-checking-doesnt-backfire-new-study-suggests/.

＊11　Philipp Schmid and Cornelia Betsch, "Effective Strategies for Rebutting Science Denialism in Public Discussions," *Nature Human Behaviour* 3 (September 2019): 931–939, https://www.nature.com/articles/s41562-019-0632-4.epdf.

＊12　シュミットとベッチュの実験については第3章で詳しく見る。ここでは、その実験結果を報じた記事を紹介しておこう。Diana Kwon, "How to Debate a Science Denier," *Scientific American*, June 25, 2019, https://www.scientificamerican.com/article/how-to-debate-a-science-denier/; Laura Hazard Owen, "Yes, It's Worth Arguing with Science Deniers—and here

Are Some Techniques You Can Use," Nieman Lab, June 28, 2019, https://www.niemanlab.org/2019/06/yes-its-worth-arguing-with-science-deniers-and-here-are-some-techniques-you-can-use/; Cathleen O'Grady, "Two Tactics Effectively Limit the Spread of Science Denialism," *Ars Technica*, June 27, 2019, https://arstechnica.com/science/2019/06/debunking-science-denialism-does-work-but-not-perfectly/; Susan Perry, "Science Deniers Can Be Effectively Rebutted, Study Finds," *MinnPost*, July 26, 2019, https://www.minnpost.com/second-opinion/2019/07/science-deniers-can-be-effectively-rebutted-study-finds/.

＊13　あるいは、2つ目だけを扱ったという見方もできる。Sander van der Linden, "Countering Science Denial," *Nature Human Behaviour* 3 (June 24, 2019): 889–890.

＊14　Michael Shermer, "How to Convince Someone When Facts Fail," *Scientific American*, January 1, 2017.

＊15　Lena H. Sun and Maureen O'Hagen, "'It Will Take Off Like Wildfire': The Unique Dangers of the Washington State Measles Outbreak," *Washington Post*, February 6, 2019.

＊16　Rose Branigin, "I Used to Be Opposed to Vaccines. This Is How I Changed My Mind," *Washington Post*, February 11, 2019.

＊17　Aris Folley, "NASA Chief Says He Changed Mind about Climate Change because He 'Read a Lot,'" *The Hill*, June 6, 2018.

第１章　潜入、フラットアース国際会議

＊1　Meghan Bartels, "Is the Earth Flat? Why Rapper B.o.B. and Other Celebrities Are So Wrong," *Newsweek*, September 26, 2017, https://www.newsweek.com/bob-rapper-flat-earth-earth-round-nasa-671140.

＊2　アービングは後日この主張を取り下げている。Des Bieler, "Kyrie Irving Sorry for Saying Earth Is Flat, Blames It on a YouTube 'Rabbit Hole,'" *Washington Post*, October 1, 2018, https://www.washingtonpost.com/sports/2018/10/02/kyrie-irving-sorry-saying-earth-is-flat-blames-it-youtube-rabbit-hole/.

＊3　オンラインリサーチ会社YouGovが2018年におこなった世論調査によると、アメリカ人の5%が地球の形状に疑念を抱いており、2%が地球が平らだと信じているという。Hoang Nguyen, "Most Flat Earthers Consider Themselves Very Religious," YouGov, April 2, 2018, https://today.yougov.com/topics/philosophy/articles-reports/2018/04/02/most-flat-earthers-consider-themselves-religious.

＊4　とはいえ、講演者の多くは白人男性だった。

＊5　のちに知ったことだが、FEICの参加者の多くが、「フラットアース協会」のことをフラットアースという考えを馬鹿げたものに見せるために設立されたインチキ団体だと考えていた。これはモンティ・パイソンの『ライフ・オブ・ブライアン』を思い出させる。あの映画では、「ユダヤ人人民戦線」と「人民戦線ユダヤ」が血で血を洗う抗争を繰り広げるのだった。なんと熾烈なライバル関係であろうか。

＊6　これもあとでわかったことだが、私はそのときすでに疑われていたようだ。この男性と廊下で再び顔を合わせたときに、「あんたはどうしてここに来たんだい？」と聞かれたのである。初日は正体を隠しておくつもりだったが、嘘はつきたくはなかった。そこで私は、自分はフラットアーサーではなく、その考え方を学びにきた哲学者だと正直に告白した。男性は気分を害した様子もなく、赤道以南ではフライトが追跡できないことについて淡々と説明を続けた。

＊7　驚いたことに、そうした国家元首のなかにはトランプ大統領も含まれていた。私が話したフラットアーサーはもれなくトランプを嫌っており、彼は「世界のリーダー」なのだから陰謀に加担しているにちがいないと考えていた。ある講演では、トラ

ンプがガラスの地球儀に触れている写真が紹介されたが、それは彼が球体派である証拠なのだという。“What Was That Glowing Orb Trump Touched in Saudi Arabia?” *New York Times*, May 22, 2017, https://www.nytimes.com/2017/05/22/world/middleeast/trump-glowing-orb-saudi.html.

＊8　水もまた引力の影響を受けるという事実を私は持ちださなかった。この会話で私がもっとも奇妙に感じたのは、ノアの洪水が事実かどうかにその男性が一切疑問を抱いていなかったことだ。彼にとって洪水は疑いようのない事実なのだ。彼がフラットアーサーになったのも、少なくとも部分的には、自身の宇宙観と宗教観を調和させようとした結果なのだろう。もちろんニュートン物理学を使えば、表面が水に覆われた惑星を完全に説明できるが、彼がそれを知っているとは思えなかった。

＊9　これは言い換えれば、フラットアースを信じているキリスト教徒はほとんどいないにもかかわらず、私が会ったフラットアーサーのほぼ全員がキリスト教原理主義者だったということだ。彼らは、信仰と科学的証明を同一視してはいないようだったが、自分のもつあらゆる信念（宗教的なものであれ世俗的なものであれ）が矛盾なく説明できる経験的証拠を求めていた。またフラットアーサーの大半が、宗教的確信に等しい熱狂をもって自分たちの見解を受け入れているように見えたことも指摘しておくべきだろう。

＊10　私が気に入っているのは、デンヴァーに飛行機でやってくるときに、座席テーブルに水平器を乗せてみたという男性の話だ。その男性は、水平器の気泡がまったく傾かなかったことを、地球が平らであることの証拠と受けとっていた。

＊11　フラットアーサーはまた、誰も自分たちが間違っていることを証明しにやってこなかったことをもって、自説が正しいことの証拠と考えていた。FEICでは、同じ日にデンヴァーで物理学会が開かれているという噂が流れていた。だが、物理学者は一人もFEICに顔を出していない。自分たちの間違いを指摘するのがそれほど簡単ならば、どうして彼らはここにいないのか？　フラットアースが正しいことを知って恐れをなしたにちがいない！　フラットアーサーはそう考えるのである。

＊12　David Gee, “Almost All Flat Earthers Say YouTube Videos Convinced Them, Study Says,” *Friendly Atheist*, February 20, 2019.

＊13　フラットアースの基本的な考え方については、まずは次を参照。Mark Sargent, “Flat Earth Clues Introduction,” YouTube, February10, 2015, https://youtu.be/T8-YdgU-CF4.

＊14　Tom Coomes, “Mirage of Chicago Skyline Seen from Michigan Shoreline,” *ABC 57*, April 29, 2015, https://www.abc57.com/news/mirage-of-chicago-skyline-seen-from-michigan-shoreline.

＊15　スキバの講演に興味がある向きは次を参照。https://www.youtube.com/watch?v=oz35aaxJTik.

＊16　ときには像が上下反対になることもある。Allison Eck, “The Perfectly Scientific Explanation for Why Chicago Appeared Upside Down in Michigan,” *PBS*, May 8, 2015, https://www.pbs.org/wgbh/nova/article/the-perfectly-scientific-explanation-for-why-chicago-appeared-upside-down-in-michigan/.

＊17　Alan Burdick, “Looking for Life on a Flat Earth,” *New Yorker*, May 30, 2018, https://www.newyorker.com/science/elements/looking-for-life-on-a-flat-earth. エラトステネスの実験については、フラットアーサーにも独自の解釈があることに注意。

＊18　フラットアーサーが自説擁護の証拠として持ちだした現象のなかには、基礎的な物理学によって容易に説明できるものもあった。だが、それでも彼らは疑いを捨てなかった。もし地球が丸いのなら、空に太陽と月が一緒に見えるときがあるのはなぜか？　月食が地球の影によって生じるのなら、太陽と月は常に地球を挟んで反対側にあるべきではないのか？　無知は疑いの根拠としては不十分だ。調べればすぐにわか

ることを根拠に疑ってはならないのである。

＊19　Lee McIntyre, *The Scientific Attitude*.

＊20　なぜそんなに高くまで上昇しなければならないのか？　地球はそれほどに大きいからである。

＊21　Alex Horton, "'Mad' Mike Huges, Who Wanted to Prove the Flat-Earth Theory, Dies in Homemade-Rocket Disaster," *Washington Post*, February 23, 2020, https://www.washingtonpost.com/science/2020/02/23/mad-mike-hughes-dead/.

＊22　Andrew Whalen, "'Behind the Curve' Ending: Flat Earthers Disprove Themselves with Own Experiments in Netflix Documentary," *Newsweek*, February 25, 2019, https://www.newsweek.com/behind-curve-netflix-ending-light-experiment-mark-sargent-documentary-movie-1343362.

＊23　もしそんな態度の科学者がいるとすれば、詐欺師と考えて差し支えない。Lee McIntyre, *The Scientific Attitude*, chapter 7を参照。

＊24　残念ながら、この話の続きは気が滅入るものになった。地球が平面だと主張していた側は自分の誤りを認めなかったばかりか、その後20年にわたりウォレスに嫌がらせを続けたのだ。Esther Inglis-Arkell, "A Historic Experiment Shows Why We Might Not Want to Debate Fanatics," *Gizmodo*, August 27, 2014, https://io9.gizmodo.com/a-historic-experiment-shows-why-we-might-not-want-to-de-1627339811。近年おこなわれた同様の実験については以下を参照。Jim Underdown, "The Salton Sea Flat Earth Test: When Skeptics Meet Deniers," *Skeptical Inquirer* 42, no. 6 (November/December 2018), https://skepticalinquirer.org/2018/11/the-salton-sea-flat-earth-test-when-skeptics-meet-deniers/.

＊25　科学否定論者がもつ科学に対する誤った考えについては、Lee McIntyre, *The Scientific Attitude*, chapter 2を参照。

＊26　ノーベル賞も受賞している物理学者リチャード・ファインマンは、ある講義で、このことを的確に語っている。"The Essence of Science": https://www.youtube.com/watch?v=LIxvQMhttq4.

＊27　地球はドーナツ型だと主張する人は実在している。フラットアースの競合相手だが、その仮説は輪をかけて珍妙かもしれない。Beckett Mufson, "Apparently, Some People Think the Earth Is Shaped Like a Donut," *Vice*, November 13, 2018, https://www.vice.com/en_us/article/mbyak8/apparently-some-people-believe-the-earth-is-shaped-like-a-donut-1.

＊28　Lee McIntyre, "The Price of Denialism," *New York Times*, November 7, 2015, https://opinionator.blogs.nytimes.com/2015/11/07/the-rules-of-denialism/. また、*The Scientific Attitude*, pp. 41–46も参照。

＊29　Mick West, *Escaping the Rabbit Hole*.

＊30　こう書くとフラットアーサーはあらゆる陰謀論を信じていると思われるかもしれないが、実はそうではない。たとえば、反ワクチン派は大勢見たが、気候変動を否定する者はほとんどいなかった。世界が（一種のテラリウムのように）ドームに覆われていると考えている彼らにとって、地球温暖化は無視できない喫緊の問題だったからだ。ただし、その原因に関しては、温室効果ガスによる汚染ではなく、政府が気候を操作しているからだと考える人が多かった。

＊31　このことは実証研究でも確かめられている。アシュリー・ランドラムは2019年の研究で、フラットアーサーは2つの点で際立っていると結論づけた。すなわち、科学知識が乏しい点と、陰謀論との親和性が高い点である。Asheley Landrum, Alex Olshansky, and Othello Richards, "Differential Suspectibililty to Misleading Flat Earth Arguments on YouTube," *Media Psychology*, September 29, 2019.

＊32　John Ingold, "We Went to a Flat-Earth Convention and Found a Lesson about the Future of Post-Truth Life," *Colorado Sun*, November 20, 2018, https://coloradosun.com/2018/11/20/flat-

earth-convention-denver-post-truth/.

＊33　フラットアーサーへの転向の動機と因果的影響に関する優れた心理学研究については、次を参照。Alex Olshansky, Robert M. Peaslee, and Ashley Landrum, "Flat-Smacked! Converting to Flat-Eartherism," *Journal of Media and Religion*, July 2, 2020, https://www.tandfonline.com/doi/full/10.1080/15348423.2020.1774257?scroll=top&needAccess=true.

＊34　認知的不協和について知るためのお薦めの入門書は、Leon Festinger, *When Prophecy Fails* である。この本には、約束の日に地球が終末を迎えると信じ、山頂で宇宙船が自分たちを救いに来てくれるのを待つ UFO カルト集団が登場する。だが、約束の日がやってきてもなにも起こらない。それを知った信徒たちは信仰を捨てただろうか？　いや、そうではない。彼らはそのかわりに、自分たちの偉大な信仰のおかげで人類が救われたと考えるようになったのである。

＊35　Karl Popper, *The Logic of Scientific Discovery*.

＊36　この人物の名前は会議のプログラムに記載されていなかったので、本書でも匿名とした。

＊37　Hugh Morris, "The Trouble with Flying to Antarctica—and the Airline That's Planning to Start," *Telegraph*, April 17, 2019, https://www.telegraph.co.uk/travel/travel-truths/do-planes-fly-over-antarctica/.

＊38　その旅程表はもう手元にないが、LATAM 801 便だったのではないかと思う。いま振り返ってみると、そのフライトが本当に南極大陸上空を飛んでいたかは心もとないが、それはたいした問題ではない。というのも、コロナ禍以降、オーストラリアでは海外への渡航が禁止されたが、その一方で、豪カンタス航空が南極大陸上空を飛ぶチャーター便を運行しているからだ。この便は南磁極上を通過する。Allie Godfrey, "Antarctica Flights and Qantas Plan to Fly Travellers over the Frozen Continent from November," 7 news Australia, August 7, 2020, https://7news.com.au/news/travel/antarctica-flights-and-qantas-plan-to-fly-travellers-over-the-frozen-continent-from-november--c-1224156. また、https://www.antarcticaflights.com.au/the-worlds-most-unique-scenic-flight も参照。

＊39　Nick Marshall, "The Longest Flight Time for a Commerical Airline," *USA Today*, last updated March 21, 2018, https://traveltips.usatoday.com/longest-flight-time-commercial-airline-109284.html; David Slotnick, "I Flew on Qantas' 'Project Sunrise,' a Nonstop Flight from New York to Sydney, Australia, That Took Almost 20 Hours and Covered Nearly 10,000 Miles—Here's What It Was Like," *Business Insider*, October 21, 2019, https://www.businessinsider.com/qantas-longest-flight-new-york-sydney-project-sunrise-review-pictures-2019-10#-and-a-light-monitor-23.

＊40　この会食が今日おこなわれていたとしたら、新しいニュースをひとつ伝えていたはずだ。FEIC の 1 か月後、冒険家のコリン・オブレイディが、史上初めて南極大陸の無支援単独横断を成功させたというニュースである。Adam Skolnick, "Colin O' Brady Completes Crossing of Antarctica with Final 32-Hour Push," *New York Times*, December 26, 2018, https://www.nytimes.com/2018/12/26/sports/antarctica-race-colin-obrady.html. Karen Gilchrist, "This 33-Year-Old Just Completed an Incredible World First. Here's How He Stayed Motivated along the Way," CNBC, December 14, 2018, https://www.cnbc.com/2018/12/14/how-to-stay-motivated-advice-from-colin-obrady-antarctic-crossing.html.

＊41　いま考えれば、私はこう言うべきだった。「よくわかりました。あなたの考えが間違っていると納得させられる証拠は存在していない。とすれば、結局あなたは信仰に基づいているのでしょう」

＊42　翌朝、今回の会議の主催者であるロビー・デイヴィッドソンと廊下ですれちがったときに、少し立ち話をする機会があった。正体はバレていなかったので、私は次のような質問をしてみた。「実験費用が足りないという話を、ここに来ている『研究

者』の多くから聞きました。あなた、この会議でかなり儲けられたのでしょう。彼らに寄付はしていないのですか？」。彼はこう答えた。「いや、会議なんて儲からないよ。開催するのにお金もかかるし。実際、1回目の会議では私も家内も損をしたぐらいなのだから」。そこで私は、次に開く予定の会議では研究者のために寄付を募ってみたらどうかと提案してみた。彼は「検討してみるよ」と答えた。

＊43　この人物たちの名前もプログラムに記載されていなかった。よって匿名とする。セミナーは興味深い哲学的な指摘で幕を開けた。因果関係と相関関係は異なる、という指摘である。なにかを支持するように見える証拠があることは、そのなにかが証明されたことを意味しない。したがって、地球が丸いことを示す証拠があっても、それは地球が丸いことの証明にはなりえない。それはただ相関しているだけなのだ。一方で、その証拠はフラットアースとも相関している（と彼らは主張した）。講演者たちによると、フラットアースがこの話題について他人に語るときは、相手の背中をうまく押して、疑問をもってもらうことが重要なのだという。説得したい相手が自分に質問してくるように仕向けることは、非常に効果的な作戦だというのだ。

＊44　これはカルトの手口なので要注意のこと。

＊45　これは実際に起こりうる。Cara Westover, *Educated* を参照。

＊46　Sam Cowie, "Brazil's Flat Earthers to Get Their Day in the Sun," *Guardian*, November 6, 2019, https://www.theguardian.com/world/2019/nov/06/brazil-flat-earth-conference-terra-plana.

＊47　パイロット氏より後日送られてきたメールには、地球儀を見ればわかることだが、南極上空をまっすぐ横切ることにはあまり意味がなく、飛んだとしても採算はとれないだろうという説明があった。

＊48　ここで章を終えればスマートなのだろうが、話はまだ終わらない。家に帰り、周囲の人たちにこの2日間の体験談を話しているうちに、私はちょっとした有名人になっていた。パーティーでは人だかりができ、フラットアース会議に潜入した話をもう一度聞かせてほしいとせがまれた。その体験は本に書くつもりだったが、あまりの関心の高さに、待っていられない気持ちになった。そして7か月後、私は満を持してニューズウィーク誌の特集記事に登場することになった。その特集には「地球は丸い」という驚くべきタイトルがつけられていた。Lee McIntyre, "The Earth Is Round," *Newsweek*, June 14, 2019, https://pocketmags.com/us/newsweek-europe-magazine/14th-june-2019/articles/590932/the-earth-is-round.

その後もラジオ番組やパブリシティにいくつか出演したが、あるとき、NPRで私の話を聞いたという地元の物理学者と昼食をともにする機会があった。その物理学者は、アメリカン・ジャーナル・オブ・フィジックス誌に「すべての物理学者に告ぐ」というコーナーがあるので、そこに意見記事を投稿してはどうかと勧めてくれた。Lee McIntyre, "Call All Physicists," *American Journal of Physics* 87, no. 9 (September 2019), https://aapt.scitation.org/doi/pdf/10.1119/1.5117828.

そこで私は、またもや自分の体験談を公開し、もっと多くの科学者がフラットアースを真剣に受けとめるようになってほしいと訴えた。また、私はフラットアース会議で2日間にわたって主に「技術的反論」について考えてきたわけだが、次回の会議では「内容的反論」を試みるつもりなので、どなたか物理学の教育を受けた人に手伝ってもらえないだろうか、とも書いた。

驚いたことに、手を挙げてくれた人がいた。テキサス州に住む引退した物理学者、ブルース・シャーウッドだ。彼が妻のルース・チャベイと共同執筆した、コンピュータモデルを利用した物理学の教授法の教科書は、その筋ではよく知られている。ブルースは、辛抱強く熱心に私の話に耳を傾け、大いに興味をもってくれたようだった。フラットアースのことをごく真剣に受けとり、話の途中で何度も「それは面白い」と

言って、自分でも少し調べてみると約束してくれた。その後、彼の共同研究者であるデレク・ロフも巻き込んで何度か意見交換をしていたところ、ある日ブルースが驚くべき発表をした。私は思わず自分の目を疑った。なんと、フラットアースの3Dコンピュータモデルを作成したというのだ。

このモデルがあれば、フラットアーサーは自分が主張している世界を探索して、自分の予測が自分の理論と一致しているかを確認できる、とブルースは言った。そして当然ながら、その予測と理論は一致していない。たとえば、もしフラットアーサーが正しくて南極が世界をふちどる山脈なのだとしたら、星の見え方はどうなるだろうか？

「モデルの内側に入って、上を見上げてみて」とブルースは言った。「たとえば、いま北極点に立っているなら、北極星はちょうど真上に見えるはずだ。ここまではいいね。じゃあ、立っているのが『世界の端』、つまりフラットアーサーが考える南極で、上空の北極星もたった数千マイルしか離れていなかったらどうなるか。せいぜい斜め上に見える程度でしょ？　でも、実際の南極からは北極星は影も形も見えない。フラットアースのモデルは、物理的な観測と矛盾している。彼らは自分の目でそれを確認できるんだよ」。ここにモデルのURLを掲載しておくので、読者にはぜひご自身で体験していただきたい。https://brucesherwood.net/?p=420.Model:tinyurl.com/FEmodel.

しかし、フラットアースの主張を真剣に受けとって、自分の目で証拠を確認したいという彼らの要求を満たすモデルを作るとは、なんという才能だろうか。このモデルは地球が丸いことを証明するものではない。だが、フラットアース、少なくともFEICで提唱されていた世界観の反証になるのは間違いない。この矛盾を彼らはいったいどう説明するのだろうか？　立証責任は今、本来あるべきところに戻ってきている。

面白い話はそれだけではない。ブルースと私は、次に開かれるFEICに参加しようと考えている。グッズ販売会場の一画を借りて、参加者にブルースのコンピュータモデルを実際に体験してもらうのだ。つまり、物理学者と哲学者が会議に乗り込んで、内容的反論と技術的反論の両方をおこなうわけだ（フラットアーサーは許可してくれるだろうか？　そうすべきだと私は思う。ロビー・デイヴィッドソンはスピーチのなかで、もっと多くの物理学者がフラットアース会議に来てくれることを望んでいると確かに言っていた。一方CNNの記事によれば、デイヴィッドソンは、物理学者たちは「君たちは馬鹿だ」と言うだけで、会議には来ないだろうと言ったこともあるようだ。Robert Pichetta, "The Flat-Earth Conspiracy Is Spreading Around the Globe. Does It Hide a Darker Core?" *CNN*, November 18, 2019, https://www.cnn.com/2019/11/16/us/flat-earth-conference-conspiracy-theories-scli-intl/index.html）。

フラットアースの活動家がみずから言っていたように、相手の考えに影響を及ぼすためには、1回の会話では足りない。冷静さを保ち、信頼を築くのが重要だ。そのためには、相手のもとに足を運び続けなければならない。

私たちが誰かを納得させられるかどうか、それは誰にもわからない。だがそれでも、また夕食にいく相手が現れたなら、それは実に楽しいことではないだろうか？

第2章　科学否定とはなにか？

＊1　Donald Prothero, *Reality Check* のなかで、著者のプロセロは論をさらに一歩進めて、科学否定論者が使う戦略には共通項があるだけでなく、それらはどれもホロコースト否定論者が先鞭をつけたものだと主張している。

＊2　科学否定の5つの類型は、2007年にフーフネイグル兄弟のブログで発表されたのが最初だが、それ以降も多くの研究者たちによって調査、拡張されている。https://

scienceblogs.com/denialism/about を参照。Pascal Diethelm and Martin McKee, "Denialism: What Is It and How Should Scientists Respond?" *European Journal of Public Health* 19, no.1 (January 2009); John Cook, "The 5 Characteristics of Scientific Denialism," *Skeptical Science*, March 17, 2010, https://skepticalscience.com/5-characteristics-of-scientific-denialism.html; "A History of FLICC: The 5 Techniques of Science Denial," *Skeptical Science*, March 31, 2010; Stephan Lewandowsky, Michael E. Mann, Nicholas J. L. Brown, and Harris Friedman, "Science and the Public: Debate, Denial, and Skepticism," *Journal of Social and Political Psychology* 4, no.2 (2016), https://jspp.psychopen.eu/article/view/604/html.

＊3　Diethelm and McKee, "Denialism" より引用。

＊4　科学的推論の「保証（warrant）」という厄介な概念については、*The Scientific Attitude*, pp.41-46 を参照。ヒュームの帰納の問題を踏まえたうえで、科学が確実性に依拠できない技術的な理由を説明している。また、重要な可謬論の原則についても論じている。

＊5　Daniel Kahneman, *Thinking Fast and Slow*.

＊6　Naveena Sadasivam, "New Data Proves Cruz Wrong on Climate Change, Again," *Texas Observer*, January 22, 2016, https://www.texasobserver.org/new-temperature-data-proves-ted-cruz-is-still-wrong-about-climate-change/.

＊7　科学は反証の試みに依拠しているというよく知られた説明は、カール・ポパーによるものだ。ポパーの仕事と、それが直面する多くの難題については、*The Scientific Attitude*, pp.30-35 で論じている。

＊8　とはいえ、わたしの経験から言えば、フラットアーサーの前では、99 どころか、最初の数個の問題すら納得させることはできないだろう。自分の信念に反する科学的説明や証拠を、彼らは偏向、フェイク、陰謀として退けてしまうからだ。

＊9　陰謀論にまつわる問題については優れた著作がいくつもある。たとえば、Quassim Cassam, *Conspiracy Theories* は、最初の一冊として最適だろう。カッサムの仕事の要点を知りたい向きは以下を参照。Quassim Cassam, "Why Conspiracy Theories Are Deeply Dangerous," *New Statesman*, October 7, 2019, https://www.newstatesman.com/world/north-america/2019/10/why-conspiracy-theories-are-deeply-dangerous. 陰謀論については他にも優れた文献がある。Brian Keeley, "Of Conspiracy Theories," *Journal of Philosophy* 96, no.3 (March 1999): 109–126; Mick West, *Escaping the Rabbit Hole*; Michael Shermer, *The Believing Brain*; Donald Prothero, *Reality Check*; and Sara and Jack Gorman, *Denying to the Grave*.

＊10　現実の陰謀と陰謀論の区別については、以下の議論を参照。West, *Escaping the Rabbit Hole*, xii; Stephan Lewandowsky and John Cook, *The Conspiracy Theory Handbook* (2020).

＊11　「誤った」陰謀論の問題についても、West, *Escaping the Rabbit Hole* を参照。

＊12　この定義は、エリック・オリバーとトマス・ウッドがワシントン・ポスト紙で述べていたもの。John Sides, "Fifty Percent of Americans Believe in Some Conspiracy Theory. Here's Why," *Washington Post*, February 19, 2015, https://www.washingtonpost.com/news/monkey-cage/wp/2015/02/19/fifty-percent-of-americans-believe-in-some-conspiracy-theory-heres-why/.

＊13　Cassam, "Why Conspiracy Theories Are Deeply Dangerous."

＊14　陰謀論者は「それだって真実かもしれないじゃないか！」と言うが、問題はそこではない。証拠がなければ、ある信念が他の信念より真実である可能性が高いとどうやって判断できるのか？　悪意のない軽信と意図的な作り話をどうやって区別せよと？　あらゆる鳥が半世紀以上前に死に絶え、政府が作った精巧な監視ドローンにとって代わられたという話は本当かもしれないが、その証拠はどこにあるというのか？　以下の記事からは、陰謀論者が科学に内在する不確実性を利用して、自分たちの主張をより信憑性のあるものに見せようとしていることがわかる（詳しくは、この先で説明する５番目の類型を参照）。Fernando Alfonso III, "Are Birds Actually Government-

Issued Drones? So Says a New Conspiracy Theory Making Waves (and Money)," *Audubon*, November 16, 2018, https://www.audubon.org/news/are-birds-actually-government-issued-drones-so-says-new-conspiracy-theory-making.

＊15 J. Eric Oliver and Thomas J. Wood, "Conspiracy Theories and the Paranoid Style(s) of Mass Opinion," *American Journal of Political Science*, March 5, 2014, https://onlinelibrary.wiley.com/doi/abs/10.1111/ajps.12084.

＊16 オリバーとウッドの研究の平易な説明については以下を参照。Sides, "Fifty-Percent of Americans Believe in Some Conspiracy Theories."

＊17 Kim Komando, "The Great 5G Coronavirus Conspiracy," *USA Today*, April 20, 2020, https://www.usatoday.com/story/tech/columnist/2020/04/20/dispelling-belief-5-g-networks-spreading-coronavirus/5148961002/. こうした陰謀論はたしかにひどいものだが、イギリス王室の面々は実は爬虫類だったという話も負けてはいない。"The Reptilian Elite," *Time*, http://content.time.com/time/specials/packages/article/0,28804,1860871_1860876_1861029,00.html.

＊18 Jan-Willem van Prooijen and Karen M. Douglas, "Conspiracy Theories as Part of History: The Role of Societal Crisis Situations," *Memory Studies*, June 29, 2017, https://journals.sagepub.com/doi/10.1177/1750698017701615.

＊19 Jeremy Schulman, "Every Insane Thing Donald Trump Has Said about Global Warming," *Mother Jones*, December 12, 2018, https://www.motherjones.com/environment/2016/12/trump-climate-timeline/.

＊20 こうした話は、陰謀論と科学否定のあいだに因果関係があることを示しているのだろうか？ 少なくとも1人の研究者によれば、答えはイエスだ。スティーブン・ルワンドウスキーは、2018年のBBCの記事で次のように述べた。「陰謀を強く信じる人ほど、科学的事実を信用しない。そして、筋道を立てて話す人を見ると、陰謀に加担していると考えがちである」。Melissa Hoogenboom, "The Enduring Appeal of Conspiracy Theories," *BBC*, January 24, 2018, https://www.bbc.com/future/article/20180124-the-enduring-appeal-of-conspiracy-theories.

＊21 これに関連して、「信じていようがいまいが、陰謀論を考案したり流布したりする人がいるのはなぜか？」という疑問も重要だ。クアシム・カッサムは、「陰謀論とは、なによりもまず政治的プロパガンダの一形態である」と述べている。Cassam, "Why Conspiracy Theories Are Deeply Dangerous"; Cassam, *Conspiracy Theories*.

＊22 Aleksandra Cichocka, Marta Marchlewska, and Golec de Zavala, "Does Self-Love or Self-Hate Predict Conspiracy Beliefs? Narcissism, Self-Esteem, and the Endorsement of Conspiracy Theories," *Social Psychological and Personality Science*, November 13, 2015, https://journals.sagepub.com/doi/abs/10.1177/1948550615616170; Joseph Vitriol and Jessecae K. Marsh, "The Illusion of Explanatory Depth and Endorsement of Conspiracy Beliefs," *European Journal of Social Psychology*, May 12, 2018, https://onlinelibrary.wiley.com/doi/abs/10.1002/ejsp.2504; Christopher M. Federico, Allison L. Williams, and Joseph A. Vitriol, "The Role of System Identity Threat in Conspiracy Theory Endorsement," *European Journal of Social Psychology*, April 18, 2018, https://onlinelibrary.wiley.com/doi/abs/10.1002/ejsp.2495.

＊23 Lewandowsky and Cook, *The Conspiracy Theory Handbook* は、陰謀論の原因や対処法を理解するのに役立つ手軽な資料として勧めたい。

＊24 Anthony Lantian, Dominique Muller, Cecile Nurra, and Karen M. Douglas, "'I Know Things They Don't Know': The Role of Need for Uniqueness in Belief in Conspiracy Theories," *Social Psychology*, July 10, 2017, https://econtent.hogrefe.com/doi/10.1027/1864-9335/a000306.

＊25 Roland Imhoff and Pia Karoline Lamberty, "Too Special to Be Duped: Need for Uniquness Motivates Conspiracy Beliefs," *European Journal of Social Psychology*, May 23, 2017, https://

onlinelibrary.wiley.com/doi/abs/10.1002/ejsp.2265; Roland Imhoff, "How to Think Like a Conspiracy Theorist," *Aeon*, May 5, 2018, https://theweek.com/articles/769349/how-think-like-conspiracy-theorist; Jon Stock, "Why We Can Believe in Almost Anything in This Age of Paranoia," *Telegraph*, June 4, 2018, https://www.telegraph.co.uk/property/smart-living/age-of-paranoia/.

＊26　Oreskes and Conway, *Merchants of Doubt* を参照。

＊27　Tom Nichols, *The Death of Expertise*.

＊28　科学否定が選択的だと言われる理由がここにある。イデオロギーの領域を荒らさないのであれば、経験的な事象など誰が気にするだろうか？　フラットアーサーが、平気で飛行機に乗り携帯電話を使うのは、それらのテクノロジーが彼らの信念と衝突しないからである。だが、いったん衝突してしまえば、科学者は悪として扱われることになる。

＊29　D. Piepgrass, "Climate Science Denial Explained: Tactics of Denial," *Skeptical Science*, April 17, 2018, https://skepticalscience.com/agw-denial-explained-2.html; https://skepticalscience.com/graphics.php?g=227.

＊30　John Cook, "The 5 Characteristics of Science Denialism." 本章の注 2 を参照。

＊31　非形式論理学における誤謬については以下の優れた議論を参照。Douglas Walton, *Informal Logic*.

＊32　気候変動否定論について知りたい向きは以下を参照。Piepgrass, "Climate Science Denial Explained," https://skepticalscience.com/agw-denial-explained.html.

＊33　こうした考え方の厳密かつわかりやすい説明については、ヒュー・メラーによるすばらしい講義を参照。"The Warrant of Induction," https://www.repository.cam.ac.uk/bitstream/handle/1810/3475/InauguralText.html?sequence=5&isAllowed=y.

＊34　それればかりか、彼らは会議に参加するために飛行機も利用していた。彼らの考えでは、パイロットも悪魔による世界的陰謀に加担しているはずなのに、なぜ飛行機を信用できるのだろうか？

＊35　Theodosius Dobzhansky, "Nothing in Biology Makes Sense Except in Light of Evolution," *American Biology Teacher*, March 1973, https://www.pbs.org/wgbh/evolution/library/10/2/text_pop/l_102_01.html.

＊36　たしかにガリレオは笑われたかもしれないが、最終的には証拠を示して説得をした。McIntyre, *The Scientific Attitude*, 65.

＊37　Alister Doyle, "Evidence for Man-Made Global Warming Hits 'Gold Standard': Scientists," *Reuters*, February 25, 2019.

＊38　ここでもダブルスタンダードに注意しよう。陰謀論者は、好ましくない信念に対しては「それが真実とは証明できないでしょう？」と言い、好ましい主張に対しては「それが真実じゃないとは証明できないでしょう？」と言うのである。

＊39　Stephan Lewandowsky and Karl Oberauer, "Motivated Rejection of Science," *Current Directions in Psychological Science* 25, no.4 (2016):217–222; Brendan Nyhan and Jason Reifler, "When Corrections Fail," *Political Behavior* 32 (2010): 303–330.

＊40　これを読んで、あらゆる科学否定論は意図的に作られたものなのかと疑問に思うかもしれない。もしそうならフラットアースもそこに含まれることになるが、あの主張から利益を得ている人たちとはいったい何者なのか？

＊41　この出来事の詳細については以下を参照。Oreskes and Conway, *Merchants of Doubt*; Mike Stobbe, "Historic Smoking Report Marks 50th Anniversary," *USA Today*, January 5, 2014, https://www.usatoday.com/story/money/business/2014/01/05/historic-smoking-report-marks-50th-anniversary/4318233/.

＊42　Oreskes and Conway, *Merchants of Doubt*.

＊43　Graham Readfern, “Doubt over Climate Science Is a Product with an Industry Behind It,” *Guardian*, March 5, 2015, https://www.theguardian.com/environment/planet-oz/2015/mar/05/doubt-over-climate-science-is-a-product-with-an-industry-behind-it.

＊44　Oreskes and Conway, *Merchants of Doubt*, 34–35.

＊45　その後1990年代の訴訟で、タバコ会社は自社製品がいかに有害かを最初から正確に把握していたことが明らかになった。そして信じられないことに、それとそっくり同じことが大手石油会社でも起きていた。石油大手は、タバコ会社と同じ戦略——場合によっては同じ研究者——を使い、気候変動への疑念を作りだしたのである。Benjamin Hulac, “Tobacco and Oil Industries Used Same Researchers to Sway Public,” *Scientific American*, July 20, 2016, https://www.scientificamerican.com/article/tobacco-and-oil-industries-used-same-researchers-to-sway-public1/.

＊46　Shannon Hall, “Exxon Knew about Climate Change Almost 40 Years Ago,” *Scientific American*, October 26, 2015, https://www.scientificamerican.com/article/exxon-knew-about-climate-change-almost-40-years-ago/.

＊47　嘘をつく人は、ときとして自分の嘘を信じるようになることを忘れてはならない。Robert Trivers, *The Folly of Fools* で、トリヴァースは、人を思い込みに導く認知的、心理的プロセスについて詳述している。嘘を繰り返すこともそのプロセスのひとつだ。嘘をつきすぎて自らそれを信じてしまった人に会った経験は誰しもあるのではないか。そうした態度は、その人を「すべりやすい坂」へと導き、最初はたんなる無知（あるいは嘘つき）だったはずが、しだいに意図的な無知となり、最後には本格的な否定論者ができあがる。この現象については、私も *Respecting Truth*, 79–80 で書いている。

＊48　Richard Nisbett and Timothy Wilson, “Telling More Than We Can Know,” *Psychological Review* 84, no. 3 (1977), http://people.virginia.edu/~tdw/nisbett &wilson.pdf.

＊49　以下を参照。Trivers, *The Folly of Fools*; Keith Kahn-Harris, *Denial*.

＊50　Darren Schrieber et al., “Red Brain, Blue Brain: Evaluative Processes Differ in Democrats and Republicans,” *PLoS One*, February 13, 2013, https://www.ncbi.nlm.nih.gov/pmc/articles/PMC3572122/. また、ジョナス・カプランの研究も参照のこと。カプランは、被験者（党員）に自分の信念と対立する意見を読ませ、そのときの脳の状態をfMRIで測定した。すると、基本的な信念やアイデンティティに関連する部位の血流が増すことがわかった。“The Partisan Brain,” *Economist*, December 8, 2018, https://www.economist.com/united-states/2018/12/08/what-psychology-experiments-tell-you-about-why-people-deny-facts; Jonas T. Kaplan, Sarah I. Gimbel, and Sam Harris, “Neural Correlates of Maintaining One's Political Beliefs in the Face of Counterevidence,” *Scientific Reports*, December 23, 2016, https://www.ncbi.nlm.nih.gov/pmc/articles/PMC5180221/.

＊51　John Ridgway, “The Neurobiology of Climate Denial,” *The Global Warming Policy Forum*, August 6, 2018, https://www.thegwpf.com/the-neurobiology-of-climate-change-denial/.

＊52　Anna Merlan, “Everything I Learned While Getting Kicked Out of America's Biggest Anti-Vaccine Conference,” *Jezebel*, June 20, 2019, https://jezebel.com/everything-i-learned-while-getting-kicked-out-of-americ-1834992879.

＊53　こうした理由から、「科学否定論者」という用語を使わないよう（あるいは、反ワクチンではなく「ワクチン躊躇派」と呼ぶよう）勧める人もいる。私はこの問題について研究者仲間と議論するときは、強い表現の方を使うことを旨としているが、科学否定論者本人と対面で話すときはその限りではない。

＊54　フラットアースを信じるに至るプロセスに関する、非常に興味深い心理学的分析は存在する。Alex Olshansky, Robert M. Peaslee, and Asheley R. Landrum, “Flat-Smacked! Converting to Flat Eartherism,” *Journal of Media & Religion* 19, no. 2 (in press), 46–59, doi:10.

1080/15348423.2020. 1774257.

*55　McIntyre, *Post-Truth*, chapter 2 を参照。

*56　2019年のピュー調査では、人間の活動が気候変動になんらかの影響を与えていると答えた人の割合は、リベラル（民主党支持）では96%だったが、保守（共和党支持）では53%にとどまった。Cary Funk and Meg Hefferson, "U.S. Public Views on Climate and Energy," Pew Research Center, November 25, 2019, https://www.pewresearch.org/science/2019/11/25/u-s-public-views-on-climate-and-energy/.

*57　Lewandowsky and Oberauer, "Motivated Rejection of Science," 2016.

*58　Kahneman, *Thinking Fast and Slow* を参照。

*59　Michael Lynch, *Know-It-All Society*, 6.

*60　Dan Kahan et al., "Motivated Numeracy and Enlightened Self-Government," *Behavioural Public Policy* (preprint, 2013).

*61　"The Case for a 'Deficit Model' of Science Communication," *Sci Dev Net*, June 27, 2005, https://bit.ly/2AQ7mT1.

*62　Kahan et al., "Motivated Numeracy and Enlightened Self-Government."

*63　Ezra Klein, "How Politics Makes Us Stupid," *Vox*, April 6, 2014, https://www.vox.com/2014/4/6/5556462/brain-dead-how-politics-makes-us-stupid.

*64　Kahan et al., "Motivated Numeracy."

*65　Klein, "How Politics Makes Us Stupid."

*66　Lilliana Mason, "Ideologues without Issues: The Polarizing Consequences of Ideological Identities," *Public Opinion Quarterly*, March 21, 2018, https://academic.oup.com/poq/article/82/S1/866/4951269.

*67　保守に「リベラルの隣家に住むことをどう思うか？」と聞いたときの反応は、「女性の中絶の権利を支持する人の隣家に住むことをどう思うか？」と聞いたときよりも、ずっと険悪なものになった。同様の傾向はリベラルにもあてはまった。

*68　Tom Jacobs, "Ideology Isn't Really about Issues," *Pacific Standard*, April 30, 2018, https://psmag.com/news/turns-out-its-all-identity-politics; Zaid Jilani, "A New Study Shows How American Polarization Is Driven by Team Sports Mentality, Not by Disagreement on Issues," *Intercept*, April 3, 2018, https://theintercept.com/2018/04/03/politics-liberal-democrat-conservative-republican/; Cameron Brick and Sander van der Linden, "How Identity, Not Issues, Explains the Partisan Divide," *Scientific American*, June 19, 2018, https://www.scientificamerican.com/article/how-identity-not-issues-explains-the-partisan-divide/.

*69　Kwame Anthony Appiah, "People Don't Vote for What They Want. They Vote for Who They Are," *Washington Post*, August 30, 2018.

*70　Solomon Asch, "Opinions and Social Pressure," *Scientific American*, November 1955, https://www.lucs.lu.se/wp-content/uploads/2015/02/Asch-1955-Opinions-and-Social-Pressure.pdf.

*71　Peter Boghossian and James Lindsay, *How to Have Impossible Conversations*, 99–100.

*72　Boghossian and Lindsay, *How to Have Impossible Conversations*, 103.

*73　Karl Popper, *Conjectures and Refutations*, chapter 1 を参照。

*74　「自分の強い信念に対する攻撃は、自分のアイデンティティへの攻撃のように感じられる――実際、それはアイデンティティに対する攻撃だからだ」とリンチは書いている。Lynch, *Know-It-All Society*, 6 を参照。

*75　Dan Kahan, "What People 'Believe' About Global Warming Doesn't Reflect What They Know; It Expresses Who They Are," The Cultural Cognition Project at Yale Law School, April 23, 2014, http://www.culturalcognition.net/blog/2014/4/23/what-you-believe-about-climate-change-doesnt-reflect-what-yo.html.

＊76　科学否定が特定の科学的事実やコンセンサスのたんなる否定ではないというのは、こうした理由による。より根本的なところを見れば、それは「経験的な問題は証拠に基づいて結論を出すべきである」という科学者のモットーの拒絶なのだ。イデオロギーや、ある理論が真実であってほしいという個人的な願望は、科学的コンセンサスと関係がない。というのも、科学的コンセンサスは、科学者が信じたいものではなく、厳格な検証と分析によって信じざるをえなくなったものの上に築かれるからだ。McIntyre, *The Scientific Attitude*, 47–52 を参照。

第3章　どうすれば相手の意見を変えられるのか？

＊1　James H. Kuklinski et al., "Misinformation and the Currency of Democratic Citizenship," *Journal of Politics* 62, no.3 (August 2000), https://www.uvm.edu/~dguber/POLS234/articles/kuklinski.pdf.

＊2　これはダニング＝クルーガー効果と呼ばれる。McIntyre, *Post-Truth*, 51–58 を参照。

＊3　電話調査は、対面に比べれば対人感が弱いが、オンラインよりは強い。ククリンスキーの実験では、各被験者とそれぞれ30分ずつ会話をしたという。電話で話すにしては長い時間だ。

＊4　ククリンスキーの実験は、党派的アイデンティティの問題に明示的に触れていたわけではないが、認知的不協和と二極化の問題は扱っていた。また、この実験では、すぐさま意見を変えたという事実を突きつけて被験者の自尊心を刺激しないよう気を配った。「え、ついさっきまでは生活保護に反対でしたよね？」と指摘するかわりに、次の質問を「生活保護の理想的な水準はどうあるべきか？」というものから、「あなたは生活保護支給を支持しますか？」というものへと変えたのである。

＊5　Kuklinski et al., "Misinformation and the Currency of Democratic Citizenship."

＊6　David Redlawsk et al., "The Affective Tipping Point: Do Motivated Reasoners Ever 'Get It'?," *Political Psychology*, July 12, 2010, https://onlinelibrary.wiley.com/doi/10.1111/j.1467-9221.2010.00772.x.

＊7　実際、研究者によると、被験者が最初に反応するのは、その情報をどう感じるかで、内容はその次だという。また当然ながら、私たちは信念が自分好みであるときにも感情的に反応する。確証バイアスがここでも重要な役割を果たす。

＊8　Michael Lynch, *Know-It-All Society* を参照。

＊9　Redlawsk et al., "The Affective Tipping Point," 589. 被験者が自分の選択にどれほど固執するかについても、社会的要因が関係しているのだろうか？　同調圧力やアイデンティティと同じように、社会的要因が信念形成に影響をもたらすのであれば、信念の変化にも影響を及ぼすことは十分に考えられる。

＊10　Redlawsk et al., "The Affective Tipping Point," 590.

＊11　Brendan Nyhan and Jason Reifler, "When Corrrections Fail: The Persistence of Political Misperceptions," *Political Behavior (preprint)*, 2010, https://www.dartmouth.edu/~nyhan/nyhan-reifler.pdf.

＊12　Julie Beck, "This Article Won't Change Your Mind," *Atlantic*, March 13, 2017, https://www.theatlantic.com/science/archive/2017/03/this-article-wont-change-your-mind/519093/; Elizabeth Kolbert, "Why Facts Don't Change Our Minds," *New Yorker*, February 27, 2017.

＊13　Thomas Wood and Ethan Porter, "The Elusive Backfire Effect: Mass Attitudes' Steadfast Factual Adherence," *Political Behavior*, January 6, 2018.

＊14　Eileen Dombrowski, "Facts Matter After All: Rejecting the Backfire Effect," Oxford Education Blog, March 12, 2018, https://educationblog.oup.com/theory-of-knowledge/facts-matter-after-all-rejecting-the-backfire-effect.

＊15　Ethan Porter and Thomas Wood, "No, We're Not Living in a Post-Fact World," *Politico*, January 4, 2020, https://www.politico.com/news/magazine/2020/01/04/some-good-news-for-2020-facts-still-matter-092771; Alexios Mantzarlis, "Fact Checking Doesn't 'Backfire,'" *Poynter*, November 2, 2016, https://www.poynter.org/fact-checking/2016/fact-checking-doesnt-backfire-new-study-suggests/.

＊16　Brendan Nyhan and Jason Reifler, "The Role of Information Deficits and Identity Threat in the Prevalence of Misperceptions," *Journal of Elections, Public Opinions and Parties*, May 6, 2018, https://www.dartmouth.edu/~nyhan/opening-political-mind.pdf.

＊17　Nyhan and Reifler, "The Role of Information Deficits and Identity Threat" の要旨より引用。

＊18　Lynch, *Know-It-All Society* を参照。

＊19　Michael Shermer, "How to Convince Someone When Facts Fail."

＊20　認知的不協和については、本書第1章の注34を参照。

＊21　このアドバイスについては「はじめに」で述べた（「はじめに」の注14を参照）。

＊22　Philipp Schmid and Cornelia Betsch, "Effective Strategies for Rebutting Science Denialism in Public Discussions," *Nature Human Behaviour*, June 24, 2019, https://www.nature.com/articles/s41562-019-0632-4.

＊23　Cathleen O'Grady, "Two Tactics Effectively Limit the Spread of Science Denialism," *Ars Technica*, June 27, 2019, https://arstechnica.com/science/2019/06/debunking-science-denialism-does-work-but-not-perfectly/.

＊24　O'Grady, "Two Tactics."

＊25　Diana Kwon, "How to Debate a Science Denier," *Scientific American*, June 25, 2019, https://www.scientificamerican.com/article/how-to-debate-a-science-denier/.

＊26　Schmid and Betsch, "Effective Strategies," 5.

＊27　確証バイアスは、科学否定論者ばかりでなく、彼らを研究する人間にも強力に作用するものなのかもしれない。

＊28　問題のひとつは、科学者は普通、自分の研究結果を一般社会に向けて説明できないし、その方法を学ぶ機会もないということだ（ストーニーブルック大学のアラン・アルダ・センターでは、科学者が科学コミュニケーションについて学ぶ機会を提供をしている（https://www.aldacenter.org)）。もちろん、ときには科学者が抗議や公開イベントを開き、科学のために立ち上がるケースもある。たとえば、2017年の「科学のための行進」がその一例だ。だが、こうした動きに関しては、二極化を招き、科学を新たな利益集団にするだけだとして、反対する向きも一部にある。ある科学者は、その代案について次のように語っている。「われわれ科学者は、ワシントンなどで大規模な行進をおこなうよりも、地元の市民団体、教会、学校、カウンティ・フェアで行進をした方がいいのではないか。地元選出議員の事務所に個人的に顔を出すのもいいだろう。また、科学者の知り合いがいない人たちと交流をする、討論会に参加する、われわれ科学者がなにを、どのようにおこなっているかを知ってもらう、メールアドレスや電話番号を教えるのもいいだろう」。Robert S. Young, "A Scientists' March on Washington Is a Bad Idea," *New York Times*, January 31, 2017, https://www.nytimes.com/2017/01/31/opinion/a-scientists-march-on-washington-is-a-bad-idea.html.

＊29　Young, "A Scientists' March on Washington."

＊30　シュミットとベッチュは、「技術的反論」と「接種」の効果を比較していない（どちらも科学否定論者が用いる怪しいレトリックを説明するものだが、説明する時期（誤情報にさらされる前／後）が異なる）。サンダー・ファン・デル・リンデンは、「接種」理論の有効性を示す新たな証拠について論じている。Sander van der Linden,

"Inoculating against Misinformation," *Science*, December 1, 2017, https://science.sciencemag.org/content/358/6367/1141.2. またファン・デル・リンデンは、オンライン上でおこなう「フェイクニュース・ゲーム」を開発し、科学の偽情報に対しては「事前暴露（プレバンキング）」がある程度有効であることを示した。Sander van der Linden, "Fake News 'Vaccine' Works: 'Pre-bunking Game Reduces Susceptibility to Disinformation," *Science Daily*, June 24, 2019, https://www.sciencedaily.com/releases/2019/06/190624204800.htm.

＊31　このことは、シュミットとベッチュの研究に対する重要な批判、すなわち、彼らのアプローチがどこまでも後手の対応だという批判を提起するものだ。一方ファン・デル・リンデンは、被験者が偽情報に触れる前に「予防接種」をおこなう、「事前暴露（プレバンキング）」と呼ばれるアプローチを検討している。このアプローチは、シュミットとベッチュの事後的な対応よりも有効だろうか？　それはわからない。ただ、ファン・デル・リンデンの研究がすばらしいことは確かである。Sander van der Linden, "Countering Science Denial," *Nature Human Behaviour* 3 (2019): 889–890. ファン・デル・リンデンの「フェイクニュース・ゲーム」は、科学否定論者によく見られる5つの誤りを事前に見抜くのに役立つ。Sander van der Linden, "Bad News: A Psychological 'Vaccine' against Fake News," *Inforrm*, September 7, 2019, https://inforrm.org/2019/09/07/bad-news-a-psychological-vaccine-against-fake-news-sander-van-der-linden-and-jon-rozenbeek/. 科学的誤情報に対する「予防接種」については、次の優れた研究も参照。John Cook, Stephan Lewandowsky, and Ulrich Ecker, "Neutralizing Misinformation through Inoculation," *PLoS One*, May 5, 2017, https://journals.plos.org/plosone/article?id=10.1371/journal.pone.0175799.

＊32　たとえ無駄だとしても、対話を試みることはやはり重要だ。科学否定論者の勧誘に介入しなければ、誤情報が広がってしまうからだ。どんな嘘でも耳を傾ける人はいるのだ。

＊33　*The Scientific Attitude* で私は、科学において特に不可欠なのは「価値観」であるという論を展開した。その価値観を教えることが科学否定論者の変化につながるかもしれない。

＊34　Adrian Bardon, *The Truth about Denial*, 86 より引用。

＊35　エイドリアン・バードンは *The Truth about Denial* のなかで、科学者は、科学的事実だけでなく、科学の営みとはどのようなものかについても、一般社会に啓蒙する必要があるというヘザー・ダグラスの主張を論じた。科学は厳格なプロセスであり、独特の文化と価値観をもっている。これらの考えを共有できるのなら、人々と科学者の距離も縮まるかもしれない（Bardon, *The Truth about Denial*, 300 を参照）。Sara Gorman and Jack Gorman, *Denying to the Grave* では、子供の教育方法という文脈で、ほぼ同様の主張がなされている。

＊36　Mick West, *Escaping the Rabbit Hole*, 60.

＊37　Peter Boghossian and James Lindsay, *How to Have Impossible Conversations*, 50–51.

＊38　Boghossian and Lidsay, *How to Have Impossible Conversations*, 12.

＊39　私が知っているなかで、この内容にもっとも近いのは、陰謀論者の扱い方を論じた John Cook and Stephan Lewandowsky, *The Conspiracy Theory Handbook* である。先に引用したマイケル・シャーマーのアドバイスも参考になる（「はじめに」の注14を参照）。

＊40　私には実りの多い研究分野に見える。ぜひ研究すべきだと思う。

＊41　Jonathan Berman, *Anti-Vaxxers*; Seth Mnookin, *The Panic Virus*.

＊42　*The Scientific Attitude*, 143–147; *Respecting Truth*, 46–47; "Could a Booster Shot of Truth Help Scientists Fight the Anti-vaccine Crisis?" *The Conversation*, March 8, 2019, https://

theconversation.com/could-a-booster-shot-of-truth-help-scientists-fight-the-anti-vaccine-crisis-111154; "Public Belief Formation and the Politicization of Vaccine Science," *The Critique*, September 10, 2015, http://www.thecritique.com/articles/public-belief-formation-the-politicization-of-vaccine-science-a-case-study-in-respecting-truth/.

＊43　*The Scientific Attitude*, 143–147 を参照。反ワクチン現象は、ワクチンというものが登場したときから存在していたが、ウェイクフィールドの論文がきっかけで桁違いに拡大した。反ワクチン派の歴史については、Berman, *Anti-vaxxers* を参照。

＊44　Associated Press, "Clark County Keeps 800 Students Out of School Due to Measles Outbreak," *NBC News*, March 7, 2019, https://www.nbcnews.com/storyline/measles-outbreak/clark-county-keeps-800-students-out-school-due-measles-outbreak-n980491.

＊45　Lena Sun and Maureen O'Hagen, "'It Will Take Off Like Wildfire'."

＊46　Rose Branigin, "I Used to Be Opposed to Vaccines."

＊47　Vanessa Milne et al., "Seven Ways to Talk to Anti-vaxxers (That Actually Might Change Their Minds)," *Healthy Debate*, August 31, 2017, https://healthydebate.ca/2017/08/topic/vaccine-safety-hesitancy. ジョナサン・バーマンは *Anti-vaxxers* のなかで、同様の状況で意見を変えた反ワクチン派の逸話を７～８件紹介している（205–209）。

＊48　Marina Koren, "Trump's NASA Chief: 'I Fully Believe and Know the Climate Is Changing,'" *Atlantic*, May 17, 2018, https://www.theatlantic.com/science/archive/2018/05/trump-nasa-climate-change-bridenstine/560642/.

＊49　Terry Gross, "How a Rising Star of White Nationalism Broke Free from the Movement," *NPR*, September 24, 2018, https://www.npr.org/2018/09/24/651052970/how-a-rising-star-of-white-nationalism-broke-free-from-the-movement.

＊50　このようなイデオロギーの変化は他にも報告されている。なかでも、アフリカ系アメリカ人のブルーズ・ミュージシャンであるダリル・デイヴィスの話が面白い。彼は、クー・クラックス・クランから 300 人以上のメンバーを脱退させたが、その方法とは、ただ仲よくなって会話をするだけだった。Mark Segraves, "'How Can You Hate Me?' Maryland Musician Converts White Supremacists," *NBC Washington*, February 14, 2020, https://www.nbcwashington.com/news/local/musician-fights-racism-by-speaking-to-white-supremacists/2216483/. デイヴィスのインタビューは以下で見られる。http://www.pbs.org/wnet/amanpour-and-company/video/daryl-davis-on-befriending-members-of-the-kkk/.

＊51　Eli Saslow, *Rising Out of Hatred*, 225.

＊52　Charles Monroe-Kane, "Can You Change the Mind of a White Supremacist?" *To the Best of Our Knowledge*, March 12, 2019, https://www.ttbook.org/interview/can-you-change-mind-white-supremacist.

＊53　David Weissman, "I Used to Be a Trump Troll—Until Sarah Silverman Engaged with Me," *Forward*, June 5, 2018, https://forward.com/scribe/402478/i-was-a-trump-troll/; "Former Twitter Troll Credits Sarah Silverman with Helping Him to See 'How Important Talking Is,'" *CBC Radio*, April 12, 2019, https://www.cbc.ca/radio/outintheopen/switching-sides-1.5084481/former-twitter-troll-credits-sarah-silverman-with-helping-him-see-how-important-talking-is-1.5094232; Jessica Kwong, "Former Trump Supporter Says MAGA 'Insults' Snapped Him Out of 'Trance' of Supporting President," *Newsweek*, October 3, 2019, https://www.newsweek.com/former-trump-supporter-snapped-out-maga-1463021.

＊54　Michael B. Kelley, "STUDY: Watching Only Fox News Makes You Less Informed Than Watching No News At All," *Business Insider*, May 22, 2012, https://www.businessinsider.com/study-watching-fox-news-makes-you-less-informed-than-watching-no-news-at-all-2012-5.

＊55　Vanessa Milne, "Seven Ways to Talk to Anti-vaxxers (That Might Actually Change Their

Minds)," *Healthy Debate*, August 31, 2017, https://healthydebate.ca/2017/08/topic/vaccine-safety-hesitancy.

＊56 Karin Kirk, "How to Identity People Open to Evidence about Climate Change," *Yale Climate Connection*, November 9, 2018, https://www.yaleclimateconnections.org/2018/11/focus-on-those-with-an-open-mind/.

＊57 John M. Glionna, "The Real-Life Conversion of a Former Anti-Vaxxer," *California Healthline*, August 2, 2019, https://californiahealthline.org/news/the-real-life-conversion-of-a-former-anti-vaxxer/.

＊58 Lewandowsky and Cook, *The Conspiracy Theory Handbook*.

＊59 Rene Chun, "Scientists Are Trying to Figure Out Why People Are OK With Trump's Endless Supply of Lies," *Los Angeles Magazine*, November 14, 2019, https://www.lamag.com/citythinkblog/trump-lies-research/.

＊60 Christopher Joyce, "Rising Seas Made This Republican Mayor a Climate Change Believer," *NPR*, May 17, 2016, https://www.npr.org/2016/05/17/477014145/rising-seas-made-this-republican-mayor-a-climate-change-believer.

＊61 Fred Grimm, "Florida's Mayors Face Reality of Rising Seas and Climate Change," *Miami Herald*, March 14, 2016, https://www.miamiherald.com/news/local/news-columns-blogs/fred-grimm/article68092452.html.

＊62 Sarah Ann Wheeler and Celine Nauges, "Farmers' Climate Denial Begins to Wane as Reality Bites," *The Conversation*, October 11, 2018, https://theconversation.com/farmers-climate-denial-begins-to-wane-as-reality-bites-103906; Helena Bottemiller Evich, "'I'm Standing Right Here in the Middle of Climate Change': How USDA Is Failing Farmers," *Politico*, October 15, 2019, https://www.politico.com/news/2019/10/15/im-standing-here-in-the-middle-of-climate-change-how-usda-fails-farmers-043615; "Stories from the Sea: Fishermen Confront Climate Change," *Washington Nature*, https://www.washingtonnature.org/fishermen-climate-change.

＊63 Emma Reynolds, "Some Anti-vaxxers Are Changing Their Minds Because of the Coronavirus Pandemic," *CNN*, April 20, 2020, https://www.cnn.com/2020/04/20/health/anti-vaxxers-coronavirus-intl/index.html; Jon Henley, "Coronavirus Causing Some Anti-vaxxers to Waver, Experts Say," *Guardian*, April 21, 2020, https://www.theguardian.com/world/2020/apr/21/anti-vaccination-community-divided-how-respond-to-coronavirus-pandemic; Victoria Waldersee, "Could the New Coronavirus Weaken 'Anti-vaxxers'?" *Reuters*, April 11, 2020, https://www.reuters.com/article/us-health-coronavirus-antivax/could-the-new-coronavirus-weaken-anti-vaxxers-idUSKCN21T089.

第４章　気候変動を否定する人たち

＊1 Chris Mooney and Brady Dennis, "The World Has Just Over a Decade to Get Climate Change under Control," *Washington Post*, October 7, 2018（「はじめに」の注５を参照）; Nina Chestney, "Global Carbon Emissions Hit Record High in 2017," *Reuters*, March 22, 2018, https://www.reuters.com/article/us-energy-carbon-iea/global-carbon-emissions-hit-record-high-in-2017-idUSKBN1GY0RB.

＊2 Brady Dennis and Chris Mooney, "'We Are in Trouble': Global Carbon Emissions Reached a Record High in 2018," *Washington Post*, December 5, 2018, https://www.washingtonpost.com/energy-environment/2018/12/05/we-are-trouble-global-carbon-emissions-reached-new-record-high/; Damian Carrington, "'Brutal News': Global Carbon Emissions Jump to All Time High in 2018," *Guardian*, December 5, 2018, https://www.theguardian.com/environment/2018/dec/05/brutal-news-global-carbon-emissions-jump-to-all-time-high-in-2018; Brad Plumer, "U.S. Carbons Emissions Surged in 2018, Even as Coal Plants Closed," *New York Times*, January 8, 2019, https://

www.nytimes.com/2019/01/08/climate/greenhouse-gas-emissions-increase.html.

＊3　Chelsea Harvey and Nathanial Gronewold, "CO_2 Emissions Will Break Another Record in 2019," *Scientific American*, December 4, 2019, https://www.scientificamerican.com/article/co2-emissions-will-break-another-record-in-2019/. よいニュースを2つ。ひとつは、2019年の排出量は過去最高になると見られているが、増加率は鈍っていること。Chelsea Harvey and Nathanial Gronewold, "Greenhouse Gas Emissions to Set New Record This Year, but Rate of Growth Shrinks," *Science*, December 4, 2019, https://www.sciencemag.org/news/2019/12/greenhouse-gas-emissions-year-set-new-record-rate-growth-shrinks. もうひとつは、アメリカでの2019年の温室効果ガス排出量が2.1%減少したこと。石炭消費量が減ったことが大きい。それでも残念ながら、パリ協定が示した目標達成のペースには遠く及ばない。Steven Mufson, "U.S. Greenhouse Gas Emissions Fell Slightly in 2019," *Washington Post*, January 7, 2020, https://www.washingtonpost.com/climate-environment/us-greenhouse-gas-emissions-fell-slightly-in-2019/2020/01/06/568f0a82-309e-11ea-a053-dc6d944ba776_story.html.

＊4　Dennis and Mooney, "We Are in Trouble."

＊5　Coral Davenport, "Major Climate Report Describes a Strong Risk of Crisis as Early as 2040," *New York Times*, October 7, 2018, https://www.nytimes.com/2018/10/07/climate/ipcc-climate-report-2040.html; Dennis and Mooney, "We Are in Trouble"; Emily Holden, "'It'll Change Back': Trump Says Climate Change Not a Hoax, but Denies Lasting Impact," *Guardian*, October 15, 2018, https://www.theguardian.com/us-news/2018/oct/15/itll-change-back-trump-says-climate-change-not-a-hoax-but-denies-lasting-impact.

＊6　Brady Dennis, "In Bleak Report, UN Says Drastic Action Is Only Way to Avoid Worst Impacts of Climate Change," *Washington Post*, November 26, 2019, https://www.washingtonpost.com/climate-environment/2019/11/26/bleak-report-un-says-drastic-action-is-only-way-avoid-worst-impacts-climate-change/; Alister Doyle, "Global Warming May Be More Severe Than Expected by 2100: Study," *Reuters*, December 6, 2017, https://www.reuters.com/article/us-climatechange-temperatures/global-warming-may-be-more-severe-than-expected-by-2100-study-idUSKBN1E02J6; Dave Mosher and Aylin Woodward, "What Earth Might Look Like in 80 Years if We're Lucky—and if We're Not," *Business Insider*, October 17, 2019, https://www.businessinsider.com/paris-climate-change-limits-100-years-2017-6; Jen Christensen and Michael Nedelman, "Climate Change Will Shrink U.S. Economy and Kill Thousands, Government Report Warns," *CNN*, November 26, 2018, https://www.cnn.com/2018/11/23/health/climate-change-report-bn/index.html.

＊7　ここには、インフラの損害、賃金の逸失、財産の損失などが含まれている。Coral Davenport, "Major Climate Report Describes a Strong Risk of Crisis," *New York Times*, October 7, 2018, https://www.nytimes.com/2018/10/07/climate/ipcc-climate-report-2040.html.

＊8　Davenport, "Major Climate Report"; Ron Meador, "New Outlook on Global Warming: Best Prepare for Social Collapse, and Soon," *Minnpost*, October 15, 2018, https://www.minnpost.com/earth-journal/2018/10/new-outlook-on-global-warming-best-prepare-for-social-collapse-and-soon/.

＊9　Paul Bledsoe, "Going Nowhere Fast and Climate Change, Year After Year," *New York Times*, December 19, 2018, https://www.nytimes.com/2018/12/29/opinion/climate-change-global-warming-history.html; Dennis and Mooney, "We Are in Trouble." ただし、この状態を維持しようと思えば、次は2050年までに排出量をゼロにしなければならない。Mooney and Dennis, "The World Has Just Over a Decade to Get Climate Change under Control."

＊10　Dennis and Mooney, "We Are in Trouble"; Mooney and Dennis, "The World Has Just Over a Decade to Get Climate Change under Control."

* 11　Steven Mufson, "'A Kind of Dark Realism': Why the Climate Change Problem Is Starting to Look Too Big to Solve," *Washington Post*, December 4, 2018, https://www.washingtonpost.com/national/health-science/a-kind-of-dark-realism-why-the-climate-change-problem-is-starting-to-look-too-big-to-solve/2018/12/03/378e49e4-e75d-11e8-a939-9469f1166f9d_story.html.
* 12　Doyle Rice, "Coal Is the Main Offender for Global Warming, and Yet the World Is Using It More Than Ever," *USA Today*, March 26, 2019, https://www.usatoday.com/story/news/nation/2019/03/26/climate-change-coal-still-king-global-carbon-emissions-soar/3276401002/.
* 13　Dennis and Mooney, "We Are in Trouble."
* 14　Simon Carraud and Michel Rose, "Macron Makes U-turn on Fuel Tax Increase, in Face of 'Yellow Vest' Protests," *Reuters*, December 4, 2018, https://www.reuters.com/article/us-france-protests/macron-makes-u-turn-on-fuel-tax-increases-in-face-of-yellow-vest-protests-idUSKBN1O30MX.
* 15　Mufson, "A Kind of Dark Realism."
* 16　Brady Dennis, "Trump Makes It Official: U.S. Will Withdraw from Paris Climate Accords," *Washington Post*, November 4, 2019, https://www.washingtonpost.com/climate-environment/2019/11/04/trump-makes-it-official-us-will-withdraw-paris-climate-accord/.
* 17　David Roberts, "The Trump Administration Just Snuck through Its Most Devious Coal Subsidy Yet," *Vox*, December 23, 2019, https://www.vox.com/energy-and-environment/2019/12/23/21031112/trump-coal-ferc-energy-subsidy-mopr.
* 18　Nathan Rott and Jennifer Ludden, "Trump Administration Weakens Auto Emissions Standards," *NPR*, March 31, 2020, https://www.npr.org/2020/03/31/824431240/trump-administration-weakens-auto-emissions-rolling-back-key-climate-policy.
* 19　Patrick Kingsley, "Trump Says California Can Learn from Finland on Fires. Is He Right?" *New York Times*, November 18, 2018, https://www.nytimes.com/2018/11/18/world/europe/finland-california-wildfires-trump-raking.html.
* 20　Jennifer Rubin, "Trump Shows the Rank Dishonesty of Climate-Change Deniers," *Washington Post*, October 15, 2018, https://www.washingtonpost.com/news/opinions/wp/2018/10/15/trump-shows-the-rank-dishonesty-of-climate-change-deniers/.
* 21　Josh Dawsey et al, "Trump on Climate Change: 'People Like Myself, We Have Very High Levels of Intelligence but We're Not Necessarily Such Believers,'" *Washington Post*, November 27, 2018, https://www.washingtonpost.com/politics/trump-on-climate-change-people-like-myself-we-have-very-high-levels-of-intelligence-but-were-not-necessarily-such-believers/2018/11/27/722f0184-f27e-11e8-aeea-b85fd44449f5_story.html; Matt Viser, "'Just a Lot of Alarmism': Trump's Skepticism of Climate Science Is Echoed across GOP," *Washington Post*, December 2, 2018, https://www.washingtonpost.com/politics/just-a-lot-of-alarmism-trumps-skepticism-of-climate-science-is-echoed-across-gop/2018/12/02/f6ee9ca6-f4de-11e8-bc79-68604ed88993_story.html.
* 22　Brady Dennis and Chris Mooney, "Major Trump Administration Climate Report Says Damage Is 'Intensifying across the Country,'" *Washington Post*, November 23, 2018, https://www.washingtonpost.com/energy-environment/2018/11/23/major-trump-administration-climate-report-says-damages-are-intensifying-across-country/; Jen Christensen and Michael Nedelman, "Climate Change Will Shrink U.S. Economy and Kill Thousands," *CNN*, November 23, 2018, https://www.cnn.com/2018/11/23/health/climate-change-report-bn/index.html.
* 23　温暖化で地球に暮らせなくなる、あるいは人類という種が絶滅するという主張には、賛否両論がある。とはいえ、温暖化が私たちの生活を劇的に変え、計り知れない悲劇と大量の死をもたらすことは疑いようがない。人間以外の種が大量に絶滅し、生物多様性が失われることについては、改めて言うまでもないだろう。Robert Watson, "Loss of Biodiversity Is Just as Catastrophic as Climate Change," *Guardian*, May 6, 2019, https://

www.theguardian.com/commentisfree/2019/may/06/biodiversity-climate-change-mass-extinctions; Michael Shellenberger, "Why Apocalyptic Claims About Climate Change Are Wrong," *Forbes*, November 25, 2019, https://www.forbes.com/sites/michaelshellenberger/2019/11/25/why-everything-they-say-about-climate-change-is-wrong/#5cea81cb12d6; Chris Mooney, "Scientists Challenge Magazine Story about 'Uninhabitable Earth," *Washington Post*, July 12, 2017, https://www.washingtonpost.com/news/energy-environment/wp/2017/07/12/scientists-challenge-magazine-story-about-uninhabitable-earth/; Jen Christensen, "250,000 Deaths a Year from Climate Change Is a 'Conservative Estimate,' Research Says," *CNN*, January 16, 2019, https://www.cnn.com/2019/01/16/health/climate-change-health-emergency-study/index.html; "The Impact of Global Warming on Human Fatality Rates," *Scientific American*, June 7, 2009, https://www.scientificamerican.com/article/global-warming-and-health/.

＊24 "Climate Concerns Increase: Most Republicans Now Acknowledge Change," *Monmouth*, November 29, 2018, https://www.monmouth.edu/polling-institute/reports/monmouthpoll_us_112918/. この結果を裏づける調査は数多くある。John Schwartz, "Global Warming Concerns Rise Among Americans in New Poll," *New York Times*, January 22, 2019, https://www.nytimes.com/2019/01/22/climate/americans-global-warming-poll.html; Robinson Meyer, "Voters Really Care about Climate Change," *Atlantic*, February 21, 2020, https://www.theatlantic.com/science/archive/2020/02/poll-us-voters-really-do-care-about-climate-change/ 606907/; Brady Dennis et al., "Americans Increasingly See Climate Change as a Crisis, Poll Shows," *Washington Post*, September 13, 2019, https://www.washingtonpost.com/climate-environment/americans-increasingly-see-climate-change-as-a-crisis-poll-shows/2019/09/12/74234db0-cd2a-11e9-87fa-8501a456c003_story.html; "Scientific Consensus: Earth's Climate Is Warming," NASA, https://climate.nasa.gov/scientific-consensus/.

＊25 Chris Mooney, *The Republican War on Science*, chapter 7 を参照。

＊26 ここではその証拠を2つ示す。James Hansen, *Storms of My Grandchildren*; James Hoggan, *Climate Cover-Up*.

＊27 Mooney, *The Republican War on Science*, 81.

＊28 James Lawrence Powell, "Why Climate Deniers Have No Scientific Credibility—in One Pie Chart," *Desmog*, November 15, 2012, https://www.desmogblog.com/2012/11/15/why-climate-deniers-have-no-credibility-science-one-pie-chart.

＊29 James Lawrence Powell: "Why Climate Deniers Have No Scientific Credibility: Only 1 of 9,136 Recent Peer-Reviewed Authors Rejects Global Warming," *Desmog*, January 8, 2014, https://www.desmogblog.com/2014/01/08/why-climate-deniers-have-no-scientific-credibility-only-1-9136-study-authors-rejects-global-warming.

＊30 Peter T. Doran and Maggie Kendall Zimmerman, "Examining the Scientific Consensus on Climate Change," *Eos: Transactions of the American Geophysical Union* 90, no. 3 (2009): 22–23.

＊31 John Cook et al., "Quantifying the Consensus on Anthropogenic Global Warming in the Scientific Literature," *Environmental Research Letters*, May 15, 2013, https://iopscience.iop.org/article/10.1088/1748-9326/8/2/024024/pdf; "The 97% Consensus on Global Warming," *Skeptical Science*, https://www.skepticalscience.com/global-warming-scientific-consensus-intermediate.htm.

＊32 Katherine Ellen Foley, "Those 3% of Scientific Papers That Deny Climate Change? A Review Found Them All Flawed," *Quartz*, September 5, 2017, https://qz.com/1069298/the-3-of-scientific-papers-that-deny-climate-change-are-all-flawed/; Dana Nuccitelli, "Millions of Times Later, 97 Percent Climate Consensus Still Faces Denial," *Bulletin of the Atomic Scientists*, August 15, 2019, https://thebulletin.org/2019/08/millions-of-times-later-97-percent-climate-consensus-still-faces-denial/; Dana Nuccitelli, "Here's What Happens When You Try to Replicate Climate Contrarian

Papers," *Guardian*, August 25, 2015, https://www.theguardian.com/environment/climate-consensus-97-per-cent/2015/aug/25/heres-what-happens-when-you-try-to-replicate-climate-contrarian-papers; Rasmus E. Benestad et al., "Learning from Mistakes in Climate Research," *Theoretical and Applied Climatology* 126 (2016): 699–703, https://link.springer.com/article/10.1007/s00704-015-1597-5.

＊33　自然選択というダーウィンの大発見から150年が経過した今日でも、進化論を支持する科学者が98％しかいないのは驚くべきことである。David Masci, "For Darwin Day, 6 Facts about the Evolution Debate," Pew Research Center's Fact Tank, February11, 2019, https://www.pewresearch.org/fact-tank/2019/02/11/darwin-day/.

＊34　Dana Nuccitelli, "Trump Thinks Scientists Are Split on Climate Change. So Do Most Americans," *Guardian*, October 22, 2018, https://www.theguardian.com/environment/climate-consensus-97-per-cent/2018/oct/22/trump-thinks-scientists-are-split-on-climate-change-so-do-most-americans.

＊35　この計画は、1997年12月の京都議定書の直後に練られ、翌1998年4月にリークされた。"1998 American Petroleum Institute Global Climate Science Communications Team Action Plan," *Climate Files*, http://www.climatefiles.com/trade-group/american-petroleum-institute/1998-global-climate-science-communications-team-action-plan/.

＊36　"Climate Science vs. Fossil Fuel Fiction," Union of Concerned Scientists, March 2015, https://www.ucsusa.org/sites/default/files/attach/2015/03/APIquote1998_1.pdf.

＊37　Shannon Hall, "Exxon Knew about Climate Change almost 40 Years Ago," *Scientific American*, October 26, 2015, https://www.scientificamerican.com/article/exxon-knew-about-climate-change-almost-40-years-ago/; Suzanne Goldenberg, "Exxon Knew of Climate Change in 1981, Email Says—But It Funded Deniers for 27 More Years," *Guardian*, July 8, 2015, https://www.theguardian.com/environment/2015/jul/08/exxon-climate-change-1981-climate-denier-funding.

＊38　陰謀論の支持者は、こうした本物の陰謀には興味を示さない。私にはそれが不思議でならない。この陰謀については以下を参照。Steve Coll, *Private Empire*; "ExxonMobil: A 'Private Empire' on the World Stage," *NPR*, May 2, 2012, http://www.npr.org/2012/05/02/151842205/exxonmobil-a-private-empire-on-the-world-stage.

＊39　Naomi Oreskes and Erik Conway, *Merchants of Doubt*, 183.

＊40　"Nancy Pelosi and Newt Gingrich Commercial on Climate Change," YouTube, uploaded April 17, 2008, https://www.youtube.com/watch?v=qi6n_-wB154.

＊41　オレスケスとコンウェイは *Merchants of Doubt* で、「組織的な否定キャンペーンが［1989年に］はじまり、すぐに気候科学のコミュニティ全体が巻き込まれた」と書いている（183）。科学者は時間とともに温暖化の真実に確信を深めていったが、一方で、温暖化を議論しようという社会の機運は、否定キャンペーンによって次第にしぼんでいくことになった。この傾向は、メディアに対して、気候変動の「討論」では「もう一方の側」にも意見を言う時間を同じだけ与えるよう圧力がかけられたことで、さらに強まった（同169–170、214–215）。こうした流れが連邦議会に到達する頃には、気候変動と戦えるという真の希望も潰えてしまった。1997年、上院は京都議定書の批准を見送った（同215）。

＊42　Jane Mayer, *Dark Money*.

＊43　Mayer, *Dark Money*, 204.

＊44　Jane Mayer,"'Kochland' Examines the Koch Brothers' Early, Crucial Role in Climate-Change Denial," *New Yorker*, August 13, 2019, https://www.newyorker.com/news/daily-comment/kochland-examines-how-the-koch-brothers-made-their-fortune-and-the-influence-it-bought. Christopher Leonard, *Kochland* も参照。

＊45　Emily Atkin, "How David Koch Change the World," *New Republic*, August 23, 2019, https://

newrepublic.com/article/154836/david-koch-changed-world.

＊46 Niall McCarthy, "Oil and Gas Giants Spend Millions Lobbying to Block Climate Change Policies," *Forbes*, March 25, 2019, https://www.forbes.com/sites/niallmccarthy/2019/03/25/oil-and-gas-giants-spend-millions-lobbying-to-block-climate-change-policies-infographic/#5c28b08c7c4f.

＊47 Colin Schultz, "Meet the Money Behind the Climate Denial Movement," *Smithsonian*, December 23, 2013, https://www.smithsonianmag.com/smart-news/meet-the-money-behind-the-climate-denial-movement-180948204/.

＊48 Justin Gillis and Leslie Kaufman, "Leaks Offer Glimpse of Campaign Against Climate Change," *New York Times*, February 15, 2012, https://www.nytimes.com/2012/02/16/science/earth/in-heartland-institute-leak-a-plan-to-discredit-climate-teaching.html; Gayathri Vaidyanathan, "Think Tank That Cast Doubt on Climate Change Science Morphs into Smaller One," *E&E News*, December 10, 2015, https://www.eenews.net/stories/1060029290.

＊49 Brendan Montague, "I Crashed a Climate Change Denial Conference in Las Vegas," *Vice*, July 22, 2014, https://www.vice.com/da/article/7bap4x/las-vegas-climate-change-denial-brendan-montague-101; Brian Palmer, "What It's Like to Attend a Climate Denial Conference," *Pacific Standard*, December 16, 2015, https://psmag.com/environment/what-its-like-to-attend-a-climate-denial-conference.

＊50 Mayer, *Dark Money*, 213.

＊51 *Dark Money*, 214. *Merchants of Doubt*, 169–170も参照。気候変動への関心は数年にわたり微増を続けていたが、急に下降に転じた。

＊52 *Dark Money*, 211.

＊53 Atkin, "How David Koch Changed the World."

＊54 ジェイムズ・インホフ上院議員（オクラホマ州）の報道官で、気候変動否定派のマーク・モラノは次のように述べている。「地球温暖化を疑う者にとって、膠着状態は最良の友と言えます。それこそが求めているものです。……われわれが支持する法案はありません。反対します。なにが来ても阻止するだけです」（Mayer, *Dark Money*, 224–225）。

＊55 David Roberts, "Why Conservatives Keep Gaslighting the Nation about Climate Change," *Vox*, October 31, 2018, https://www.vox.com/energy-and-environment/2018/10/22/18007922/climate-change-republicans-denial-marco-rubio-trump.

＊56 Nadja Popovich, "Climate Change Rises as a Public Priority, but It's More Partisan Than Ever," *New York Times*, February 20, 2020, https://www.nytimes.com/interactive/2020/02/20/climate/climate-change-polls.html; Brian Kennedy, "U.S. Concern about Climate Change Is Rising, but Mainly among Democrats," Pew Research, April 16, 2020, https://www.pewresearch.org/fact-tank/2020/04/16/u-s-concern-about-climate-change-is-rising-but-mainly-among-democrats/.

＊57 2020年のアースデーに実施された別のピュー調査では、「科学の知識や理解度よりも、どの政党をどの程度支持するかの方が、気候変動に関する信念に強い影響を与える」ことが判明した。Gary Funk and Brian Kennedy, "How Americans Sees Climate Change and the Environment in 7 Charts," Pew Research, April 21, 2020, https://www.pewresearch.org/fact-tank/2020/04/21/how-americans-see-climate-change-and-the-environment-in-7-charts/.

＊58 Alister Doyle, "Evidence for Man-Made Global Warming Hits Gold Standard," *Reuters*, February 25, 2019.

＊59 Atkin, "How David Koch Changed the World."

＊60 Chris Mooney, "Ted Cruz Keeps Saying That Satellites Don't Show Global Warming. Here's the Problem," *Washington Post*, January 29, 2016, https://www.washingtonpost.com/news/energy-environment/wp/2016/01/29/ted-cruz-keeps-saying-that-satellites-dont-show-warming-heres-the-

problem/; Lauren Carroll, "Ted Cruz's World's on Fire, but Not for the Last 17 Years," *Politifact*, March 20, 2015, https://www.politifact.com/factchecks/2015/mar/20/ted-cruz/ted-cruzs-worlds-fire-not-last-17-years/.

* 61 Jeremy Schulman, "Every Insane Thing Donald Trump Has Said about Global Warming," *Mother Jones*, December 12, 2018, https://www.motherjones.com/environment/2016/12/trump-climate-timeline/.

* 62 Kate Sheppard, "Climategate: What Really Happened?" *Mother Jones*, April 21, 2011, https://www.motherjones.com/environment/2011/04/history-of-climategate/.

* 63 "What If You Held a Conference, and No (Real) Scientists Came?" *Real Climate*, January 30, 2008, http://www.realclimate.org/index.php/archives/2008/01/what-if-you-held-a-conference-and-no-real-scientists-came/comment-page-8/; Brendan Montague, "I Crashed a Climate Change Denial Conference in Last Vegas," *Vice*, July 22, 2014, https://www.vice.com/en/article/7bap4x/las-vegas-climate-change-denial-brendan-montague-101; https://climateconference.heartland.org/. *Respecting Truth*, 72–80 の気候変動に関する議論を参照。

* 64 "How Do We Know That Humans Are the Major Cause of Global Warming?" Union of Concerned Scientists, July 14, 2009 (updated August 1, 2017), https://www.ucsusa.org/resources/are-humans-major-cause-global-warming; "CO_2 Is Main Driver of Climate Change," *Skeptical Science*, July 15, 2015, https://www.skepticalscience.com/CO2-is-not-the-only-driver-of-climate.htm.

* 65 Chris Mooney and Elise Viebeck, "Trump's Economic Advisor and Marco Rubio Question Extent of Human Contribution to Climate Change," *Washington Post*, October 14, 2018, https://www.washingtonpost.com/powerpost/larry-kudlow-marco-rubio-question-extent-of-human-contribution-to-climate-change/2018/10/14/c8606ae2-cfcf-11e8-b2d2-f397227b43f0_story.html; Alan Yuhas, "Republicans Reject Climate Change Fears Despite Rebukes from Scientists," *Guardian*, February 1, 2016, https://www.theguardian.com/us-news/2016/feb/01/republicans-ted-cruz-marco-rubio-climate-change-scientists.

* 66 Alister Doyle and Bruce Wallace, "U.N. Climate Deal in Paris May Be Graveyard for 2C Goal," *Reuters*, June 1, 2015, https://www.reuters.com/article/us-climatechange-paris-insight/u-n-climate-deal-in-paris-may-be-graveyard-for-2c-goal-idUSKBN0OH1G820150601.

* 67 Jon Henley, "The Last Days of Paradise," *Guardian*, November 10, 2008, https://www.theguardian.com/environment/2008/nov/11/climatechange-endangered-habitats-maldives.

* 68 モルディブでは、ヌードになったり宗教の布教活動をおこなうと逮捕される可能性がある。ポルノも偶像崇拝も禁止されている。

* 69 これは実際に起きていることだ。2004 年、海抜 1 メートルのマレを高さ 1 メートルの波が襲い、82 人が死亡、1 万 2000 人以上が避難した。

* 70 すでに述べたことだが、実は 3 番目の脅威もある。だがそれは、島そのものではなく、その島における人間の生活に関するものだ。オーバーウォッシュが頻繁に起きれば、真水の供給源が汚染されるようになる。そうなれば、早晩人口を維持できなくなるだろう。Josh Gabbatiss, "Rising Sea Levels Could Make Thousands of Islands from the Maldives to Hawaii 'Uninhabitable within Decades,'" *Independent*, April 25, 2018.

* 71 ほとんど知られていないことだが、アメリカにもモルディブに似た状況は存在している。チェサピーク湾に浮かぶタンジア島だ。海面が上昇すれば、この島は水没し、やがて外洋と化すだろう。皮肉なことに、島の住人には気候変動否定派とトランプ支持者が非常に多い。彼らがアメリカ初の気候難民になる可能性もある。David J. Unger, "On a Sinking Island, Climate Science Takes a Back Seat to the Bible," *Grist*, September 3, 2018, https://grist.org/article/on-a-sinking-island-climate-science-takes-a-back-seat-to-the-bible/;

Simon Worrall, "Tiny U.S. Island Is Drowning. Residents Deny the Reason," *National Geographic*, September 7, 2018, https://www.nationalgeographic.com/environment/2018/09/climate-change-rising-seas-tangier-island-chesapeake-book-talk/.

＊72　これこそが、フラットアース否定派が求めてきた「グラウンド・トゥルース（実際に目のあたりにした真実）」である。「ロケットに乗ったことがある？」、「南極上空を飛んだことがある？」、「シカゴから60マイル離れた湖上までボートで行ったことがある？」といった質問に対して、今ならば答えることができる。「いや、でも地球の裏側まで行って、気候変動の影響を目のあたりにしてきたよ。ついでに言えば、空に見える星も違っていたね」

＊73　モルディブから帰った直後に読んだ論文で、サンゴが死滅しても島を維持できるようにする取り組みがあることを知った。MITの科学者たちは、海中にブラダー〔袋状の設置物〕を沈めて砂を受け止め、人工的なサンゴ礁を作ることで、島を守る仕組みを考えている。Courtney Linder, "The Extraordinary Way We'll Rebuild Our Shrinking Islands," *Popular Mechanics*, May 25, 2020, https://www.popularmechanics.com/science/green-tech/a32643071/rebuilding-islands-ocean-waves/.

第5章　炭鉱のカナリヤ

＊1　Calvin Woodward and Seth Borenstein, "Unraveling the Mystery of whether Cows Fart," *AP*, April 28, 2019, https://apnews.com/9791f1f85808409e93a1abc8b98531d5.

＊2　"Sources of Greenhouse Gas Emissions," *EPA*, https://www.epa.gov/ghgemissions/sources-greenhouse-gas-emissions.

＊3　Tess Riley, "Just 100 Companies Responsible for 71% of Global Emissions, Study Says," *Guardian*, July 10, 2017, https://www.theguardian.com/sustainable-business/2017/jul/10/100-fossil-fuel-companies-investors-responsible-71-global-emissions-cdp-study-climate-change.

＊4　"The Origins and Causes of Climate Denial," chapter 4 を参照。

＊5　Robinson Meyer, "America's Coal Consumption Entered Free Fall in 2019," *Atlantic*, January 7, 2020, https://www.theatlantic.com/science/archive/2020/01/americas-coal-consumption-entered-free-fall-2019/604543/#:~:text=American%20coal%20use%20fell%2018,is%20remarkable%2C%E2%80%9D%20Houser%20said.

＊6　とはいえ、二酸化炭素の排出量がそのまま下がったわけではない。石炭は天然ガスに置き換えられ、アメリカは依然として世界第2位の排出国のままだ。この状況では、2025年までに排出量を26%削減するという、パリ協定が定めた目標も達成できないと見込まれている。

＊7　Somini Sengupta, "The World Needs to Quit Coal. Why Is It So Hard?" *New York Times*, November 24, 2018, https://www.nytimes.com/2018/11/24/climate/coal-global-warming.html.

＊8　"The Road to a Paris Climate Deal," *New York Times*, December 11, 2015, https://www.nytimes.com/interactive/projects/cp/climate/2015-paris-climate-talks/where-in-the-world-is-climate-denial-most-prevalent.

＊9　のちの調査では、対象となった23か国のうち、気候変動を否定する人の割合がアメリカより高い国が2つあった。サウジアラビアとインドネシアである。Oliver Milman and Fiona Harvey, "US Is Hotbed of Climate Change Denial, Major Global Survey Finds," *Guardian*, May 8, 2019, https://www.theguardian.com/environment/2019/may/07/us-hotbed-climate-change-denial-international-poll.

＊10　Chris Mooney, "The Strange Relationship between Global Warming Denial and... Speaking English," *Guardian*, July 23, 2014, https://www.theguardian.com/environment/2014/jul/23/the-strange-relationship-between-global-warming-denial-and-speaking-english.

＊11　金銭欲？　利己主義？　それとも無関心だろうか？　たぶんモルディブのボートの青年は正しかったのだろう。大切なのは信念だけではなく、関心をもつことなのだ。

＊12　Brad Plumer, "Carbon Dioxide Emissions Hit a Record in 2019, Even as Coal Fades," *New York Times*, December 3, 2019, https://www.nytimes.com/2019/12/03/climate/carbon-dioxide-emissions.html.

＊13　"Energy and the Environment Explained," US Energy Information Administration, last updated August 11, 2020, https://www.eia.gov/energyexplained/energy-and-the-environment/where-greenhouse-gases-come-from.php.

＊14　"Salem-Style Mass Hysteria Animates Trump Movement at Moon Twp., PA Rally—Nov. 6, 2016," https://www.youtube.com/watch?v=BQNmjpXBanc&t=4s; "Creating Breakthrough Moments," https://www.youtube.com/watch?v=OOfV4ZkmjlM; "Trump Voter Breakthrough—May 2017," https://www.youtube.com/watch?v=7V8JZXx_hUs.

＊15　残念ながら、スケジュールの都合でNPRの番組は夕食会後に収録されることになった。だがそれでも、気候変動についてホストと話すのは楽しい経験だった。Kara Holsopple, "The Philosophy of Climate Denial," *Allegheny Front*, September 18, 2019, https://www.alleghenyfront.org/the-philosophy-of-climate-denial/.

＊16　https://quoteinvestigator.com/2017/11/30/salary/.

＊17　Eliza Griswold, "People in Coal Country Worry about the Climate, Too," *New York Times*, July 13, 2019.

＊18　2019年の石炭消費量が18%下がっていたことを思い出してほしい。

＊19　Jane Mayer, *Dark Money*.

＊20　Andrew Norman, *Mental Immunity*.

＊21　すべて仮名である。

＊22　Griswold, "People in Coal Country Worry about the Climate, Too."

＊23　Jake Johnson, "'We Are in a Climate Emergency, America': Anchorage Hits 90 Degrees for the First Time in Recorded History," *Common Dreams*, July 5, 2019, https://www.commondreams.org/news/2019/07/05/we-are-climate-emergency-america-anchorage-hits-90-degrees-first-time-recorded.

＊24　Alejandra Borunda, "What a 100-Degree Day in Siberia Really Means," *National Geographic*, June 23, 2020, https://www.nationalgeographic.com/science/2020/06/what-100-degree-day-siberia-means-climate-change/.

＊25　当然ながら、この明らかな類似に気がついたのは私が最初ではない。実のところ、科学否定は基本的にすべて同じなのであり、新型コロナウイルス否定論に典型的に見られるタイプは、気候変動など他の否定論に見られるものと不気味なほど似ている。誤情報、希望的観測、他責、否定、事実のでっちあげ、解決のための経済的負担が大きすぎるという主張は、まさに科学否定論者の常套手段である。Katelyn Weisbrod, "6 Ways Trump's Denial of Science Has Delayed the Response to COVID-19 (and Climate Change)," *Inside Climate News*, March 19, 2020, https://insideclimatenews.org/news/19032020/denial-climate-change-coronavirus-donald-trump?gclid=EAIaIQobChMIsan_qduf6gIVDo3ICh1XPAIuEAAYASAAEgID0_D_BwE; Gilad Edelman, "The Analogy between COVID-19 and Climate Change Is Eerily Precise," *Wired*, March 25, 2020, https://www.wired.com/story/the-analogy-between-covid-19-and-climate-change-is-eerily-precise/.

＊26　ただし、気候変動にはワクチンは存在しない。

＊27　Chris Mooney, Brady Dennis, and John Muyskens, "Global Emissions Plunged an Unprecedented 17% during the Coronavirus Pandemic," *Washington Post*, May 19, 2020, https://

www.washingtonpost.com/climate-environment/2020/05/19/greenhouse-emissions-coronavirus.

＊28　Brad Plumber, "Emissions Declines Will Set Records This Year. But It's Not Good News," *New York Times*, April 30, 2020, https://www.nytimes.com/2020/04/30/climate/global-emissions-decline.html.

＊29　Maggie Haberman and David Sanger, "Trump Says Coronavirus Cure 'Cannot Be Worse Than the Problem Itself,'" *New York Times*, March 23, 2020, https://www.nytimes.com/2020/03/23/us/politics/trump-coronavirus-restrictions.html.

＊30　Lois Beckett, "Older People Would Rather Die Than Let Covid-19 Harm the US Economy—Texas Official," *Guardian*, March 24, 2020, https://www.theguardian.com/world/2020/mar/24/older-people-would-rather-die-than-let-covid-19-lockdown-harm-us-economy-texas-official-dan-patrick; Sally Jenkins, "Some May Have to Die to Save the Economy? How about Offering Testing and Basic Protections?" *Washington Post*, April 18, 2020, https://www.washingtonpost.com/sports/2020/04/18/sally-jenkins-trump-coronavirus-testing-economy/.

＊31　実際、2016年の大統領選直後の世論調査では、トランプに投票したうちの62%が炭素税を支持していた。なぜ政治家は有権者の意見を尊重しないのだろうか？ Dana Nuccitelli, "Trump Can Save His Presidency with a Great Deal to Save the Climate," *Guardian*, February 22, 2017, https://www.theguardian.com/environment/climate-consensus-97-per-cent/2017/feb/22/trump-can-save-his-presidency-with-a-great-deal-to-save-the-climate.

＊32　Laurie Goodstein, "Evolution Slate Outpolls Rivals," *New York Times*, November 9, 2005, https://www.nytimes.com/2005/11/09/us/evolution-slate-outpolls-rivals.html.

＊33　Ellen Cranley, "These Are the 130 Members of Congress Who Have Doubted or Denied Climate Change," *Business Insider*, April 29, 2019, https://www.businessinsider.com/climate-change-and-republicans-congress-global-warming-2019-2#kentucky-14.

＊34　この動きに合流する共和党議員は他にもいる。Liz Enochs, "Spotted at the Climate Summit: Republican Mayors," *Bloomberg News*, September 19, 2018, https://www.bloomberg.com/news/articles/2018-09-19/the-republican-mayors-who-have-broken-ranks-on-climate.

＊35　Christopher Wolsko et al., "Red, White, and Blue Enough to Be Green: Effects of Moral Framing on Climate Change Attitudes and Conservaation Behaviors," *Journal of Experimental Social Psychology* 65 (2016), https://www.sciencedirect.com/science/article/abs/pii/S0022103116301056.

＊36　Dana Nuccitelli, "Trump Thinks Scientists Are Split on Climate Change. So Do Most Americans," *Guardian*, October 22, 2018, https://www.theguardian.com/environment/climate-consensus-97-per-cent/2018/oct/22/trump-thinks-scientists-are-split-on-climate-change-so-do-most-americans; Dana Nuccitelli, "Research Shows That Facts Can Still Change Conservatives' Minds," *Guardian*, December 14, 2017, https://www.theguardian.com/environment/climate-consensus-97-per-cent/2017/dec/14/research-shows-that-certain-facts-can-still-change-conservatives-minds; Sander van der Linden et al., "Scientific Agreement Can Neutralize Politicization of Facts," *Nature Human Behaviour* 2 (January 2018), https://www.nature.com/articles/s41562-017-0259-2; Sander van der Linden et al., "Gateway Illusion or Cultural Cognition Confusion," *Journal of Science Communication* 16, no. 5 (2017), https://jcom.sissa.it/archive/16/05/JCOM_1605_2017_A04.

＊37　Umair Irfan, "Report: We Have Just 12 Years to Limit Devastating Global Warming," *Vox*, October 8, 2018, https://www.vox.com/2018/10/8/17948832/climate-change-global-warming-un-ipcc-report.

＊38　Matt McGrath, "Climate Change: 12 Years to Save the Planet? Make That 18 Months," *BBC News*, July 24, 2019, https://www.bbc.com/news/science-environment-48964736.

＊39　Sarah Finnie Robinson, "How Do Americans Think about Global Warming?" Boston

University: Institute for Sustainable Energy, August 9, 2018, https://www.bu.edu/ise/2018/08/09/the-51-percent-a-climate-communications-project-to-accelerate-the-transition-to-a-zero-carbon-economy/.

第6章　リベラルによる科学否定？

＊1　新型コロナウイルス感染症のパンデミック、そして物流上の懸念から、共和党は2020年の政策綱領において、人為的な地球温暖化の存在を認めなかった。これは2016年の綱領とまったく同じである。Zoya Teirstein, "The 2020 Republican Platform: Make America 2016 Again," *Grist*, June 17, 2020, https://grist.org/politics/the-2020-republican-platform-make-america-2016-again/.

＊2　Lee McIntyre, *Respecting Truth* (64–71) を参照。

＊3　Matt Keeley, "Only 27% of Republicans Think Climate Change Is a 'Major Threat' to the United States," *Newsweek*, August 2, 2019, https://www.newsweek.com/republicans-climate-change-threat-1452157.

＊4　Cary Funk, "Republicans' Views on Evolution," Pew Research, January 3, 2014, https://www.pewresearch.org/fact-tank/2014/01/03/republican-views-on-evolution-tracking-how-its-changed/.

＊5　マイケル・シャーマーが指摘しているとおり、支持政党による割合の違いはあるにせよ、その数字は、「リベラルは科学を一切否定しない」という考えを断固支持するものではない。科学界のコンセンサスは、気候変動では98%、進化論では97%だが、民主党支持者の16%は気候変動を重大な脅威と捉えず、33%は進化論を疑っているのである。Michael Shermer, "The Liberals' War on Science," *Scientific American*, February 1, 2013, https://www.scientificamerican.com/article/the-liberals-war-on-science/.

＊6　Stephan Lewandowsky, Jan K. Woike, and Klaus Oberauer, "Genesis or Evolution of Gender Differences? Worldview-Based Dilemmas in the Processing of Scientific Information," *Journal of Cognition* 31, no. 1 (2020), https://www.journalofcognition.org/articles/10.5334/joc.99/.

＊7　この仮説は、すでにもっている価値観（あるいは脳内の化学物質）に合う政治的アイデンティティに私たちが自然に引き寄せられることを示す研究と合致する。科学的信念の内容はあらゆるものに代替可能であっても、その信念をもつ人を保守あるいはリベラルに導いた認知的・性格的特徴は代替可能ではないかもしれない。Chris Mooney, *The Republican Brain*, 111–126 を参照。

＊8　以下を参照。Michael Shermer, "The Liberals' War on Science"（本章の注5を参照）; Chris Mooney, "The Science of Why We Don't Believe Science," *Mother Jones*, May/June 2011, https://www.motherjones.com/politics/2011/04/denial-science-chris-mooney/; Keith Kloor, "GMO Opponents Are the Climate Skeptics of the Left," *Slate*, September 26, 2012, https://slate.com/technology/2012/09/are-gmo-foods-safe-opponents-are-skewing-the-science-to-scare-people.html; Jon Stewart, "An Outbreak of Liberal Idiocy," *The Daily Show*, June 2, 2014, http://www.cc.com/video-clips/g1lev1/the-daily-show-with-jon-stewart-an-outbreak-of-liberal-idiocy.

＊9　Shermer, "The Liberals' War on Science."

＊10　Michael Shermer, "Science Denial versus Science Pleasure," *Scientific American*, January 1, 2018, https://www.scientificamerican.com/article/science-denial-versus-science-pleasure/.

＊11　Shermer, "Science Denial versus Science Pleasure."

＊12　Lewandowsky, Woike, and laus Oberauer, "Genesis of Evolution of Gender Differences."

＊13　Stephan Lewandowsky and Klaus Oberauer, "Motivated Rejection of Science," *APS: Current Direction in Psychological Science*, August 10, 2016, https://journals.sagepub.com/doi/abs/10.1177/0963721416654436?journalCode=cdpa.

＊14　Shermer, "The Liberals' War on Science." ここでシャーマーが持ちだしている世論調

査では、民主党支持者の19%が地球温暖化を疑い、41%が「若い地球説」を信じているとあるが、このデータはやや古いものであることに注意。

＊15　だからといって、この問題の興味深さが減じるわけではない。タラ・ヘイルは、たとえ「リベラルによる科学上の戦争」がなかったとしても、左派による科学否定がないとは言い切れないと指摘している。彼女が言うように、「民主党が共和党の狂気に匹敵するほど反科学的かという点が問題なのではない。重要なのは、左派に科学否定主義が存在するかどうかだ」。Tara Haelle, "Democrats Have a Problem with Science Too," *Politico*, June 1, 2014, https://www.politico.com/magazine/story/2014/06/democrats-have-a-problem-with-science-too-107270.

＊16　Mooney, "The Science of Why We Don't Believe Science"; Chris Mooney, "Diagnosing the Republican Brain," *Mother Jones*, March 30, 2012, https://www.motherjones.com/politics/2012/03/chris-mooney-republican-brain-science-denial/; Chris Mooney, "There's No Such Thing as the Liberal War on Science," *Mother Jones*, March 4, 2013, https://www.motherjones.com/politics/2013/03/theres-no-such-thing-liberal-war-science/; Chris Mooney, "If You Distrust Vaccines, You're More Likely to Think NASA Faked the Moon Landings," *Mother Jones*, October 2, 2013, https://www.motherjones.com/environment/2013/10/vaccine-denial-conspiracy-theories-gmos-climate/; Chris Mooney, "Stop Pretending that Liberals Are Just as Anti-Science as Conservatives," *Mother Jones*, September 11, 2014, https://www.motherjones.com/environment/2014/09/left-science-gmo-vaccines/.

＊17　とはいえ、政治によって科学否定を完全に説明できるとする仮説を再考した方がいい、ということはあるかもしれない。Lilliana Mason, "Ideologues without Issues: The Polarizing Consequences of Ideological Identities," *Public Opinion Quarterly*, March 21, 2018, https://academic.oup.com/poq/article/82/S1/866/4951269 を参照。

＊18　たとえそうだとしても、ムーニーが指摘しているとおり、リベラルのなかに反ワクチン派やＧＭＯ反対派が存在することと、そうした主張が民主党の綱領に取り入れられ制度化されること（共和党が気候変動問題で実行したこと）には、やはり程度の差があると言える。

＊19　ムーニーは、こうした支持政党による違いの一部は脳科学で説明できることを示唆している。「政治的保守と政治的リベラルは、心理やパーソナリティという点で、かなり異なっているようだ。この違いは必然的に、両集団の議論や情報処理の方法に影響を及ぼしている」。Mooney, "Diagnosing the Republican Brain." を参照。

＊20　Mooney, "The Science of Why We Don't Believe in Science."

＊21　その一方でムーニーは、アカデミア左派の進化心理学に対する反応を科学否定の好例として挙げている。Chris Mooney, "Liberals Deny Science Too" (*Washington Post*, October 28, 2014), https://www.washingtonpost.com/news/wonk/wp/2014/10/28/liberals-deny-science-too/ を参照。どうやらムーニーは、反ワクチンこそが左派の科学否定の好例だという当初の考えを捨ててしまったようだ。以下を参照。Mooney, "More Polling Data on the Politics of Vaccine Resistance," *Discover Magazine*, April 27, 2011, https://www.discovermagazine.com/the-sciences/more-polling-data-on-the-politics-of-vaccine-resistance; Mooney, "The Biggest Myth about Vaccine Deniers: That They're All a Bunch of Hippie Liberals," *Washington Post*, January 26, 2015, https://www.washingtonpost.com/news/energy-environment/wp/2015/01/26/the-biggest-myth-about-vaccine-deniers-that-theyre-all-a-bunch-of-hippie-liberals/.

＊22　たとえそうは言えなくとも、非常に多くの反ワクチン派がリベラルであるという事実から目をそらしてはならない。

＊23　Jamelle Bouie, "Anti-Science Views Are a Bipartisan Problem," *Slate*, February 4, 2015,

https://slate.com/news-and-politics/2015/02/conservatives-and-liberals-hold-anti-science-views-anti-vaxxers-are-a-bipartisan-problem.html.

＊24　Ross Pomeroy, "Where Conservatives and Liberals Stand on Science," *Real Clear Science*, June 30, 2015, https://www.realclearscience.com/journal_club/2015/07/01/where_conservatives_liberals_stand_on_science.html.

＊25　とはいえ、スティーブン・ルワンドウスキーは、反ワクチンは超党派的なものではなく、政治的右派が主導していると考えているようだ。だが、それでも次の疑問が残る。はたしてリベラルと保守は同じ理由からワクチンに反対するようになったのだろうか？　Lewandowsky, "Genesis or Evolution of Gender Differences? Worldview-Based Dilemmas in the Processing of Scientific Information," *Journal of Cognition* (2020) を参照。反ワクチンが超党派的か否かに関して、反ワクチンの問題はこれまで政治化されてこなかったが、コロナのパンデミック以降、その状況が変わってきているのではないかと私は考えている。

＊26　Joan Conrow, "Anti-vaccine Movement Embraced at Extremes of Political Spectrum, Study Finds," Cornell Allience for Science, June 14, 2018, https://allianceforscience.cornell.edu/blog/2018/06/anti-vaccine-movement-embraced-extremes-political-spectrumstudy-finds/. 反ワクチン派になるのは、ワクチンの安全性に疑問をもっているからなのか、それとも政府による強制接種に反対しているからなのかという疑問について、次の資料では意見が分かれていて興味深い。Charles McCoy, "Anti-vaccination Beliefs Don't Follow the Usual Political Polarization," *The Conversation*, August 23, 2017, https://theconversation.com/anti-vaccination-beliefs-dont-follow-the-usual-political-polarization-81001. 次の資料では、支持政党による意見の違いが見られる。"Polls Show Emerging Ideological Divide over Childhood Vaccinations," *The Hill*, March 14, 2019, https://thehill.com/hilltv/what-americas-thinking/434107-polls-show-emerging-ideological-divide-over-childhood. 面白いのは、リベラルのイデオロギーとしてはじまったものが、（その理由は違えど）保守にとっても魅力的になった可能性があることだ。Arthur Allen, "How the Anti-vaccine Movement Crept into the GOP Mainstream," *Politico*, May 27, 2019, https://www.politico.com/story/2019/05/27/anti-vaccine-republican-mainstream-1344955.

＊27　Charles McCoy, "Anti-vaccination Beliefs," *The Conversation*, August 23, 2017, https://theconversation.com/anti-vaccination-beliefs-dont-follow-the-usual-political-polarization-81001.

＊28　ムーニーは、ルワンドウスキーの研究を通じて、反ワクチン派となる理由がリベラルと保守で異なるかという興味深い疑問を考察している。おそらく、保守は政府が個人の生活に介入してくることに反対し、リベラルは大手製薬会社に不信感を抱いているのだろう。Chris Mooney, "The Biggest Myth about Vaccine Deniers."（本章の注 21 を参照）

＊29　ロックダウンへの抗議集会に、反ワクチン派だけではなく、白人ナショナリストも参加していたことは注目に値しよう。Adam Bloodworth, "What Draws the Far Right and Anti-Vaxxers to Lockdown Protests," *Huffington Post*, May 17, 2020, https://www.huffingtonpost.co.uk/entry/anti-lockdown-protests-far-right-extremist-groups_uk_5ebe761ec5b65715386cb20d.

＊30　Jonathan Berman, *Anti-vaxxers*.

＊31　Roni Caryn Rabin, "What Foods Are Banned in Europe But Not Banned in the US?" *New York Times*, December 28, 2018, https://www.nytimes.com/2018/12/28/well/eat/food-additives-banned-europe-united-states.html.

＊32　Keith Kloor, "GMO Opponents Are the Climate Skeptics of the Left," *Slate*, September 26, 2012, https://slate.com/technology/2012/09/are-gmo-foods-safe-opponents-are-skewing-the-science-to-scare-people.html; Pamela Ronald, "Genetically Engineer Crops—What, How and Why,"

Scientific American, August 11, 2011, https://blogs.scientificamerican.com/guest-blog/genetically-engineered-crops/; Michael Gerson, "Are You Anti-GMO? Then You're Anti-science, Too," *Washington Post*, May 3, 2018, https://www.washingtonpost.com/opinions/are-you-anti-gmo-then-youre-anti-science-too/2018/05/03/cb42c3ba-4ef4-11e8-af46-b1d6dc0d9bfe_story.html; Committee on Genetically Engineered Crops et al., *Genetically Engineered Crops: Experiences and Prospects (2016)* (Washington, DC: The National Academies Press, 2016), https://www.nap.edu/catalog/23395/genetically-engineered-crops-experiences-and-prospects; Ross Pomeroy, "Massive Review Reveals Consensus on GMO Safety," *Real Clear Science*, September 30, 2013, https://www.realclearscience.com/blog/2013/10/massive-review-reveals-consensus-on-gmo-safety.html; Jane E. Brody, "Are G.M.O. Foods Safe?" *New York Times*, April 23, 2018, https://www.nytimes.com/2018/04/23/well/eat/are-gmo-foods-safe.html.

＊33　予防原則では、結論に急いで飛びついてはいけないとされる。その結論が不必要なリスクに結びつくような場合は、特に慎重さが求められる。GMO を避けるという選択は、この原則に大きく依っていると考えられがちだが、おそらくその選択は、食料が比較的安く、簡単に入手できる国に暮らす人々だけに許された贅沢なのだろう。世界各地で何百万という人々が飢餓に苦しんでいるときに、GMO の安全性が「証明」されなければならない（できるわけがないのだが）と強固に主張することは、はたして合理的と言えるだろうか？　思うに、もっとも賢明なのは、リスクのバランスをとることではないか？　つまり、GMO が危険だという証拠がなく、こうしているあいだにも人々が飢えて死んでいるのであれば、「リスク」を冒す価値があるのではないか？　今後 50 年で世界人口は 90 億人を超えるかもしれない。農業技術が向上しなければ、その人口を養うことはとても無理だろう。以下を参照。Mitch Daniels, "Avoiding GMOs Isn't Just Anti-Science. It's Immoral," *Washington Post*, December 27, 2017, https://www.washingtonpost.com/opinions/avoiding-gmos-isnt-just-anti-science-its-immoral/2017/12/27/fc773022-ea83-11e7-b698-91d4e35920a3_story.html; "The World Population Prospects: 2015 Revision," UN Department of Economic and Social Affairs, July 29, 2015, https://www.un.org/en/development/desa/publications/world-population-prospects-2015-revision.html; Mark Lynas, "Time to Call Out the Anti-GMO Conspiracy," April 29, 2013, https://www.marklynas.org/2013/04/time-to-call-out-the-anti-gmo-conspiracy-theory/.

＊34　Joseph E. Uscinski, Karen Douglas, and Stephan Lewandowsky, "Climate Change Conspiracy Theories" には次のような記述がある。「モンサントというバイオテクノロジー企業が有害な作物を利用して農産業を席巻しようとしている、というのが GMO にまつわる典型的な陰謀論である」。*Oxford Research Encyclopedia of Climate Science*, September 26, 2017, https://oxfordre.com/climatescience/view/10.1093/acrefore/9780190228620.001.0001/acrefore-9780190228620-e-328.

＊35　「オーガニック・フェティッシュ」と呼ばれるものが、世界的な人口増加、貧困、飢餓の現実といかに対立するかに関する、説得力のあるすばらしい議論については次を参照。Michael Specter's *Denialism*, chapter 3.

＊36　厳密に言えば、GMO は植物でも動物でもありうることに注意。ここで、遺伝子組み換えについてもう少し明確にしておく必要があるだろう。農業生産者がある特徴をもった植物を好んで栽培することは人為選択として機能し、未来の遺伝子プールに影響を与える。遺伝子組み換えは育種の場で実践されており、接ぎ木などの伝統的な方法や、外部の遺伝子をゲノムに導入する分子生物学的な方法がある。後者は遺伝子を直接組み換えていることになる。Sheldon Krimsky, *GMOs Decoded*, xxi を参照。

＊37　Shahla Wunderlich and Kelsey G. Gatto, "Consumer Perception of Genetically Modified Organisms and Sources of Information," *Advances in Nutrition*, November 10, 2015, https://www.

ncbi.nlm.nih.gov/pmc/articles/PMC4642419/.

＊38　なにを「遺伝子組み換え」と考えるかにもよるだろう。選抜育種（人為選択）は含まれるか？　接ぎ木は？　交雑は？　遺伝子編集は？　以下を参照のこと。Keith Weller, "What You Need to Know about Genetically Modified Organisms," *IFL Science*, accessed September 1, 2020, https://www.iflscience.com/environment/myths-and-controversies-gmos-0/; Laura Parker, "The GMO Labeling Battle Is Heating Up—Here's Why," *National Geographic*, January 12, 2014, https://www.nationalgeographic.com/news/2014/1/140111-genetically-modified-organisms-gmo-food-label-cheerios-nutrition-science/#close; Elizabeth Weise, "Q&A: What You Need to Know about Genetically Engineered Foods," *USA Today*, November 19, 2015, https://www.usatoday.com/story/news/2015/11/19/what-you-need-know-genetically-engineered-foods/76059166/.

＊39　Weller, "What You Need to Know."

＊40　Anastasia Bodnar, "The Scary Truth behind Fear of GMOs," *Biology Fortified*, February 27, 2018, https://biofortified.org/2018/02/scary-truth-gmo-fear/.

＊41　Shahla Wunderlilch and Kelsey A. Gatto, "Consumer Perception of Genetically Modified Organisms and Sources of Information," *Advances in Nutrition* 6, no. 6 (2015), https://www.ncbi.nlm.nih.gov/pmc/articles/PMC4642419/.

＊42　Michael Shermer, "Are Paleo Diets More Natural Than GMOs?" *Scientific American*, April 1, 2015, https://www.scientificamerican.com/article/are-paleo-diets-more-natural-than-gmos/.

＊43　Weller, "What You Need to Know."

＊44　Weller, "What You Need to Know"; Lynas, "Time to Call Out the Anti-GMO Conspiracy." さまざまな点でGMOに疑問を投げかけている環境系の非営利団体には、他にも「フレンズ・オブ・ジ・アース」や「憂慮する科学者同盟」などがある。Friends of the Earth, https://foe.org/news/2015-02-are-gmos-safe-no-consensus-in-the-science-scientists/; Doug Gurian-Sherman, "Do We Need GMOs?" Union of Concerned Scientists, November 23, 2015, https://blog.ucsusa.org/doug-gurian-sherman/do-we-need-gmos-322; Keith Kloor, "On Double Standards and the Union of Concerned Scientists," *Discovery Magazine*, August 22, 2014, https://www.discovermagazine.com/environment/on-double-standards-and-the-union-of-concerned-scientists.

＊45　Patricia Cohen, "Roundup Weedkiller Is Blamed for Cancers, but Farmers Say It's Not Going Away," *New York Times*, September 20, 2019, https://www.nytimes.com/2019/09/20/business/bayer-roundup.html; Hilary Brueck, "The EPA Says a Chemical in Monsanto's Weed Killer Doesn't Cause Cancer—but There's Compelling Evidence That the Agency Is Wrong," *Business Insider*, June 17, 2019, https://www.businessinsider.com/glyphosate-cancer-dangers-roundup-epa-2019-5.

＊46　モンサント社のビジネスのやり方には、多くの環境活動家が反対を表明している。抗議の対象には、たとえば、子孫を残さないように遺伝子組み換えされた種子があるが、この種子によって、農家は毎年（除草剤とともに）種子を買い直すことを余儀なくされている。Mark Lynas, *Seeds of Science*, 110を参照。

＊47　Weller, "What You Need to Know."

＊48　Lynas, "Time to Call Out the Anti-GMO Conspiracy."

＊49　Weller, "What You Need to Know"; Gerson, "Are You Anti-GMO?"

＊50　"Statement by the AAAS Board of Directors on the Labeling of Genetically Modified Foods," American Association for the Advancement of Science, https://www.aaas.org/sites/default/files/AAAS_GM_statement.pdf.

＊51　とはいえ、なにをGMOとみなすかは地域によって異なる。米国農務省は、遺伝子編集は作物育種の一種で、遺伝子組み換えにはあたらないという見解を表明して

いる。一方、ヨーロッパでは、確実に遺伝子組み換えとみなされる。Emma Sarappo, "The Less People Understand Science, The More Afraid of GMOs They Are," *Pacific Standard*, November 19, 2018, https://psmag.com/news/the-less-people-understand-science-the-more-afraid-of-gmos-they-are; Wunderlich and Gatto, "Consumer Perception of Genetically Modified Organisms and Sources of Information."

＊52　アメリカでは、食品に「GMO フリー」と表示することは禁止されている。というのも、原材料に少量の GMO が使われていたとしても、それを検出するのは不可能であり、連邦政府が定めた最低基準も存在しないからだ。非営利団体の「NON-GMO プロジェクト」による「NON-GMO プロジェクト認証」という表示は、その製品に含まれている GMO が 0.9%未満であることを示している。これはヨーロッパと同じ基準だ。Wunderlich and Gatto, "Consumer Perception of Genetically Modified Organisms and Sources of Information."

＊53　Roberto A. Ferdman, "Why We're So Scared of GMOs, According to Someone Who Has Studied Them Since the Start," *Washington Post*, July 6, 2015, https://www.washingtonpost.com/news/wonk/wp/2015/07/06/why-people-are-so-scared-of-gmos-according-to-someone-who-has-studied-the-fear-since-the-start/.

＊54　Brian Kennedy et al., "Americans Are Narrowly Divided over Health Effects of Genetically Modified Foods," Pew Research, November 19, 2018, https://www.pewresearch.org/fact-tank/2018/11/19/americans-are-narrowly-divided-over-health-effects-of-genetically-modified-foods/. こうした状態は、その 2 年後も変わっていない。Cary Funk, "About Half of U.S. Adults Are Wary of Health Effects of Genetically Modified Foods, but Many Also See Advantages," Pew Research, March 18, 2020, https://www.pewresearch.org/fact-tank/2020/03/18/about-half-of-u-s-adults-are-wary-of-health-effects-of-genetically-modified-foods-but-many-also-see-advantages/.

＊55　Brad Plumer, "Poll: Scientists Overwhelmingly Think GMOS Are Safe to Eat. The Public Doesn't," *Vox*, January 29, 2015, https://www.vox.com/2015/1/29/7947695/gmos-safety-poll; "Public and Scientists' Views on Science and Society," Pew Research Center, January 29, 2015, https://www.pewresearch.org/science/2015/01/29/public-and-scientists-views-on-science-and-society/#Chapter_3:_Attitudes. 他の 2 つの調査結果も注目に値する。2013 年には、54% が GMO 食品についてほとんどなにも知らないと答え、25%が聞いたことすらないと答えた。2016 年には、79%が GMO 食品は危険だと答えた。William K. Hallman et al., "Public Perceptions of Labeling Genetically Modified Foods," Rutgers Working Paper, November 1, 2013, http://humeco.rutgers.edu/documents_PDF/news/GMlabelingperceptions.pdf; Anastasia Bodnar, "The Scary Truth behind Fear of GMOs," *Biology Fortified*, February 27, 2018, https://biofortified.org/2018/02/scary-truth-gmo-fear/.

＊56　Quotation from Shawn Otto, *The War on Science: Who's Waging It, Why It Matters, What We Can Do about It* (Minneapolis: Milkweed, 2016), 135.

＊57　差は 37 ポイントだった。"Public and Scientists' Views on Science and Society," Pew Research, https://www.pewresearch.org/science/2015/01/29/public-and-scientists-views-on-science-and-society/.

＊58　「自然のもの」はすべてよく、「自然ではないもの」はすべて悪いにちがいない、という思い込みが一部にあるようだ。もちろんこれは誤りである。たとえば、ホルムアルデヒドは自然の状態であっても牛乳、肉、農産物に含まれており、私たちの体内で生成、代謝される発がん性物質として知られている。それ以外の仮説としては、① GMO が有害だと考えるのは「実際に理にかなっている」、② GMO はなんらかのかたちで、私たちの「道徳的」感性を傷つけ「嫌悪感」を引き起こす、というものがある。Sarappo, "The Less People Understand Science the More Afraid of GMOs They Are"; Roberto

Ferdman, "Why We're So Scared of GMOs," *Washington Post*, July 6, 2015, https://www.washingtonpost.com/news/wonk/wp/2015/07/06/why-people-are-so-scared-of-gmos-according-to-someone-who-has-studied-the-fear-since-the-start/; Shermer, "Are Paleo Diets More Natural Than GMOs?"; Jesse Singal, "Why Many GMO Opponents Will Never Be Convinced Otherwise," *The Cut*, May 24, 2016, https://www.thecut.com/2016/05/why-many-gmo-opponents-will-never-be-convinced-otherwise.html; Stefaan Blancke, "Why People Oppose GMOs Even Though Science Says They Are Safe," *Scientific American*, August 18, 2015, https://www.scientificamerican.com/article/why-people-oppose-gmos-even-though-science-says-they-are-safe.

＊59　Sarappo, "The Less People Understand Science the More Afraid of GMOs They Are"; John Timmer, "On GMO Safety, the Fiercest Opponents Understand the Least," *Ars Technica*, January 15, 2019, https://arstechnica.com/science/2019/01/on-gmo-safety-the-fiercest-opponents-understand-the-least/.

＊60　同研究からは、アメリカ人の33%が「GMOではないトマトには遺伝子がまったく含まれていない」と考えているという結果も出ている。Ilya Somin, "New Study Confirms That 80 Percent of Americans Support Labeling of Foods Containing DNA," *Washington Post*, March 27, 2016, https://www.washingtonpost.com/news/volokh-conspiracy/wp/2016/05/27/new-study-confirms-that-80-percent-of-americans-support-mandatory-labeling-of-foods-containing-dna/.

＊61　Sarappo, "The Less People Understand Science the More Afraid of GMOs They Are."

＊62　Gilles-Éric Séralini et al., "RETRACTED: Long-Term Toxicity of a Roundup Herbicide and Roundup-Tolerant Modified Maize," *Food and Chemical Toxicology* 50, no. 11 (November 2012): 4221–4231.

＊63　Weller, "What You Need To Know." セラリーニの研究でもうひとつ問題だったのは、彼が記者たちに秘密保持を約束させ、彼の研究結果を記事にする前に他の科学者に意見を求めるのを禁じたことだ。これは科学ではきわめて異例のことである。Kloor, "GMO Opponents Are the Climate Skeptics of the Left." アンドルー・ウェイクフィールドのワクチンと自閉症に関する疑わしい研究と同様、セラリーニの研究は依然として出まわっており（撤回後に別の媒体で発表された）、GMOの安全性を否定する科学的証拠としてしばしば引用されている。Lynas, *Seeds of Science*, 236–237.

＊64　Lynas, "Time to Call Out the Anti-GMO Conspiracy."

＊65　Lynas, *Seeds of Science*. ちなみに、ビル・ナイ（『ザ・サイエンス・ガイ』に出演していた教育者）もGMOに対する態度を変えている。Ross Pomeroy, "Why Bill Nye Changed His Mind on GMOs," *Real Clear Science*, October 16, 2016, https://www.realclearscience.com/blog/2016/10/why_bill_nye_changed_his_mind_on_gmos_109763.html.

＊66　Lynas, *Seeds of Science*, 44.

＊67　"Mark Lynas on His Conversion to Supporting GMOs—Oxford Lecture on Farming," YouTube, January 22, 2013, https://www.youtube.com/watch?v=vf86QYf4Suo.

＊68　Lynas, *Seeds of Science*, 251–252.

＊69　Jonathan Haidt, *The Righteous Mind*, 59.

＊70　Lynas, *Seeds of Science*, 248.

＊71　「多くの専門家が当初抱いた組み換えDNAへの恐怖がおそらく杞憂だったと科学コミュニティが気づきはじめたそのときに、環境保護運動がその立ち位置を確固たるものにし、強硬に反対するようになったのは皮肉なことだった」。Lynas, *Seeds of Science*, 172.

＊72　Lynas, *Seeds of Science*, 183.

＊73　Lynas, *Seeds of Science*, 191.

＊74　Lynas, *Seeds of Science*, 188.

＊75　タバコ会社や石油会社がおこなった科学否定キャンペーンを思い出させるが、反GMOキャンペーンの場合は、明らかに反企業的な性格を有している点で異なっている。

＊76　Lynas, *Seeds of Science*, 237.

＊77　Lynas, *Seeds of Science*, 211.

＊78　Lynas, *Seeds of Science*, 189.

＊79　Lynas, *Seeds of Science*, 257.

＊80　Lynas, *Seeds of Science*, 266–269.

＊81　Lynas, "Time to Call Out the Anti-GMO Conspiracy."

＊82　Lynas, "Time to Call Out the Anti-GMO Conspiracy." これに関連して、南アフリカ共和国のタボ・ムベキ大統領（当時）が、エイズは欧米の策略だとして問題を放置し、30万人以上の死者を出した話も忘れてはならないだろう。本書第8章および以下を参照。Michael Specter, *Denialism*, 184; Henri E. Cauvin, "Zambian Leader Defends Ban on Genetically Altered Foods," *New York Times*, September 4, 2002, https://www.nytimes.com/2002/09/04/world/zambian-leader-defends-ban-on-genetically-altered-foods.html.

＊83　GMOに対する懸念として理にかなったものもある。たとえば、除草剤への耐性をもったスーパーウィードの進化、花粉汚染（生物多様性の低下につながる）、新しいアレルゲンの出現、収穫後も長く土壌に残存する農薬、抗生物質に対する耐性化などだ。これらはたしかに問題で、科学者も取り組みを開始している。だがその一方で、GMOを食べるのが危険であることを示した科学研究は存在しない。どんな新技術にも潜在的なリスクはある。ワクチンで見たように、リスクは低くてもゼロではないのだ。よって結論は、科学的証拠に基づいてリスクのバランスをとるか、否定論者の疑いに歩調を合わせるかのどちらかということになる。

＊84　以下に紹介されている、陰謀論と科学否定のつながりに関するルワンドウスキーの仕事を参照。Mark Lynas, "Time to Call Out the Anti-GMO Conspiracy"; https://en.wikipedia.org/wiki/GMO_conspiracy_theories; Ross Pomeroy, "Why Bill Nye Changed His Mind."

＊85　Greenpeace, "Twenty Years of Failure: Why GM Crops Have Failed to Deliver on Their Promises," November 2015, https://storage.googleapis.com/planet4-international-stateless/2015/11/7cc5259f-twenty-years-of-failure.pdf; Lynas, *Seeds of Science*, 264.

＊86　Joseph E. Uscinki et al., "Climate Change Conspiracy Theories," in *Climate Science*, https://oxfordre.com/climatescience/view/10.1093/acrefore/9780190228620.001.0001/acrefore-9780190228620-e-328.

＊87　Lynas, "Time to Call Out the Anti-GMO Conspiracy."

＊88　Ivan Oransky, "Controversial Seralini GMO-Rats Paper to Be Retracted," *Retraction Watch*, November 28, 2013, https://retractionwatch.com/2013/11/28/controversial-seralini-gmo-rats-paper-to-be-retracted/.

＊89　Steven Novella, "Golden Rice Finally Released in Bangladesh," *Neurologica* (blog), March 8, 2019, https://theness.com/neurologicablog/index.php/golden-rice-finally-released-in-bangladesh/.

＊90　Sheldon Krimsky, *GMOs Decoded: A Skeptic's View of Genetically Modified Foods* (Cambridge, MA: MIT Press, 2019).

＊91　Krimsky, *GMOs Decoded*, xviii.

＊92　たとえば、自然栽培のジャガイモのなかには、グリコアルカロイド含有量が多く有害なものがある。Krimsky, *GMOs Decoded*, 73, 107.

＊93　Krimsky, *GMOs Decoded*, 74–75.

＊94　Kriimsky, *GMOs Decoded*, 75.

＊95　Krimsky, *GMOs Decoded*, 79.

＊96　（GMO に対する）12%の不支持と（気候変動に対する）1%の不支持は同じではないことに注意。科学的コンセンサスに関して問題となるのは、世間との知識格差だけではない。科学者の 12%が GMO の安全性に疑念をもっている状態で、はたしてコンセンサスがあると本当に言えるのか、ということも当然考慮すべきだろう。とはいえ、ここでも許されるのはやはり懐疑のみであって、否定論の出る幕はない。

＊97　H. J. Mai, "U.N. Warns Number of People Starving to Death Could Double Amid Pandemic," *NPR*, May 5, 2020, https://www.npr.org/sections/coronavirus-live-updates/2020/05/05/850470436/u-n-warns-number-of-people-starving-to-death-could-double-amid-pandemic.

＊98　Krimsky, *GMOs Decoded*, 124, 149.

＊99　Krimsky, *GMOs Decoded*, 87.

＊100　McIntyre, *The Scientific Attitude*, 29–34 を参照。

＊101　「コンセンサスがある」と言うためには、かならずしも 100%の同意が必要ではないことに注意。Lynas, *Seeds of Science*, 260.

＊102　Krimsky, *GMOs Decoded*, 104.

＊103　Krimsky, *GMOs Decoded*, 115. ワクチンに含まれるチメロサールが自閉症を引き起こしたかに関しても、同様の比較研究がある（チメロサールは、アメリカよりも先にヨーロッパで禁止されていた）。この種の研究は、ワクチンが自閉症の原因であるとする主張を退ける決定的な証拠とされている。

第７章　信頼と対話

＊1　ホールフーズが GMO 製品を完全に排除していると考えている人は多いが、それは正しくない。それどころか、現時点では表示義務すら課していない。2013 年、ホールフーズは 5 年以内にすべての GMO 製品に表示義務を課すと発表したが、2018 年にはその予定をこっそりと棚上げし、新たな目標期日も発表しなかった。H. Claire Brown and Joe Fassler, "Whole Foods Quietly Pauses Its GMO Labeling Requirements," *The Counter*, May 21, 2018, https://thecounter.org/whole-foods-gmo-labeling-requirements/. ホームページによると、今のところ、「オーガニック」や「NON-GMO」と表示された製品に関しては、間違いなく GMO は含まれていないという。"GMO Labeling," Whole Foods Market, accessed September 1, 2020, https://www.wholefoodsmarket.com/quality-standards/gmo-labeling. もちろん、これではなんの表示もない製品に GMO が含まれているか否かはわからない。ホールフーズは、「NON-GMO」表示のある製品をできるだけ増やす努力をしているようだが、それ以外の製品、特に袋入りの加工食品などには GMO が含まれている可能性があるようだ。Adam Campbell-Schmitt, "Whole Foods Pauses GMO Labeling Deadline for Suppliers," *Food and Wine*, May 22, 2018, https://www.foodandwine.com/news/whole-foods-gmo-labeling-policy.

＊2　Michael Schulson, "Whole Foods: America's Temple of Pseudoscience," *Daily Beast*, May 20, 2019, https://www.thedailybeast.com/whole-foods-americas-temple-of-pseudoscience.

＊3　Michael Shermer, "The Liberals' War on Science," *Scientific American*, Feburary 1, 2013, https://www.scientificamerican.com/article/the-liberals-war-on-science/.

＊4　翌週に電話をして改めて聞いてみた。彼女の答えは、これは難しい問題だが、GMO 産業を支援せずに他の方法で食品に栄養素を添加することはできないのか、というものだった。

＊5　私もグルテンの話に興味をもったので少し調べてみた。その結果、小麦農家の約 5%が収穫直前にラウンドアップを使い、小麦の茎を枯らして乾燥させ、収穫しやすくしていることがわかった。この収穫方法のリスクの有無については以下を参照。

David Mikkelson and Alex Kasprak, "The Real Reason Wheat Is Toxic," *Snopes*, December 25, 2014 (updated July 26, 2017), https://www.snopes.com/fact-check/wheat-toxic/.

＊6　その2回目の電話で、リンダは、自分のなかにある「食の安全性」に対する懸念と「環境」に対する懸念はつながっていると告白した。土を汚染してしまえば、未来の食料供給にも害をおよぼす可能性があるのではないか、というのだ。彼女はまた、GMO の安全性に関する科学的コンセンサスは、こうした下流の影響についてはあまり考慮に入れていないとも言った。

＊7　植林は、気候変動の影響軽減に特に有効だという。Mark Tutton, "The Most Effective Way to Tackle Climate Change? Plant 1 Trillion Trees," *CNN*, April 17, 2019, https://www.cnn.com/2019/04/17/world/trillion-trees-climate-change-intl-scn/index.html.

＊8　そういう筋の映画もあるが（『アイ・アム・レジェンド』）、テッドは見ていないそうだ。

＊9　そしてもちろん、懐疑の根拠としてでっちあげの証拠に頼ること、あるいは懸念の根拠となる証拠がまったくないことも、否認主義に含まれる。

＊10　Stephan Lewandowsky, Jan K. Woke, and Klaus Oberauer, "Genesis or Evolution of Gender Differences," *Journal of Cognition* 31, no. 1 (2020): 1–25, https://www.journalofcognition.org/articles/10.5334/joc.99/.

＊11　Stephan Lewandowsky and Klaus Oberauer, "Motivated Rejection of Science," *Current Directions in Psychological Science* 25, no. 4 (2016): 217–222.

＊12　Lawrence Hamilton, "Conservative and Liberal Views of Science," *Carsey Research Regional Issue Brief* 45 (Summer 2015).

＊13　ハミルトンは「これらの質問に関するリベラルと保守の差は、24ポイント（原発）から55ポイント（気候変動）の範囲だったが、傾向は常に同じだった」と書いている。つまり、リベラルが保守よりも科学者を信じていない分野はなかったのである。

＊14　Brian Kennedy and Cary Funk, "Many Americans Are Skeptical about Scientific Research on Climate and GM Foods," Pew Research, December 5, 2016, https://www.pewresearch.org/fact-tank/2016/12/05/many-americans-are-skeptical-about-scientific-research-on-climate-and-gm-foods/.

＊15　支持政党間で差が見られなかった世論調査の結果を踏まえると、反ワクチンも反 GMO も、リベラルによる科学否定という重責を務められるようには思えない。だが、だからといって、科学トピックに対するリベラルの見解に問題がないわけではない。またここで興味深いのは、反ワクチンと反 GMO はどちらもリベラルからはじまって、保守にも広がったという点である。以下を参照。Langer (2001) cited in Joseph E. Uscinski, Karen Douglas, and Stephan Lewandowsky, "Climate Change Conspiracy Theories," *Climate Science*, September 26, 2017, https://oxfordre.com/climatescience/view/10.1093/acrefore/9780190228620.001.0001/acrefore-9780190228620-e-328.

＊16　Stephan Lewandowsky, G. E. Gignac, and K. Oberauer, "The Role of Conspiracist Ideation and Worldviews in Predicting Rejection of Science," *PLoS ONE* 10, no. 8 (2015), https://journals.plos.org/plosone/article?id=10.1371/journal.pone.0075637.

＊17　Lewandowsky, Gignac, and Oberauer, "The Role of Conspiracist Ideation and Worldviews." 反ワクチンについては、Lewandowsky et al., "Conspiracist Ideation" も参照。

＊18　この問題を分析する方法としては、こちらのアプローチの方が、支持政党別に特定の科学的コンセンサスの賛否を数えるというハミルトンのやり方よりも優れているように思える。GMO を否定するリベラルが保守よりも多かったとして、そのこと自体で、反 GMO はリベラルによる科学否定の事例だと言ってしまっていいだろう

か？　おそらくそうではないだろう。ルワンドウスキーの研究が示しているように、支持政党というラベルの背後にあるイデオロギーも考慮に入れる必要があるからだ。

＊19　Lewandowsky, Gignac, and Oberauer, "The Role of Conspiracist Ideation and Worldviews."

＊20　Charles McCoy, "Anti-vaccination Beliefs Don't Follow the Usual Political Polarization," *The Conversation*, August 23, 2017, https://theconversation.com/anti-vaccination-beliefs-dont-follow-the-usual-political-polarization-81001; Joan Conrow, "Anti-vaccine Movement Embraced at Extremes of Political Spectrum, Study Finds," Cornell Alliance for Science, June 14, 2018, https://allianceforscience.cornell.edu/blog/2018/06/anti-vaccine-movement-embraced-extremes-political-spectrumstudy-finds/; Matthew Sheffield, "Polls Show Emerging Ideological Divide Over Childhood Vaccinations," *The Hill*, March 14, 2019, https://thehill.com/hilltv/what-americas-thinking/434107-polls-show-emerging-ideological-divide-over-childhood.

＊21　反ワクチン派が反政府イデオロギーと反製薬会社イデオロギーに分かれていたことを考えれば、これが真実だと考える理由はある。GMOの場合は、反政府と反企業という構図になると予想され、かなり似た状態だと言えよう。以下を参照。Dan Kahan, "We Aren't Polarized on GM Foods—No Matter What the Result in Washington State," Cultural Cognition Project, November 5, 2013, http://www.culturalcognition.net/blog/2013/11/5/we-arent-polarized-on-gm-foods-no-matter-what-the-result-in.html; Dan Kahan, "Trust in Science & Perceptions of GM Food Risks—Does the GSS Have Something to Say on This?" Cultural Cognition Project, March 16, 2017, http://www.culturalcognition.net/blog/2017/3/16/trust-in-science-perceptions-of-gm-food-risks-does-the-gss-h.html.

＊22　Lewandowsky and Oberauer, "Motivated Rejection of Science."

＊23　以下を参照。Chris Mooney's discussion of evolutionary psychology in "Liberals Deny Science, Too," *Washington Post*, October 28, 2014, https://www.washingtonpost.com/news/wonk/wp/2014/10/28/liberals-deny-science-too/; Michael Shermer's "Science Denial versus Science Pleasure," *Scientific American*, January 1, 2018, https://www.scientificamerican.com/article/science-denial-versus-science-pleasure/andSherman, "The Liberals' War on Science."

＊24　Uscinki et al., "Climate Change Conspiracy Theories."

＊25　だとすれば、すべての科学否定は右派のものになるのだろうか？　そうではない。GMO否定が左派のものだとする十分な証拠が見つからないからといって、それを即座に右派に押しつけることはできない。実際、GMO否定が左派由来ではないことを示すのにルワンドウスキーが利用したのとまったく同じ証拠を、それが右派由来ではないことを示すために使うこともできる。「相関がない」ということは、どちらにもあてはまるのである。

＊26　Lewandowsky et al., "The Role of Conspiracist Ideation."

＊27　アンソニー・ウォッシュバーンとリンダ・スキトゥカが2017年に発表した重要な研究では、まさにこの疑問が検討され、科学の結果と既存の信念が対立する場合、リベラルも保守も、動機づけられた推論を使用する可能性が同じように高くなることが確認された。Anthony N. Washburn and Linda J. Skitka, "Science Denial Across the Political Divide: Liberals and Conservatives and Similarly Motivated to Deny Attitude-Inconsistent Science," *Social Psychology and Personality Science* 9, no. 9 (2018), https://lskitka.people.uic.edu/WashburnSkitka2017_SPPS.pdf.

＊28　Tara Haelle, "Democrats Have a Problem with Science, Too," *Politico*, June 1 2014, https://www.politico.com/magazine/story/2014/06/democrats-have-a-problem-with-science-too-107270; Eric Armstrong, "Are Democrats the Party of Science? Not Really," *New Republic*, January 10, 2017, https://newrepublic.com/article/139700/democrats-party-science-not-really.

＊29　Donnelle Eller, "Anti-GMO Articles Tied to Russian Sites, ISU Research Shows," *Des Moines*

Register, February 25, 2018, https://www.desmoinesregister.com/story/money/agriculture/2018/02/25/russia-seeks-influence-usa-opinion-gmos-iowa-state-research/308338002/; Justin Cremer, "Russia Uses 'Information Warfare' to Portray GMOs Negatively," Cornell Alliance for Science, February 28, 2018, https://allianceforscience.cornell.edu/blog/2018/02/russia-uses-information-warfare-portray-gmos-negatively/. ニューヨーク・タイムズ紙によると、ロシア政府は、1980年代のエイズ危機から、エボラ出血熱を経て、今日のコロナ禍の原因をめぐる大量の陰謀論に至るまで、科学否定のプロパガンダを拡散してきたという。William J. Broad, "Putin's Long War Against American Science," *New York Times*, April 13, 2020, https://www.nytimes.com/2020/04/13/science/putin-russia-disinformation-health-coronavirus.html; Julian E. Barnes and David E. Sanger, "Russian Intelligence Agencies Push Disinformation on Pandemic," *New York Times*, July 28, 2020, https://www.nytimes.com/2020/07/28/us/politics/russia-disinformation-coronavirus.html. ロシアのプロパガンダ活動に関する詳細については、第8章を参照。

第8章　新型コロナウイルスと私たちのこれから

＊1　Sarah Boseley, "Mbeki AIDS Denial 'Caused 300,000 Deaths,' " *Guardian*, November 26, 2008, https://www.theguardian.com/world/2008/nov/26/aids-south-africa.

＊2　疫学者によると、新型コロナによるアメリカの死者の90%は、トランプ政権による3月2日から16日にかけての対策の遅れが原因だと推定されるという。Eugene Jarecki, "Trump's Covid-19 Inaction Killed Americans. Here's a Counter that Shows How Many," *Washington Post*, May 6, 2020, https://www.washingtonpost.com/outlook/2020/05/06/trump-covid-death-counter/.

＊3　Joseph Uscinski et al., "Why Do People Believe COVID-19 Conspiracy Theories?," *Misinformation Review*, April 28, 2020, https://misinforeview.hks.harvard.edu/article/why-do-people-believe-covid-19-conspiracy-theories/.

＊4　Stephan Lewandowsky and John Cook, "Coronavirus Conspiracy Theories Are Dangerous—Here's How to Stop Them Spreading," *The Conversation*, April 20, 2020, https://theconversation.com/coronavirus-conspiracy-theories-are-dangerous-heres-how-to-stop-them-spreading-136564; Adam Satariano and Davey Alba, "Burning Cell Towers, Out of Baseless Fear They Spread the Virus," *New York Times*, April 10, 2020, https://www.nytimes.com/2020/04/10/technology/coronavirus-5g-uk.html; Travis M. Andrews, "Why Dangerous Conspiracy Theories about the Virus Spread So Fast—and How They Can Be Stopped," *Washington Post*, May 1, 2020, https://www.washingtonpost.com/technology/2020/05/01/5g-conspiracy-theory-coronavirus-misinformation/.

＊5　Matthew Rozsa, "We Asked Experts to Respond to the Most Common COVID-19 Conspiracy Theories and Misinformation," *Salon*, July 18, 2020, https://www.salon.com/2020/07/18/we-asked-experts-to-respond-to-the-most-common-covid-19-conspiracy-theories/; Quassim Cassam, "Covid Conspiracies," *ABC Saturday Extra*, May 16, 2020, https://www.abc.net.au/radionational/programs/saturdayextra/covid-conspiracies/12252406.

＊6　William J. Broad and Dan Levin, "Trump Muses about Light as Remedy, but Also Disinfectant, Which Is Dangerous," *New York Times*, April 24, 2020, https://www.nytimes.com/2020/04/24/health/sunlight-coronavirus-trump.html.

＊7　Mayla Gabriela Silva Borba et al., "Chloroquine Diphosphate in Two Different Dosages As Adjunctive Therapy of Hospitalized Patients with Severe Respiratory Syndrome in the Context of Coronavirus (SARS-CoV-2) infection: Preliminary Safety Results of a Randomized, Double-Blinded, Phase IIb Clinical Trial (CloroCovid-19 Study)," *medRxiv* (preprint), April 7, 2020, https://www.medrxiv.org/content/10.1101/2020.04.07.20056424v2; Christian Funke-Brentano et al.,

"Retraction and Republication: Cardiac Toxicity of Hydroxychloroquine in COVID-19," *Lancet*, July 9, 2020, https://www.ncbi.nlm.nih.gov/pmc/articles/PMC7347305/; Katie Thomas and Knvul Sheikh, "Small Chloroquine Study Halted over Risk of Fatal Heart Complications," *New York Times*, April 12, 2020, https://www.nytimes.com/2020/04/12/health/chloroquine-coronavirus-trump.html; Elyse Samuels and Meg Kelly, "How False Hope Spread about Hydroxychloroquine to Treat COVID-19—and the Consequences That Followed," *Washington Post*, April 13, 2020, https://www.washingtonpost.com/politics/2020/04/13/how-false-hope-spread-about-hydroxychloroquine-its-consequences/; Paul Farhi and Elahe Izadi, "Fox News Goes Mum on the COVID-19 Drug They Spent Weeks Promoting," *Washington Post*, April 23, 2020, https://www.washingtonpost.com/lifestyle/media/fox-news-hosts-go-mum-on-hydroxychloroquine-the-covid-19-drug-they-spent-weeks-promoting/2020/04/22/eeaf90c2-84ac-11ea-ae26-989cfce1c7c7_story.html.

＊8　Dickens Olewe, "Stella Immanuel—the Doctor behind Unproven Coronavirus Cure Claim," *BBC News*, July 29, 2020, https://www.bbc.com/news/world-africa-53579773.

＊9　Margaret Sullivan, "This Was the Week America Lost the War on Misinformation," *Washington Post*, July 30, 2020, https://www.washingtonpost.com/lifestyle/media/this-was-the-week-america-lost-the-war-on-misinformation/2020/07/30/d8359e2e-d257-11ea-9038-af089b63ac21_story.html.

＊10　Stephen Collinson, "Trump Seeks a 'Miracle' as Virus Fears Mount," *CNN*, February 28, 2020, https://www.cnn.com/2020/02/28/politics/donald-trump-coronavirus-miracle-stock-markets/index.html.

＊11　これを理解するには次のアナロジーが役に立つかもしれない。前よりも多くの魚を捕まえられた理由が、網の数を増やしたことだけなのであれば、たとえ捕まえた魚の総数が増えていても、それぞれの網に入る魚の数は増えていないことになる。だが、コロナの場合は、網（検査）の数も増えつつ、網に入る魚（陽性者）の数も増えているのである。

＊12　右派メディアは新型コロナに関する誤情報をばらまくうえでも重要な役割を果たしている。ハーバード・ケネディ・スクールの研究によると、FOXニュースの視聴者は、コロナの脅威を軽視する傾向にあった。FOXニュースの司会者がそうなるように発信しているからだ。Margaret Sullivan, "The Data Is In: Fox News May Have Kept Millions from Taking the Coronavirus Threat Seriously," *Washington Post*, June 28, 2020, https://www.washingtonpost.com/lifestyle/media/the-data-is-in-fox-news-may-have-kept-millions-from-taking-the-coronavirus-threat-seriously/2020/06/26/60d88aa2-b7c3-11ea-a8da-693df3d7674astory.html. さらに詳細に分析したところ、FOXニュースの特定の番組と、新型コロナの感染者数、死者数のあいだに相関があることも判明したという。Zack Beauchamp, "A Disturbing New Study Suggests Sean Hannity's Show Helped Spread the Coronavirus," *Vox*, April 22, 2020, https://www.vox.com/policy-and-politics/2020/4/22/21229360/coronavirus-covid-19-fox-news-sean-hannity-misinformation-death.

＊13　Dan Diamond and Nahal Toosi, "Trump Team Failed to Follow NSC's Pandemic Playbook," *Politico*, March 25, 2020, https://www.politico.com/news/2020/03/25/trump-coronavirus-national-security-council-149285.

＊14　Sharon LaFraniere et al., "Scientists Worry About Political Influence over Coronavirus Vaccine Project," *New York Times*, August 2, 2020, https://www.nytimes.com/2020/08/02/us/politics/coronavirus-vaccine.html.

＊15　Nicholas Bogel-Burroughs, "Antivaccination Activists Are Growing Force at Virus Protests," *New York Times*, May 2, 2020, https://www.nytimes.com/2020/05/02/us/anti-vaxxers-coronavirus-protests.html.

＊16　Liz Szabo, "The Anti-vaccine and Anti-lockdown Movements Are Converging, Refusing to

Be 'Enslaved,'" *Los Angeles Times*, April 24, 2020, https://www.latimes.com/california/story/2020-04-24/anti-vaccine-activists-latch-onto-coronavirus-to-bolster-their-movement.

* 17 Emma Reynolds, "Some Anti-vaxxers Are Changing Their Minds because of the Coronavirus Pandemic," *CNN*, April 20, 2020, https://www.cnn.com/2020/04/20/health/anti-vaxxers-coronavirus-intl/index.html; Jon Henley, "Coronavirus Causing Some Anti-vaxxers to Waver, Experts Say," *Guardian*, April 21, 2020, https://www.theguardian.com/world/2020/apr/21/anti-vaccination-community-divided-how-respond-to-coronavirus-pandemic; Victoria Waldersee, "Could the New Coronavirus Weaken 'Anti-vaxxers'?" *Reuters*, April 11, 2020, https://www.reuters.com/article/us-health-coronavirus-antivax/could-the-new-coronavirus-weaken-anti-vaxxers-idUSKCN21T089.

* 18 Andrew E. Kramer, "Russia Sets Mass Vaccinations for October After Shortened Trial," *New York Times*, August 2, 2020, https://www.nytimes.com/2020/08/02/world/europe/russia-trials-vaccine-October.html.

* 19 Lauren Neergaard and Hananah Fingerhut, "AP-NORC Poll: Half of Americans Would Get a COVID-19 Vaccine," *AP News*, May 27, 2020, https://apnews.com/dacdc8bc428dd4df6511bfa259cfec44.

* 20 Steven Sparks and Gary Langer, "27% Unlikely to Be Vaccinated against the Coronavirus; Republicans, Conservatives Especially: POLL," *ABC News*, June 2, 2020, https://abcnews.go.com/Politics/27-vaccinated-coronavirus-republicans-conservatives-poll/story?id=70962377.

* 21 Rebecca Falconer, "Fauci: Coronavirus Vaccine May Not Be Enough to Achieve Herd Immunity in the U.S.," *Axios*, June 29, 2020, https://www.axios.com/fauci-coronavirus-vaccine-herd-immunity-unlikely-023151cc-086d-400b-a416-2f561eb9a7fa.html.

* 22 Manny Fernandez, "Conservatives Fuel Protests Against Coronavirus Lockdowns," *New York Times*, April 18, 2020, https://www.nytimes.com/2020/04/18/us/texas-protests-stay-at-home.html; Jason Wilson and Robert Evans, "Revealed: Major Anti-lockdown Group's Links to America's Far Right," *Guardian*, May 8, 2020, https://www.theguardian.com/world/2020/may/08/lockdown-groups-far-right-links-coronavirus-protests-american-revolution.

* 23 Chuck Todd et al., "The Gender Gap between Trump and Biden Has Turned into a Gender Canyon," *NBC News*, June 8, 2020, https://www.nbcnews.com/politics/meet-the-press/gender-gap-between-trump-biden-has-turned-gender-canyon-n1227261.

* 24 Neil MacFarquhar, "Who's Enforcing Mask Rules? Often Retail Workers, and They're Getting Hurt," *New York Times*, May 15, 2020, https://www.nytimes.com/2020/05/15/us/coronavirus-masks-violence.html; Bill Hutchinson, "'Incomprehensible': Confrontations over Masks Erupt amid COVID-19 Crisis," *ABC News*, May 7, 2020, https://abcnews.go.com/US/incomprehensible-confrontations-masks-erupt-amid-covid-19-crisis/story?id=70494577.

* 25 Kate Yoder, "Russian Trolls Shared Some Truly Terrible Climate Change Memes," *Grist*, May 1, 2018, https://grist.org/article/russian-trolls-shared-some-truly-terrible-climate-change-memes/; Craig Timberg and Tony Romm, "These Provocative Images Show Russian Trolls Sought to Inflame Debate over Climate Change, Fracking and Dakota Pipeline," *Washington Post*, March 1, 2018, https://www.washingtonpost.com/news/the-switch/wp/2018/03/01/congress-russians-trolls-sought-to-inflame-u-s-debate-on-climate-change-fracking-and-dakota-pipeline/; Rebecca Leber and A.J. Vicens, "7 Years Before Russia Hacked the Election, Someone Did the Same Thing to Climate Scientists," *Mother Jones*, January/February 2018, https://www.motherjones.com/politics/2017/12/climategate-wikileaks-russia-trump-hacking/.

* 26 Carolyn Y. Johnson, "Russian Trolls and Twitter Bots Exploit Vaccine Controversy," *Washington Post*, August 23, 2018, https://www.washingtonpost.com/science/2018/08/23/russian-trolls-twitter-bots-exploit-vaccine-controversy/; Jessica Glenza, "Russian Trolls 'Spreading Discord' over Vaccine

Safety Online," *Guardian*, August 23, 2018, https://www.theguardian.com/society/2018/aug/23/russian-trolls-spread-vaccine-misinformation-on-twitter.

＊27 Donnelle Eller, "Anti-GMO Articles Tied to Russian Sites," *Des Moines Register*, Feburary 25, 2018, https://www.desmoinesregister.com/story/money/agriculture/2018/02/25/russia-seeks-influence-usa-opinion-gmos-iowa-state-research/308338002/; Justin Cremer, "Russia Uses 'Information Warfare' to Portray GMOs Negatively," Alliance for Science, February 2018, https://allianceforscience.cornell.edu/blog/2018/02/russia-uses-information-warfare-portray-gmos-negatively/.

＊28 Robin Emmott, "Russia Deploying Coronavirus Disinformation to Sow Panic in West, EU Document Shows," *Reuters*, March 18, 2020, https://www.reuters.com/article/us-health-coronavirus-disinformation/russia-deploying-coronavirus-disinformation-to-sow-panic-in-west-eu-document-says-idUSKBN21518F.

＊29 Allen Kim, "Nearly Half of the Twitter Accounts Discussing 'Reopening America' May Be Bots, Researchers Say," *CNN*, May 22, 2020, https://www.cnn.com/2020/05/22/tech/twitter-bots-trnd/index.html.

＊30 Eric Tucker, "US Officials: Russia behind Spread of Virus Disinformation," *AP News*, July 28, 2020, https://apnews.com/3acb089e6a333e051dbc4a465cb68ee1.

＊31 "The Coronavirus Gives Russia and China Another Opportunity to Spread Their Disinformation," *Washington Post*, March 29, 2020, https://www.washingtonpost.com/opinions/the-coronavirus-gives-russia-and-china-another-opportunity-to-spread-their-disinformation/2020/03/29/8423a0f8-6d4c-11ea-a3ec-70d7479d83f0_story.html; Edward Wong et al., "Chinese Agents Spread Messages That Sowed Virus Panic in U.S., Officials Say," *New York Times*, April 22, 2020, https://www.nytimes.com/2020/04/22/us/politics/coronavirus-china-disinformation.html.

＊32 Oliver Milman, "Revealed: Quarter of All Tweets about Climate Crisis Produced by Bots," *Guardian*, February 21, 2020, https://www.theguardian.com/technology/2020/feb/21/climate-tweets-twitter-bots-analysis; Ryan Bort, "Study: Bots Are Fueling Online Climate Denialism," *Rolling Stone*, February 21, 2020, https://www.rollingstone.com/politics/politics-news/bots-fueling-climate-science-denialism-twitter-956335/.

＊33 ザッカーバーグがフェイスブックを「真実の裁定者」にしたいと思っているかどうかは別として、ここまで多くの人が彼のウェブサイトで情報を得ている現状を考えれば、すでにそうなっていると言っていいのかもしれない。Steven Levy, "Mark Zuckerberg Is an Arbiter of Truth—Whether He Likes It or Not," *Wired*, June 5, 2020, https://www.wired.com/story/mark-zuckerberg-is-an-arbiter-of-truth-whether-he-likes-it-or-not/.

＊34 Tony Romm, "Facebook CEO Mark Zuckerberg Says in Interview He Fears 'Erosion of Truth' but Defends Allowing Politicians to Lie in Ads," *Washington Post*, October 17, 2019, https://www.washingtonpost.com/technology/2019/10/17/facebook-ceo-mark-zuckerberg-says-interview-he-fears-erosion-truth-defends-allowing-politicians-lie-ads/.

＊35 Craig Timberg and Andrew Ba Tran, "Facebook's Fact-Checkers Have Ruled Claims in Trump's Ads Are False—but No One Is Telling Facebook's Users," *Washington Post*, August 5, 2020, https://www.washingtonpost.com/technology/2020/08/05/trump-facebook-ads-false/.

＊36 Jason Murdock, "Most COVID-19 Misinformation Originates on Facebook, Research Suggests," *Newsweek*, July 6, 2020, https://www.newsweek.com/facebook-covid19-coronavirus-misinformation-twitter-youtube-whatsapp-1515642.

＊37 Heather Kelly, "Facebook, Twitter Penalize Trump for Posts Containing Coronavirus Misinformation," *Washington Post*, August 7, 2020, https://www.washingtonpost.com/technology/2020/08/05/trump-post-removed-facebook/.

＊38　Alex Kantrowitz, "Facebook Is Taking Down Posts That Cause Imminent Harm—but Not Posts That Cause Inevitable Harm," *BuzzFeed News*, May 3, 2020, https://www.buzzfeednews.com/article/alexkantrowitz/facebook-coronavirus-misinformation-takedowns.

＊39　"Twitter to Label Misinformation about Coronavirus amid Flood of False Claims and Conspiracy Theories," *CBS News*, May 13, 2020, https://www.cbsnews.com/news/twitter-misinformation-disputed-tweets-claims-coronavirus/.

＊40　Craig Timberg et al., "Tech Firms Take a Hard Line against Coronavirus Myths. But What about Other Types of Misinformation?" *Washington Post*, February 28, 2020, https://www.washingtonpost.com/technology/2020/02/28/facebook-twitter-amazon-misinformation-coronavirus/.

＊41　Michael Segalov, "The Parallels between Corornavirus and Climate Crisis Are Obvious," *Guardian*, May 4, 2020, https://www.theguardian.com/environment/2020/may/04/parallels-climate-coronavirus-obvious-emily-atkin-pandemic; Beth Gardner, "Coronavirus Holds Key Lessons on How to Fight Climate Change," *Yale Environment 360*, March 23, 2020, https://e360.yale.edu/features/coronavirus-holds-key-lessons-on-how-to-fight-climate-change.

＊42　Bess Levin, "Texas Lt. Governor: Old People Should Volunteer to Die to Save the Economy," *Washington Post*, March 24, 2020, https://www.washingtonpost.com/sports/2020/04/18/sally-jenkins-trump-coronavirus-testing-economy/https://www.vanityfair.com/news/2020/03/dan-patrick-coronavirus-grandparents.

＊43　ジョン・ケリーの主張は異なる。気候変動と戦うために経済を停滞させる必要はなく、クリーンエネルギー周辺の新たな経済を発展させることで、雇用とインフラを創出すればいいと述べているのだ。Rachel Koning Beals, "COVID-19 and Climate Change: 'The Parallels Are Screaming at Us,' Says John Kerry," *Market Watch*, April 22, 2020, https://www.marketwatch.com/story/covid-19-and-climate-change-the-parallels-are-screaming-at-us-says-john-kerry-2020-04-22.

＊44　Paul Krugman, "COVID-19 Brings Out All the Usual Zombies," *New York Times*, March 28, 2020, https://www.nytimes.com/2020/03/28/opinion/coronavirus-trump-response.html.

＊45　この５つのステップを中心にしたコロナと気候変動の類似性については、以下のルワンドウスキーとクックの記事を参照。"Coronavirus Conspiracy Theories Are Dangerous," *The Conversation*, April 20, 2020, https://theconversation.com/coronavirus-conspiracy-theories-are-dangerous-heres-how-to-stop-them-spreading-136564.

＊46　Beth Gardiner, "Coronavirus Holds Key Lessons," *Yale Environment 360*, March 23, 2020, https://e360.yale.edu/features/coronavirus-holds-key-lessons-on-how-to-fight-climate-change.

＊47　Charlie Sykes, "Did Trump and Kushner Ignore Blue State COVID-19 Testing as Deaths Spiked?," *NBC News*, August 4, 2020, https://www.nbcnews.com/think/opinion/did-trump-kushner-ignore-blue-state-covid-19-testing-deaths-ncna1235707.

＊48　Bill Barrow et al., "Coronavirus' Spread in GOP Territory, Explained in Six Charts," *AP News*, June 30, 2020, https://apnews.com/7aa2fcf7955333834e01a7f9217c77d2.

＊49　Lewandowsky and Oberauer, "Motivated Rejection of Science"; Sander van der Linden, Anthony Leiserorwitz, and Edward Maibach, "Gateway Illusion or Cultural Cognition Confusion?," *Journal of Science Communication* 16, no. 5 (2017), https://jcom.sissa.it/archive/16/05/JCOM_1605_2017_A04.

＊50　Dana Nuccitelli, "Research Shows That Certain Facts Can Still Change Conservatives' Minds," *Guardian*, December 14, 2017, https://www.theguardian.com/environment/climate-consensus-97-percent/2017/dec/14/research-shows-that-certain-facts-can-still-change-conservatives-minds.

＊51　Madeleine Carlisle, "Three Weeks After Trump's Tulsa Rally, Oklahoma Reports Record High COVID-19 Numbers," *Time*, July 11, 2020, https://time.com/5865890/oklahoma-covid-

19-trump-tulsa-rally/.

＊52 "Coronavirus: Donald Trump Wears Face Mask for the First Time," *BBC*, July 12, 2020, https://www.bbc.com/news/world-us-canada-53378439.

＊53 John Wagner et al., "Herman Cain, Former Republican Presidential Hopeful, Has Died of Coronavirus, His Website Says," *Washington Post*, July 30, 2020, https://www.washingtonpost.com/politics/herman-cain-former-republican-presidential-hopeful-has-died-of-the-coronavirus-statement-on-his-website-says/2020/07/30/4ac62a10-d273-11ea-9038-af089b63ac21_story.html.

＊54 Ashley Collman, "A Man Who Thought the Coronavirus Was a 'Scamdemic' Wrote a Powerful Essay Warning against Virus Deniers after He Hosted a Party and Got His Entire Family Sick," *Business Insider*, July 28, 2020, https://www.businessinsider.com/coronavirus-texas-conservative-thought-hoax-before-infection-2020-7.

＊55 Janelle Griffith, "He Thought the Coronavirus Was 'a Fake Crisis.' Then He Contracted It and Changed His Mind," *NBC News*, May 18, 2020, https://www.nbcnews.com/news/us-news/he-thought-coronavirus-was-fake-crisis-then-he-contracted-it-n1209246.

＊56 Kim LaCapria, "Richard Rose Dies of COVID-19, After Repeated 'Covid Denier' Posts," *Truth or Fiction*, July 10, 2020, https://www.truthorfiction.com/richard-rose-dies-of-covid-19-after-repeated-covid-denier-posts/.

＊57 Kristin Urquiza, "Governor, My Father's Death Is on Your Hands," *Washington Post*, July 27, 2020, https://www.washingtonpost.com/outlook/governor-my-fathers-death-is-on-your-hands/ 2020/07/26/55a43bec-cd15-11ea-bc6a-6841b28d9093_story.html.

＊58 Charlie Warzel, "How to Actually Talk to Anti-Maskers," *New York Times*, July 22, 2020.

＊59 Warzel, "How to Actually Talk to Anti-Maskers."

＊60 ウォーゼルが引用したのは、ニューヨーク・タイムズ紙とシエナ・カレッジによる2020年6月の調査結果である。それによると、民主党支持者の90%、共和党支持者の75%が「医学者は新型コロナに関して信頼できる情報を発信している」と回答している。

＊61 Warzel, "How to Actually Talk to Anti-Maskers."

＊62 *The Scientific Attitude* を参照。

＊63 ここでも、不確実性の存在を認め、謙虚な姿勢を見せるのが有効かもしれない。Mark Honigsbaum, "Anti-vaxxers: Admitting That Vaccinology Is an Imperfect Science May Be a Better Way to Defeat Sceptics," *The Conversation*, February 15, 2019, https://theconversation.com/anti-vaxxers-admitting-that-vaccinology-is-an-imperfect-science-may-be-a-better-way-to-defeat-sceptics-111794?utm_medium=Social&utm_source=Twitter#Echobox=1550235443.

＊64 Charlie Warzel, "How to Actually Talk to Anti-Maskers."

＊65 科学的トピックに関する陰謀論を信じている人と効果的に対話する方法について実践的なヒントを教えてくれるすばらしい記事は次を参照。Tanya Basu, "How to Talk to Conspiracy Theorists—and Still Be Kind," *MIT Technology Review*, July 15, 2020, https://www.technologyreview.com/2020/07/15/1004950/how-to-talk-to-conspiracy-theorists-and-still-be-kind/.

＊66 この考えについて論じた他の人たちについては、第3章の注35を参照。

参考文献

Appiah, Kwame Anthony. "People Don't Vote for What They Want: They Vote for Who They Are." *Washington Post*, August 30, 2018. https://www.washingtonpost.com/outlook/people-dont-vote-for-want-they-want-they-vote-for-who-they-are/2018/08/30/fb5b7e44-abd7-11e8-8a0c-70b618c98d3c_story.html.

Asch, Solomon. "Opinions and Social Pressure." *Scientific American* 193 (November 1955): 31–35.

Bardon, Adrian. *The Truth about Denial: Bias and Self-Deception in Science, Politics, and Religion*. Oxford: Oxford University Press, 2020.

Beck, Julie. "This Article Won't Change Your Mind." *Atlantic*, March 13, 2017.

Berman, Jonathan. *Anti-Vaxxers: How to Challenge a Misinformed Movement*. Cambridge, MA: MIT Press, 2020.

Berman, Mark. "More Than 100 Confirmed Cases of Measles in the U.S." *Washington Post*, February 2, 2015. https://www.washingtonpost.com/news/to-your-health/wp/2015/02/02/more-than-100-confirmed-cases-of-measles-in-the-u-s-cdc-says.

Boghossian, Peter, and James Lindsay. *How to Have Impossible Conversations: A Very Practical Guide*. New York: Lifelong Books, 2019.〔ボゴジアン／リンゼイ『話が通じない相手と話をする方法』(藤井翔太監訳／遠藤進平訳、晶文社)〕

Boseley, Sarah. "Mbeki Aids Denial 'Caused 300,000 Deaths.'" *Guardian*, November 26, 2008.

Branigin, Rose. "I Used to Be Opposed to Vaccines. This Is How I Changed My Mind." *Washington Post*, February 11, 2019. https://www.washingtonpost.com/opinions/i-used-to-be-opposed-to-vaccines-this-is-how-i-changed-my-mind/2019/02/11/20fca654-2e24-11e9-86ab-5d02109aeb01_story.html.

Cassam, Quassim. *Conspiracy Theories*. Cambridge: Polity, 2019.

Coll, Steve. *Private Empire: ExxonMobil and American Power*. New York: Penguin, 2012.

Cook, John. "A History of FLICC: The Five Techniques of Science Denial." *Skeptical Science*, March 31, 2020. https://skepticalscience.com/history-FLICC-5-techniques-science-denial.html.

Crease, Robert P. *The Workshop and the World: What Ten Thinkers Can Teach Us about the Authority of Science*. New York: Norton, 2019.

Dean, Cornelia. *Making Sense of Science: Separating Substance from Spin*. Cambridge, MA: Harvard University Press, 2017.

Deer, Brian. "British Doctor Who Kicked-Off Vaccines-Autism Scare May Have Lied, Newspaper Says." *Los Angeles Times*, February 9, 2009.

———. "How the Case against the MMR Vaccine Was Fixed." *British Medical Journal* 342 (2011): case 5347.

Diethelm, Pascal, and Martin McKee. "Denialism: What Is It and How Should Scientists Respond?" *European Journal of Public Health* 19, no. 1 (January 2009): 2–4. https://academic.oup.com/eurpub/article/19/1/2/463780.

Doyle, Alister. "Evidence for Man-Made Global Warming Hits Gold Standard." *Reuters*, February 25, 2019. https://www.reuters.com/article/us-climatechange-tempera tures/evidence-for-man-made-global-warming-hits-gold-standard-scientists-idUS KCN1QE1ZU.

Festinger, Leon, Henry Ricken, and Stanley Schachter. *When Prophecy Fails*. New York: Harper and Row, 1964.〔フェスティンガー／リーケン／シャクター『予言がはずれるとき』（水野博介訳、勁草書房）〕

Folley, Aris. "NASA Chief Says He Changed Mind about Climate Change because He 'Read a Lot.'" *The Hill*, June 6, 2018. https://thehill.com/blogs/blog-briefing-room/news/391050-nasa-chief-on-changing-view-of-climate-change-i-heard-a-lot-of.

Foran, Clare. "Ted Cruz Turns Up the Heat on Climate Change." *Atlantic*, December 9, 2015.

Gee, David. "Almost All Flat Earthers Say YouTube Videos Convinced Them, Study Says." *Friendly Atheist*, February 20, 2019. https://friendlyatheist.patheos.com/2019/02/20/almost-all-flat-earthers-say-youtube-videos-convinced-them-study-says/.

Gillis, Justin. "Scientists Warn of Perilous Climate Shift within Decades, Not Centuries." *New York Times*, March 22, 2016.

Godlee, Fiona. "Wakefield Article Linking MMR Vaccine and Autism Was Fraudulent." *British Medical Journal* 342 (2011): case 7452.

Gorman, Sara, and Jack Gorman. *Denying to the Grave: Why We Ignore the Facts That Will Save Us*. Oxford: Oxford University Press, 2017.

Griswold, Eliza. "People in Coal Country Worry about the Climate, Too." *New York Times*, July 13, 2019. https://www.nytimes.com/2019/07/13/opinion/sunday/jobs-climate-green-new-deal.html.

Haidt, Jonathan. *The Righteous Mind: Why Good People Are Divided by Politics and Religion*. New York: Vintage, 2012.〔ハイト『社会はなぜ左と右にわかれるのか』（高橋洋訳、紀伊國屋書店）〕

Hall, Shannon. "Exxon Knew about Climate Change Almost 40 Years Ago." *Scientific American*, October 26, 2015.

Hamilton, Lawrence. "Conservative and Liberal Views of Science: Does Trust Depend on Topic?" *Carsey Research, Regional Issue Brief* 45 (Summer 2015). https://scholars.unh.edu/cgi/viewcontent.cgi?article=1251&context=carsey.

Hansen, James. *Storms of My Grandchildren*. New York: Bloomsbury, 2010.

Harris, Paul. "Four US States Considering Laws That Challenge Teaching of Evolution." *Guardian*, January 31, 2013.

Hoggan, James, and Richard Littlemore. *Climate Cover-Up: The Crusade to Deny Global Warming*. Vancouver: Greystone, 2009.

Hoofnagle, Mark. "About." *ScienceBlogs*, April 30, 2007. https://scienceblogs.com/denialism/about.

Huber, Rose. "Scientists Seen as Competent but Not Trusted by Americans." *Woodrow Wilson School* (September 22, 2014), https://publicaffairs.princeton.edu/news/scientists-seen-competent-not-trusted-americans.

Joyce, Christopher. "Rising Sea Levels Made This Republican Mayor a Climate Change Believer." *NPR*, May 17, 2016. https://www.npr.org/2016/05/17/477014145/rising-seas-made-this-republican-mayor-a-climate-change-believer.

Kahan, Dan, E. Peters, E. Dawson, and P. Slovic. "Motivated Numeracy and Enlightened Self-Government." *Behavioural Public Policy*, preprint. Accessed October 25, 2020. https://pdfs.semanticscholar.org/2125/a9ade77f4d1143c4f5b15a534386e72e3aea.pdf.

Kahn, Brian. "No Pause in Global Warming." *Scientific American*, June 4, 2015.

Kahneman, Daniel. *Thinking Fast and Slow*. New York: Farrar, Straus and Giroux, 2011.〔カーネマン『ファスト＆スロー』（村井章子訳、早川書房）〕

Kahn-Harris, Keith. *Denial: The Unspeakable Truth*. London: Notting Hill Editions, 2018.

Keeley, Brian. "Of Conspiracy Theories." *Journal of Philosophy* 96, no. 3 (March 1999): 109–126.

Kolbert, Elizabeth. "Why Facts Don't Change Our Minds." *New Yorker*, February 27, 2017. https://www.newyorker.com/magazine/2017/02/27/why-facts-dont-change-our-minds.
Krimsky, Sheldon. *GMOs Decoded*. Cambridge, MA: MIT Press, 2019.
Kruger, Justin, and David Dunning. "Unskilled and Unaware of It: How Difficulties in Recognizing One's Own Incompetence Lead to Inflated Self-Assessments." *Journal of Personality and Social Psychology* 77, no. 6 (1999): 1121–1134.
Kuklinski, James, et al. "Misinformation and the Currency of Democratic Citizenship." *Journal of Politics* 62, no. 3 (August 2000): 790–816.
Landrum, Asheley, Alex Olshansky, and Othello Richards. "Differential Suspectibility to Misleading Flat Earth Arguments on YouTube." *Media Psychology*, September 29, 2019. https://www.tandfonline.com/doi/full/10.1080/15213269.2019.1669461.
Leonard, Christopher. *Kochland: The Secret History of Koch Industries and Corporate Power in America*. New York: Simon and Schuster, 2019.
Lewandowsky, Stephan, and John Cook. *The Conspiracy Theory Handbook*. 2020. https://www.climatechangecommunication.org/conspiracy-theory-handbook/.
Lewandowsky, Stephan, Gilles E. Gignac, and Klaus Oberauer. "Correction: The Role of Conspiracist Ideation and Worldviews in Predicting Rejection of Science." *PLoS ONE* 10, no. 8 (2015): e0134773.
Lewandowsky, Stephan, and Klaus Oberauer. "Motivated Rejection of Science." *Current Directions in Psychological Science* 25, no. 4 (2016): 217–222.
Lewandowsky, Stephan, Jan K. Woike, and Klaus Oberauer. "Genesis or Evolution of Gender Differences? Worldview-Based Dilemmas in the Processing of Scientific Information." *Journal of Cognition* 3, no. 1 (2020): 9.
Longino, Helen. *Science as Social Knowledge: Values and Objectivity in Scientific Inquiry*. Princeton: Princeton University Press, 1990.
Lynas, Mark. *Seeds of Science: Why We Got It So Wrong on GMOs*. London: Bloomsbury, 2018.
Lynch, Michael Patrick. *Know-It-All Society: Truth and Arrogance in Political Culture*. New York: Liveright, 2019.
Mason, Lilliana. "Ideologues without Issues: The Polarizing Consequences of Ideological Identities." *Public Opinion Quarterly* 82, no. S1 (March 21, 2018): 866–887.
Mayer, Jane. *Dark Money: The Hidden History of the Billionaires Behind the Rise of the Radical Right*. New York: Anchor, 2017.〔メイヤー『ダークマネー』(伏見威蕃訳、東洋経済新報社)〕
McIntyre, Lee. "Flat Earthers, and the Rise of Science Denial in America." *Newsweek*, May 14, 2019. https://www.newsweek.com/flat-earth-science-denial-america-1421936.
———. "How to Talk to COVID-19 Deniers." *Newsweek*, August 18, 2020. https://www.newsweek.com/how-talk-covid-deniers-1525496.
———. *Post-Truth*. Cambridge, MA: MIT Press, 2018.〔マッキンタイア『ポストトゥルース』(大橋完太郎監訳、居村匠／大﨑智史／西橋卓也訳、人文書院)〕
———. "The Price of Denialism." *New York Times*, November 7, 2015.
———. *Respecting Truth: Willful Ignorance in the Internet Age*. New York: Routledge, 2015.
———. *The Scientific Attitude: Defending Science from Denial, Fraud, and Pseudoscience*. Cambridge, MA: MIT Press, 2019.〔マッキンタイア『「科学的に正しい」とは何か』(網谷祐一監訳、高崎拓哉訳、ニュートンプレス)〕
Meikle, James, and Boseley, Sarah. "MMR Row Doctor Andrew Wakefield Struck Off Register." *Guardian*, May 24, 2010.
Mellor, D. H. "The Warrant of Induction." In *Matters of Metaphysics*. Cambridge: Cambridge

University Press, 1991.
Mnookin, Seth. *The Panic Virus: The True Story Behind the Vaccine-Autism Controversy*. New York: Simon and Schuster, 2011.
Mooney, Chris. *The Republican Brain: The Science of Why They Deny Science—and Reality*. Hoboken, NJ: Wiley, 2012.
———. *The Republican War on Science*. New York: Basic Books, 2005.
Moser, Laura. “Another Year, Another Anti-Evolution Bill in Oklahoma.” *Slate*, January 25, 2016. http://www.slate.com/blogs/schooled/2016/01/25/oklahoma_evolution_controversy_two_new_bills_present_alternatives_to_evolution.html.
Nahigyan, Pierce. “Global Warming Never Stopped.” *Huffington Post*, December 3, 2015, https://www.huffpost.com/entry/global-warming-never-stopped_b_8704128.
Nichols, Tom. T*he Death of Expertise: The Campaign against Established Knowledge and Why It Matters*. Oxford: Oxford University Press, 2017.〔ニコルズ『専門知は、もういらないのか』(高里ひろ訳、みすず書房)〕
NPR News. “Scientific Evidence Doesn’t Support Global Warming, Sen. Ted Cruz Says.” *NPR*, December 9, 2015. http://www.npr.org/2015/12/09/459026242/scientific-evidence-doesn-t-support-global-warming-sen-ted-cruz-says.
Nuccitelli, Dana. “Here’s What Happens When You Try to Replicate Climate Contrarian Papers.” *Guardian*, August 25, 2015.
Nyhan, Brendan, and Jason Reifler. “The Roles of Information Deficits and Identity Threat in the Prevalence of Misperceptions.” *Journal of Elections, Public Opinion and Parties* 29, no. 2 (2019): 222–244.
———. “When Corrections Fail: The Persistence of Political Misperceptions.” *Political Behavior* 32 (2010): 303–330.
O’Connor, Cailin, and James Weatherall. *The Misinformation Age: How False Beliefs Spread*. New Haven: Yale University Press, 2017.
Offit, Paul. *Deadly Choices: How the Anti-Vaccine Movement Threatens Us All*. New York: Basic Books, 2015.〔オフィット『反ワクチン運動の真実』(ナカイサヤカ訳、地人書館)〕
Oreskes, Naomi, and Erik Conway. *Merchants of Doubts: How a Handful of Scientists Obscured the Truth on Issues from Tobacco Smoke to Global Warming*. New York: Bloomsbury, 2010.〔オレスケス／コンウェイ『世界を騙しつづける科学者たち』(福岡洋一訳、楽工社)〕
Otto, Shawn. *The War on Science: Who’s Waging It, Why It Matters, What We Can Do about It*. Minneapolis: Milkweed, 2016.
Pappas, Stephanie. “Climate Change Disbelief Rises in America” *LiveScience*, January 16, 2014. http://www.livescience.com/42633-climate-change-disbelief-rises.html.
Pigliucci, Massimo. *Denying Evolution: Creationism, Scientism and the Nature of Science*. Oxford: Sinauer Associates, 2002.
Pinker, Steven. *Enlightenment Now: The Case for Reason, Science, Humanism, and Progress*. New York: Penguin, 2019.〔ピンカー『21世紀の啓蒙』(橘明美／坂田雪子訳、草思社)〕
Plait, Phil. “Scientists Explain Why Ted Cruz Is Wrong about the Climate.” *Mother Jones*, January 19, 2016.
Prothero, Donald. *Reality Check: How Science Deniers Threaten Our Future*. Bloomington: Indiana University Press, 2013.
Redlawsk, David, et al. “The Affective Tipping Point: Do Motivated Reasoners Ever ‘Get It’?” *Political Psychology* 31, no. 4 (2010): 563–593.
Saslow, Eli. *Rising Out of Hatred: The Awakening of a Former White Nationalist*. New York: Anchor,

2018.
Schmid, Phillip, and Cornelia Betsch. "Effective Strategies for Rebutting Science Denialism in Public Discussions." *Nature Human Behaviour* 3 (2019): 931–939.
Shepphard, Kate. "Ted Cruz: 'Global Warming Alarmists Are the Equivalent of the Flat-Earthers.'" *Huffington Post*, March 25, 2015, https://www.huffpost.com/entry/ted-cruz-global-warming_n_6940188.
Shermer, Michael. *The Believing Brain*. New York: Times Books, 2011.
———. "How to Convince Someone When Facts Fail: Why Worldview Threats Undermine Evidence." *Scientific American*, January 1, 2017. https://www.scientificamerican.com/article/how-to-convince-someone-when-facts-fail/.
Specter, Michael. *Denialism: How Irrational Thinking Hinders Scientific Progress, Harms the Planet, and Threatens Our Lives*. New York: Penguin, 2009.
Steinhauser, Jennifer. "Rising Public Health Risk Seen as More Parents Reject Vaccines." *New York Times*, March 21, 2008.
Storr, Will. *The Heretics: Adventures with the Enemies of Science*. New York: Picador, 2013.
Sun, Lena, and Maureen O'Hagan. "'It Will Take Off Like Wildfire': The Unique Dangers of the Washington State Measles Outbreak." *Washington Post*, February 6, 2019. https://www.washingtonpost.com/national/health-science/it-will-take-off-like-a-wildfire-the-unique-dangers-of-the-washington-state-measles-outbreak/2019/02/06/cfd5088a-28fa-11e9-b011-d8500644dc98_story.html.
Trivers, Robert. *The Folly of Fools: The Logic of Deceit and Self-Deception in Human Life*. New York: Basic Books, 2011.
van der Linden, Sander. "Countering Science Denial." *Nature Human Behaviour* 3 (2019): 889–890. https://www.nature.com/articles/s41562-019-0631-5.
Warzel, Charlie. "How to Actually Talk to Anti-Maskers." *New York Times*, July 22, 2020. https://www.nytimes.com/2020/07/22/opinion/coronavirus-health-experts.html.
West, Mick. *Escaping the Rabbit Hole: How to Debunk Conspiracy Theories Using Facts, Logic, and Respect*. New York: Skyhorse, 2018.
Wood, Thomas, and Ethan Porter. "The Elusive Backfire Effect." August 5, 2016. https://djflynn.org/wp-content/uploads/2016/08/elusive-backfire-effect-wood-porter.pdf.
Zimring, James. *What Science Is and How It Really Works*. Cambridge: Cambridge University Press, 2019.

著　者

リー・マッキンタイア

Lee McIntyre

1962年生まれ。哲学者。ボストン大学研究員（科学哲学・科学史センター）。『ポストトゥルース』（大橋完太郎監訳、居村匠／大﨑智史／西橋卓也訳、人文書院）、『「科学的に正しい」とは何か』（網谷祐一監訳、高崎拓哉訳、ニュートンプレス）など著書多数。

訳　者

西尾義人

にしお・よしひと

1973年生まれ。翻訳者。国際基督教大学教養学部語学科卒。訳書に、ピーニャ＝グズマン『動物たちが夢を見るとき』、ヴァン・ドゥーレン『絶滅へむかう鳥たち』（共に青土社）などがある。

解　説

横路佳幸

よころ・よしゆき

1990年生まれ。2019年慶應義塾大学大学院文学研究科博士課程を単位取得退学。2020年同大学で博士号（哲学）を取得。専門は哲学・倫理学。名古屋学院大学専任講師。著書に『同一性と個体——種別概念に基づく統一理論に向けて』（慶應義塾大学出版会）、訳書にダンカン・プリチャード『哲学がわかる 懐疑論——パラドクスから生き方へ』（岩波書店）がある。

エビデンスを嫌う人たち

科学否定論者は何を考え、どう説得できるのか？

2024年5月25日　初版第1刷発行
2024年8月30日　初版第2刷発行

著者　リー・マッキンタイア
訳者　西尾義人
発行者　佐藤今朝夫
発行所　株式会社国書刊行会
〒174-0056 東京都板橋区志村1-13-15
Tel.03-5970-7421　Fax.03-5970-7427
https://www.kokusho.co.jp
印刷所　中央精版印刷株式会社
製本所　株式会社ブックアート
装幀　大倉真一郎
ISBN978-4-336-07619-9
落丁・乱丁本はお取り替えいたします。

アメリカ70年代　激動する文化・社会・政治

ブルース・J・シュルマン／巽孝之 監訳、北村礼子 訳

四六変判　五四四頁　定価三九六〇円

978-4-336-07583-3

NHK『世界サブカルチャー史　欲望の系譜』で一九六〇年代以降のアメリカについて証言した異色の歴史学者が、二一世紀のアメリカを形作った七〇年代アメリカをヴィヴィッドに描き出した話題作！

FDRの将軍たち　上・下　ローズヴェルトの最高司令部はいかにしてアメリカを勝利に導いたか

ジョナサン・W・ジョーダン／中沢志保 訳

四六判　五一二／五〇六頁　各定価四一八〇円　978-4-336-07278-8/07279-5

ローズヴェルト大統領は、来るべき戦争で自らとともに国家の舵取りを担うべく、スティムソン、キング、マーシャルに白羽の矢を立てた。彼ら軍事指導者たちの実像と大統領権力の裏側を活写した迫真の記録。

マーガレット・フラー　新しい女性の生き方

メーガン・マーシャル／伊藤淑子 訳

A5判　五八四頁　定価四九五〇円

978-4-336-07458-4

『一九世紀の女性』で米国初のフェミニズム言説を率い、超越主義運動に関係した一九世紀半ばの女性知識人マーガレット・フラー。つねに時代の先を生きた四〇年の生涯を丁寧につむぐ。ピュリッツァー賞受賞。

魔女　女性たちの不屈の力

モナ・ショレ／いぶきけい 訳

四六判　三二二頁　定価二六四〇円

978-4-336-07334-1

魔女狩りを生みだした偏見、それがそのままフェミニストやエコロジストに向けられる社会の目。著者はスターホークやジュール・ミシュレの跡を継ぎ、魔女に心からの声援を送る。二〇一九年仏フナック賞受賞。

ティラノサウルスを発見した男　バーナム・ブラウン

L・ディンガス、マーク・A・ノレル／松本隆光 訳／坂田智佐子 監訳
四六変判　五一二頁　定価三三〇〇円
978-4-336-07582-6

一九〇二年、米モンタナ州ヘルクリークでティラノサウルス・レックスが発見された——。フィールドからのラジオ放送やディズニー『ファンタジア』への協力、全米を魅了した伝説の恐竜ハンターの本邦初評伝。

〈標本〉の発見　科博コレクションから

国立科学博物館 編著
B5変判　一六〇頁　定価二九七〇円
978-4-336-07563-5

美しい標本、それぞれのストーリー——。国立科学博物館の研究者一四名がこだわり選んだレッドリスト絶滅種・絶滅危惧種を中心に一五〇種超。絶滅の物語、復活の物語、科学の最前線エピソードを添えた図鑑。

ドードー鳥と孤独鳥

川端裕人
四六変判　三七二頁　定価二九七〇円
978-4-336-07519-2

科学記者タマキとゲノム研究者ケイナ。絶滅動物を偏愛する幼馴染ふたりは、江戸時代の日本に来た「ドードー鳥」の足跡と謎を追う旅に出る——スリリングで感動的な絶滅動物小説！　新田次郎文学賞受賞。

進化38億年の偶然と必然　生命の多様性はどのようにして生まれたか

長谷川政美
四六変判　四一六頁　定価四一八〇円
978-4-336-07037-1

世界的な分子系統学者が着目する「進化」の最重要トピックス。歴史を紐解き新知見を紹介し、探求の道を共に歩んだ研究者たちとのエピソードを交えて地球科学的な時間軸の絡みあいのなかにつむぐ三八億年！

＊10％税込価。価格は改定することがあります。